Zondagskin

Meredith Efken

Zondagskind

Roman

Vertaald door Jetty Huisman

 *Voorhoeve*

© Uitgeverij Voorhoeve – Utrecht, 2011
Postbus 13288, 3507 LG Utrecht
www.kok.nl

Oorspronkelijk verschenen onder de titel *Lucky Baby* bij Howard Books, a
division of Simon & Schuster, Inc., 1230 Avenue of the Americas, New York,
NY 10020, Verenigde Staten
© Meredith Efken, 2010

Vertaling Jetty Huisman
Omslagontwerp t4design
ISBN 978 90 297 9659 0
NUR 302

Voor mijn dochter Jessamyn Zhu-Chun. Elk woord in dit boek komt voort uit mijn liefde voor jou. Iedereen zei dat jij een zondagskind was, dat je van geluk mocht spreken. Maar ík ben juist de geluksvogel, want ik mag jouw moeder zijn.

Proloog

Wen Ming, april 2001

Mijn vroegste herinneringen zijn aan een vrouw zonder lichaam. Een rond perzikengezicht, meer niet. Glad en rimpelloos. Stevig. Een glimlachende perzik met kuiltjes. Zij is niet mijn moeder. Mijn moeder herinner ik me niet.

Nu ik bijna volwassen ben, zo veel jaar later, herinner ik me andere dingen. Het zijn maar fragmenten, snippers van een verscheurde, verbleekte foto. Ik weet soms niet meer wat een echte herinnering is en wat ik in gedachten heb aangevuld. Dat vind ik niet erg, want volgens mij speelt ons leven zich sowieso vooral in onze gedachten af.

Ik herinner me de motregen die ruikt naar de zee en naar dode regenwormen; de enorme betonnen treden en dat mijn benen zeer doen van het traplopen, de vezels van mijn dekentje met altijd dezelfde geur van in de zon gedroogde lakens, gestoomde rijst en zuur water. Een hoek van het dekentje bleef achter een traptree haken en ik struikelde. De vrouw klemde mijn hand steviger vast. 'Pas nou toch op,' zei ze. 'Haast je.'

We haastten ons.

Niet naar het park om tai chi te gaan doen. Niet naar de markt om er zo vroeg mogelijk te zijn voor de lekkerste vis. Het is niet de haast waarmee ik mijn kleren laag voor laag afpelde zodat ik boven de wc kon hurken. Van die gewone haast werden mijn handen niet zo klam als kleffe noedels en kreeg ik ook niet het gevoel dat er een paling in mijn buik kronkelde. Deze haast was als een nachtmerrie die me achtervolgde door de duistere steegjes van mijn gedachten en me opslokte in het niets.

Ik was te klein om me te verzetten, maar liep met lood in mijn schoenen. Ze trok aan mijn arm. Ik sjokte achter haar aan. Ik had geen keus.

Allemaal gangen. Halfduister, muf, vochtig. Stemmen van een man en een vrouw; die vrouw met de volmaakte perzikenhuid. 'U kunt hier geen kind achterlaten. Dit is een politiebureau, geen weeshuis. Ze mag hier niet blijven. Dat is niet toegestaan.'

'Het is mijn kind niet.'

'Woonde ze bij u?'

'Ik... ik heb haar opgevangen toen haar moeder... eerlijk gezegd weet ik niet wie haar ouders zijn.'

'Hoelang geleden was dat?'

'In juli wordt ze drie jaar.'

'Een moeder doet toch geen afstand van haar kind na bijna drie jaar? Is ze u zo tot last?' De man lachte en streek door mijn haar alsof ik een hond was die je achter het oor krabt. In mijn hart ontblootten zich scherpe tanden en ik deinsde geluidloos grommend terug. De vrouw trok me dichter naar zich toe.

'Ik ben haar moeder niet!' De paniek stroomde door haar hand naar mijn hand, mijn arm en verder naar mijn hart, een kil, verlammend spoor achterlatend. 'Ik geef echt wel om het kind, maar ze is niet geregistreerd. Ze heeft geen *hukou*. En ze wordt blind...'

Ik voelde de hand van de man onder mijn kin. Hij tilde mijn gezicht op; zijn aanraking was zachter nu. Zijn groengrijze schaduw torende boven mij uit. 'U had een *hukou* moeten aanvragen voor haar. Het was dom om dat niet te doen.'

De vrouw zei niets. Inmiddels heb ik medelijden met deze vrouw in mijn gedachten. Afstand doen van een kind is een schande, zelfs als het niet je eigen kind is. Ze kon niet voorkomen dat ze gezichtsverlies leed; tenslotte had ze me clandestien in huis genomen. Maar nu was ze te arm om te kunnen zorgen voor een kind dat blind werd.

'Ik had haar in de wachtkamer achter kunnen laten. Ze kan nog niet praten. Ik heb haar juist hiernaartoe gebracht omdat ze hier veilig is. Vindt u mij zo slecht?' Haar stem klonk zo schel als het verkeer in Sjanghai. 'Ik ben niet slecht. Mijn schoonouders hebben zich niet aan hun woord gehouden. Zij denken dat een slechtziend kind de moeite niet waard is. Hoe moet ik ooit haar doktersrekeningen betalen? Moet ik mijn baan opgeven om alleen maar voor een blind kind te gaan zorgen? Wie gaat dat betalen? Wilt u dat we allemaal op straat belanden? Ik ben niet slecht, ik werk hard. Mijn man ook. We willen gewoon een gezond kind, net als iedereen.'

Door wat ze zei voelde ik me dun, doorzichtig worden, als een vel papier dat je verfrommelt en weggooit. Een vel papier waar 'ongewenst' op geschreven staat.

De man zweeg even. Misschien was hij het niet met de vrouw eens. Misschien vond hij me niet ongewenst. Maar als hij er anders over dacht, waarom zei hij dan niets?

Ik klemde me aan de hand van de vrouw vast. Ik weet niet of ik van haar hield, maar als ze los zou laten, als ze me zou verlaten, dan was ik alleen in mijn schaduwwereld. Het leek nu al of het duister onder mijn huid kroop, mij van mijn eigen lichaam losmaakte. Ik bewoog mijn tenen en mijn vingers, maar het leek alsof ik er geen greep op had.

'Alstublieft,' fluisterde ze. 'Ik was van plan haar aan te geven toen we haar in huis namen, maar we hadden telkens niet genoeg geld. Mijn schoonouders hadden beloofd de *hukou* te betalen, maar toen ze hoorden dat het een meisje was, niet meer. En nu zijn ze boos omdat wij een kind hebben dat blind wordt. Niemand anders wil haar hebben, dat begrijpt u toch wel?'

Ik kneep mijn ogen dicht en wenste vurig dat de man zich niet liet vermurwen. Dat haar vernedering hem niet van zijn stuk bracht. Dat hij het niet zou begrijpen.

Toen hij na een lange stilte weer wat zei, had hij een brok in zijn keel en klonk zijn stem zo dik als oude sesamolie. 'Ik zal op het formulier schrijven dat u haar gevonden hebt en hiernaartoe hebt gebracht. Niets over de rest.'

Voor het eerst verslapte de greep van de vrouw. Ze liet me los en deed haar tas open. 'Dank u. Ik heb haar geboortedatum ook, voor het formulier.'

Mijn hart klopte in mijn keel, net als het kloppen in de hals van een kip voordat die wordt omgedraaid. Ik zag vaag een paar briefjes uit haar tas in zijn handen belanden. Hij had haar niet alleen de schande, maar ook problemen met justitie bespaard. Dat was wel een paar yuan waard, zelfs al kon ze zich niets veroorloven. Ze ging op haar knieën voor me zitten, met een geforceerde glimlach op haar gladde gezicht.

'Je zult het fijn vinden daar. Er zijn heel veel kinderen. Ze helpen je met zien. Je bent echt veel beter af.'

Een traan blonk op haar wang. Ik raakte hem aan en haar glimlach trok zich samen. Ze lachte even. 'Ik wou dat ik meekon, zondagskind! Je vermaakt je vast prima.'

Ik sloeg mijn armen om haar heen en verborg mijn gezicht in haar hals, waar haar huid het zachtst was en naar zeep rook. Ze omhelsde me en er ging een schok van verdriet door haar heen, door ons allebei.

Met moeite maakte ze zich van me los. Verdween in de schaduwen. Ik hoorde het gekraak van haar rubberzolen snel wegsterven in de gang toen ze zich uit de voeten maakte.

Ik schoot vooruit om achter haar aan te gaan. De man hield me tegen met zijn arm en ik schreeuwde het uit. Ik sloeg en trapte, maar hij was veel sterker dan ik. Hij zei dat ik niet stout moest zijn, maar rustig moest worden, braaf zijn. Hij bedoelde het vast niet verkeerd. Hij nam me in zijn armen, streelde mijn rug en wiegde me. Zijn hart bonsde heel snel. Zijn handen beefden. Ik probeerde te stoppen met huilen, voor hem. Ik wilde graag braaf zijn.

De tantes van het kindertehuis in Sjanghai zeggen dat ik te jong was om me dit te kunnen herinneren. Ze zeggen dat ik het verzonnen heb. Ze houden vol dat een kind van tweeënhalf zoiets niet kan weten. Maar ik weet het zeker; ik weet wat er gebeurd is. Ik heb het niet zelf bedacht. Ik weet dat het echt is.

Zou een kind zoiets ooit vergeten?

Deel I

Lieveheersbeestjes

'Weten we werkelijk wie er arm zijn? Weten we wie arm is in ons eigen huis, in ons gezin? We hebben misschien geen stukje brood nodig. Misschien lijden onze kinderen, onze man of vrouw geen honger en zijn ze niet naakt of dakloos. Maar weet je wel zeker dat niemand zich ongewenst of ongeliefd voelt?'

Moeder Teresa

1

Meg Lindsay

Ik kijk naar haar als ze slaapt. De onrust van de dag heeft plaatsgemaakt voor de vredige eenvoud van de nacht. Ik strijk met mijn duim over haar roze lippen en haar wangen die nog kinderlijk rond zijn. Haar huid is zo zacht als de mooiste herinnering en het tederste gevoel dat ik ooit heb meegemaakt. Dit komt allemaal bij me boven als ik haar aanraak. Ze zal wel nooit weten hoe vaak ik 's nachts stiekem haar kamer ben binnen gegaan om haar te bekijken. Hongerig, in een wanhopig verlangen dat zij de leegte in mij vult. Ik kan nooit genoeg van haar houden, genoeg naar haar verlangen, genoeg van haar krijgen. Haar kleine handen, het warrige, bezwete haar, de zachte huid van haar oogleden. Ik heb nooit gevraagd om deze liefde, nooit verwacht dat die me zo'n diepe pijn zou bezorgen. En nu hunker ik naar die liefde, ook al zou hij me verslinden, ook al zou ik er kapot aan gaan. Ik moet van haar houden. Ik wil van haar houden.

Ik heb dit nooit gewild.

Ik heb nooit moeder willen zijn. Zo, ik heb het gezegd; dat is de harde waarheid. De mensen dachten vaak dat het kwam doordat ik te veel op mezelf en op mijn carrière gericht was. Of dat ik niet van kinderen zou houden. Of dat ik onvruchtbaar zou zijn.

Ze zaten er allemaal naast.

Sinds ik me kan heugen betekent 'moeder' voor mij een vrouw die kritiek heeft, die alles afkeurt wat ik doe, nooit tevreden is, nooit ergens volledig mee instemt. Een moeder is iemand die alleen van je houdt als je doet wat zij wil. Met een moeder is emotionele verwaarlozing nooit ver weg; de verlatenheid ligt altijd op de loer.

Waarom zou ik dan zo iemand willen worden? Wie zou dat een onschuldig kind aan willen doen? Het is niet dat ik niet van kinderen houd. Ik houd niet van moeders.

Waarom zou ik iemand willen worden van wie ik een afkeer heb?

En toch is dat gebeurd. Ik beweer niet dat mijn motieven zuiver waren. Ik weet dat dat niet zo was. Elke ommekeer, elke aardverschuiving wordt nu eenmaal ergens door in gang gezet. Iets geeft het eerste duwtje waardoor je alles op het spel zet en een nieuwe weg in slaat.

Degene die mij dat duwtje gaf, was mijn moeder.

Maart 2005

'Waarom doen we dit ook alweer?' vroeg Lewis, mijn man, terwijl hij onze auto parkeerde op de oprit bij het huis van mijn ouders.

Ik keek uit het raampje. Het was een saaie zondag in maart, even alledaags als een strijkkwartet van Schönberg. 'Omdat ik mijn zus in geen twee jaar gezien heb?' Ze was een paar dagen geleden uit Frankrijk teruggekeerd.

Weet je niets beters te verzinnen? beduidde Lewis met een opgetrokken wenkbrauw.

'Ja, ja.' Ik liet mijn hoofd tegen de autostoel zakken. 'Wat vind je hiervan? We zijn hier omdat ik nog steeds de volslagen irreële hoop koester dat mijn ouders tot inkeer komen als ik maar lang genoeg de brave dochter uithang.'

Hij deed zijn portier open en stapte uit. 'Je krijgt een punt omdat je eerlijk bent. Laten we maar gaan.'

'Trouwens, ik ben van plan om ze naar die spaarrekening te vragen. Ik wil er mijn studieschuld mee afbetalen.'

Hij stond midden op de oprit stil zodat ik bijna tegen hem opbotste. 'Meen je dat? Wil je dat vandaag aankaarten?'

'Waarom niet? Ik stel het al een halfjaar uit. Ik vind mezelf een enorme slappeling.'

14

'Ik heb al eerder gezegd dat we het geld niet nodig hebben. Als je er nu over begint krijgen we vast weer zo'n gedoe als tijdens onze trouwdag. We redden het best.'

'Het is mijn schuld, en die hangt ons beiden boven het hoofd. Dat vind ik niet prettig. Zij hebben die spaarrekening voor me geopend; waarom kan ik die niet gebruiken voor iets wat praktisch en verantwoord is, zoals het afbetalen van een lening? Ik vraag het niet voor een luxe vakantie of zo.'

Lewis legde zijn arm om mijn middel. 'Het is het gedoe niet waard. Je kunt er niet over beginnen zonder hun in herinnering te brengen dat het geld bestemd was voor de dag waarop je zou trouwen. Met Adam uiteraard, niet met mij. Ze praten nog maar sinds een halfjaar weer met ons. Ik kan het vast niet nog eens lijmen met een huilbrief als je het nu verknalt.'

'Dus het was mijn schuld?'

Ik wilde me lostrekken, maar hij verstevigde zijn greep en kuste me op mijn slaap.

'Dat bedoelde ik niet. Ik wil alleen niet dat je weer gekwetst wordt.'

'Ik ook niet.'

Mijn moeder opende de deur op een kier en keek toe hoe Lewis en ik het tegelpad op liepen naar de twee verdiepingen tellende middenklassewoning waarin ik ben opgegroeid. Haar glimlach was zo warm en gastvrij dat ik er een ogenblik in geloofde. Eén verblindende, fantastische, hoopvolle seconde lang geloofde ik dat wat ik in mijn hart voelde, correspondeerde met de werkelijkheid.

'Meggie!'

Ze zwaaide naar me en ik snelde op haar warmte af als een geitje naar zijn moeder. Mijn mama. Van mij, mij, mij. Toen was ik zo dichtbij dat ik haar kon aanraken. Ik leunde voorover in de deuropening voor een omhelzing vol moederliefde.

Ze sloeg even één arm om me heen terwijl ze met de andere de buitendeur tegenhield. 'Ik hoopte dat het Beth was.'

Natuurlijk. 'Is ze dan niet hier?'

'Ze is, eh… iemand gaan ophalen.' Mijn moeder keek plotseling alsof ze een hele kom met beslag voor een chocoladetaart had leeggesnoept. Ze zei verder niets terwijl ze ons binnenliet.

We sjokten de vier met vloerbedekking beklede treden op naar de woonkamer, die overdreven symmetrisch was ingericht in op elkaar afgestemde, zoete kleuren: roze, perzik en bordeaux. Mijn vader begroette me zo afstandelijk alsof hij alles wat tussen ons onuitgesproken was gebleven, de ruimte wilde geven. Mijn moeder greep ondertussen Lewis om zijn middel alsof hij de ideale schoonzoon was.

Hij gaf haar een klopje op de rug. 'Hoi, Karen.' Hij keek over mijn moeders hoofd en knikte naar mijn pa. 'Doug.'

Mijn moeder deed een stapje terug, waarbij ik als enige het vleugje afkeer opving in de blik die ze mijn echtgenoot toewierp. Ze streek met haar handpalmen over haar zondagse rok alsof ze zijn aanraking van zich af wilde wrijven. 'Pas maar op, mam,' had ik willen zeggen, 'atheïsme is besmettelijk.' Maar zoiets zou ik nooit durven. Vijf jaar geleden hadden pap en mam mij de rug toegekeerd toen ik met Lewis trouwde in plaats van met Adam. Lewis had een brief aan ze geschreven; een geweldige combinatie van smeekbeden, verwijten en compromisvoorstellen: als zij mij weer toelieten in hun leven zou hij elke week in onze kerk verschijnen. Zo veel had hij voor mij over; wat een ironie. Het had mij een broze verzoening opgeleverd, en die koesterde ik.

'Tante Meg!' De gil ging gepaard met een bons tegen mijn knieën. Lewis hield me overeind. Ik keek over mijn schouder en zag de bruine kruin van een peuter die zijn gezicht tussen mijn benen verstopte. 'Hoi Jakey. Waar is je broer?'

Hij gooide zijn hoofd in zijn nek en keek me schouderophalend aan. 'Sammie is aan het spelen. Ik zei dat hij ook gedag moest zeggen, maar hij luistert niet.'

'Dat doen kleine broers nooit.'

'Wat niet?' Mijn kleine broer kwam de kamer in slenteren. Hij torende boven mijn een meter vijfenzeventig uit. Hij knikte bijna onmerkbaar naar Lewis. 'Irritant. Hinderlijk.' Hij gaf me een zacht stootje tegen mijn arm. 'Dat leren we van onze oudere broers en zussen,' zei hij grijnzend, 'als het waar is, tenminste.'

Jakey liet me los en greep mijn broer bij zijn linkerbeen. 'Pap, kom je naar mijn toren van lego kijken?'

Joe tilde zijn zoontje van drie op en glimlachte naar mij. Hij vond het heerlijk om vader te zijn. Hij was de held, de koning, zijn zoons vereerden hem. Hij lachte triomfantelijk. Onoverwinnelijk ook, alsof hij half-en-half geloofde wat zijn kinderen in hem zagen.

Ergens kon ik hem wel slaan. Alleen maar om hem erop te wijzen dat niet iedereen de grond voor zijn voeten kuste. Voor sommigen van ons zou hij altijd het irritante kleine broertje zijn dat helemaal niet zo'n held was geweest toen zijn grote zus die nodig had.

'Kom nou, opa.'

Mijn vader liep achter de twee aan. Mijn moeder was alweer aan het redderen in de keuken, waar mijn schoonzus, Ellie, hielp met het eten. Er hing een groot spandoek boven de eettafel met *Welkom thuis, Beth, en gefeliciteerd!* erop.

Gefeliciteerd? Waarmee? Dat ze een zendingsmissie van twee jaar in Zuid-Frankrijk overleefd had? Nou, wat zal ze geleden hebben. Zendelinge aan de Rivièra, het arme kind.

Nee, dat was niet eerlijk. Ze mocht dan geen materiële ontberingen hebben geleden, maar Fransen konden soms heel onvriendelijk zijn, zeker tegen christelijke zendingswerkers. Ze was er ook eenzaam geweest, dat had ik uit haar mailtjes en telefoontjes kunnen opmaken.

'Meg!' riep mijn moeder. 'We kunnen wel wat hulp gebruiken.'

Ik kromp ineen bij dat impliciete verwijt. Lewis kneep even in mijn hand en ik leunde naar hem over voor een kus. Dat gaf me moed en ik liet hem achter in de woonkamer van mijn ouders, waar hij er altijd heel misplaatst uitzag.

Toen ik de keuken binnenkwam, zag ik hoe Ellie druk in de weer was, waarbij ze behendig om mijn moeder heen manoeuvreerde in een soort rituele voedselbereidingsdans die ik nooit helemaal onder de knie had gekregen. Ik bleef op de drempel staan en probeerde het opkomende ongemakkelijke gevoel te onderdrukken. 'Wat kan ik doen?'

Ik had de dans inmiddels moeten kennen. Ellie hoefde dat niet eens te vragen. Ze ging gewoon aan de slag. En meestal ging dat prima.

Mam gaf me een kom en zei kortaf dat ik kaas kon raspen. Ik zocht een plekje aan een hoek van het kookeiland en voelde me zo onbeholpen als een achtjarige. Kaas raspen, dat liet je een kind doen dat je niets anders kon toevertrouwen. Dat is algemeen bekend.

Als er nu een vreemde de keuken binnen zou komen, zou die denken dat Ellie de dochter des huizes was en ik een verse schoondochter. Ellie en mijn moeder lachten samen en kletsten over de grappige dingen die haar jongens zeiden en maakten plannen om te gaan winkelen.

'Er moet van alles gekocht worden,' zei mijn moeder tegen haar, 'zeker nu Beth weer thuis is.'

Ik nam aan dat ze het over spullen voor een appartement hadden. Ze was tenslotte al achtentwintig en zou vast niet lang bij haar ouders blijven wonen. Ook al gingen ze ongedwongen met elkaar om; iets waar ik alleen van kon dromen.

Ellie glimlachte breed. 'Bedankt dat ik mee mag.'

'Natuurlijk. Je bent toch familie?' Ze gaf Ellie een knuffel.

Mijn schoonzus ving mijn blik op. Haar glimlach bestierf op haar lippen. In ieder geval hield ze een beetje rekening met mij. Ze trok zich terug uit mijn moeders omhelzing. 'En, Meg, hoe gaat het met het orkest?'

Mijn orkest, de Nouveau Chicago Symphony, bestond uit een groep musici die weigerden het 'gouwe ouwe' repertoire te spelen, maar kozen voor populaire stukken en nieuwe composities. Ik was er al vanaf het begin bij betrokken en verdiende er een karig salaris als aanvoerder van de altviolisten. Mijn ouders waren nog nooit bij een uitvoering geweest, maar Ellie en Joe kwamen soms luisteren, als de kaartjes maar gratis waren.

'Gaat prima. Ik wilde jullie trouwens vragen of jullie een

abonnement willen voor het komende seizoen.'

Ellie haalde haar schouders op. 'Moet ik even aan Joe vragen, maar dat lijkt me wel wat. Als we oppas kunnen krijgen.'

Ik haalde even adem. 'En jij, mam? Heb je interesse?'

Dat moest toch wel. Het zou fijn zijn als ze eens interesse had in iets wat ik deed. Al was het maar een keer.

Ze pakte een schaal met fruitsalade uit de koelkast. 'Dat lijkt me niet, lieverd. We hebben ernstige bedenkingen tegen die groep.'

Daar keek zelfs Ellie van op. 'Tegen de Nouveau Symphony? Waarom?'

'Ze spelen muziek uit films die wij niet kunnen goedkeuren. En ik heb gelezen dat Sam Chesterfield dit jaar gastcomponist is.'

Aha, dus ze was ontstemd vanwege Sam Chesterfield. 'Sam is een heel goede componist.'

'Hij is actief in de homobeweging.'

'Dat heeft toch niets te maken met zijn muziek?'

'Natuurlijk wel! Tijdens het componeren nemen allerlei kwaad- aardige geestelijke krachten bezit van die muziek. Ik vind niet dat je jezelf christen kunt noemen en je tegelijkertijd kunt bezighou- den met muziek van homo's of uit films voor boven de achttien.'

Ellie keek me niet aan. Zij en Joe zouden waarschijnlijk wel een abonnement nemen, maar ze keek wel uit voor ze zich mengde in een discussie tussen mijn moeder en mij.

'Oké dan. Het was maar een vraag. Een beetje steun van mijn ouders zou weleens leuk zijn.'

'Ik wil niet al te kritisch overkomen, Meggie, maar ik heb toch echt gelijk. Dat soort dingen hebben wel degelijk een invloed op ons. Kijk maar eens naar jezelf. Ik ben ervan overtuigd dat als jij je muzikale talenten tot Gods eer had gebruikt, je vast niet zo opstandig was geworden en niet met een ongelovig iemand zou zijn getrouwd. Het was beter geweest als je voor het muziekteam van de kerk was blijven spelen.'

Ellie beet op haar lip en wierp me een blik vol medelijden toe. 'Ik geloof dat Jakey me roept,' zei ze en ze snelde de keuken uit.

'Zullen we dit soort gesprekken voortaan niet voeren waar Ellie bij is?' Ik gaf de schaal met geraspte kaas aan mam. 'Het is niet goed om haar hierin te betrekken.'

'Jij begon toch over die concertkaarten? Ik wou alleen maar uitleggen waarom ik ze niet wil.' Ze zette de schaal op het aanrecht en begon in de saus te roeren die op het fornuis stond te pruttelen.

Wat had ik dan verwacht? Dat ik haar gunstig zou kunnen stemmen met een abonnement op iets wat ze toch al nooit had kunnen waarderen? Ze was toch al van mening dat alle muziek, op psalmen en gezangen na, van de duivel afkomstig was. Zonder inmenging van de moeder van mijn vader zou ik nooit iets anders hebben gedaan dan *Glorie, glorie, halleluja* pingelen op de piano en was ik nooit verliefd geworden op de altviool en op orkestmuziek. Mijn oma was de enige voor wie mijn moeder ontzag had. Ze had mijn instrumenten en muzieklessen betaald en al mijn recitals en uitvoeringen bijgewoond tot ze te ziek werd en het verpleeghuis niet meer uit kwam. Ze was twee jaar geleden overleden. Ik voelde het gemis nog steeds.

Nee, mijn moeder zou niet te vermurwen zijn. Wanneer ik zei dat ik mijn spaartegoed wilde opnemen om mijn studieschuld af te betalen, zou ze antwoorden dat ik dan maar niet had moeten gaan studeren; dan had ik ook geen schuld gehad. En als ik vijf jaar geleden met mijn toenmalige verloofde, dominee in spe Adam Harris, was getrouwd en niet met die atheïstische natuurkundige Lewis Lindsay, dan had ik mijn spaargeld wel gekregen en had ik er nu niet om hoeven vragen.

Nee, ik kon geen manier bedenken waarop dit vlotjes zou verlopen. De koe bij de horens dan maar. 'Zeg, mam? Ik dacht pas aan die spaarrekening voor mij. Hoeveel staat daar nu op?'

Ze hield op met in de saus roeren en bleef bewegingloos achter het fornuis staan, haar rug naar mij gekeerd. 'Waarom vraag je dat nu?'

Mijn mond was droog en ik had moeite met slikken. Moedig doorzetten nu. 'Ik was gewoon nieuwsgierig. Ik wilde vragen of jullie het geld voor mij konden vrijmaken.'

Ze begon weer te roeren. 'Waarom?' vroeg ze met een bedrieglijk hartelijke stem.

Ik sloeg mijn armen over elkaar en kneep in het zachte vel bij mijn ellebogen. Door de pijn hield mijn hart op met bonken en werd mijn hoofd helder. Ik sprak rustig, met lage stem. Met respect. 'Jullie hadden voor alle kinderen een spaarrekening geopend. De laatste keer dat ik ernaar vroeg stond er iets meer dan twintigduizend dollar op. Voor als we zouden trouwen. Joe heeft zijn geld gekregen. Ik ben nu getrouwd. Ik zou mijn geld graag willen. Alsjeblieft.'

Mijn moeder zweeg een ogenblik. Ze roerde even heel zachtjes en begon toen weer flink te kloppen. Ik zag dat haar schouders en nek zich spanden. 'Het spijt me, lieverd,' zei ze op dezelfde luchtige toon. 'We hebben dat geld aan andere dingen besteed. Jij hoefde er geen trouwerij van te betalen.'

Het geluid van de voordeur kapte mijn scherpe reactie af. Mam duwde me opzij en haastte zich door de gang terwijl ze mijn zus begroette. Ik volgde haar naar de drukte en de stemmen bij de deur.

Ik moest me inhouden om niet op mijn zus af te stormen en haar te omhelzen. Gedurende de vijf jaar dat mam en pap weigerden met mij te praten had zij me nooit in de steek gelaten. Zij was als enige tegen mijn ouders ingegaan en was op mijn bruiloft geweest. Als de benjamin van het gezin kon ze ermee wegkomen. Mijn broer en Ellie waren er te bang voor geweest. Maar Beth niet; ze was oprecht blij voor me. Opgelucht zelfs. Alsof ze had geweten hoe ongelukkig ik met Adam was geweest.

'Meg!' riep ze en ze omhelsde me onstuimig.

Ik trok haar tegen me aan en sloot mijn ogen. 'Ik heb je zo gemist!'

'Niet zo erg als ik jou!' Ze hield haar mond bij mijn oor. 'Ik ben zo blij dat jij er bent,' fluisterde ze.

Ik deed mijn ogen open en zag dat er iemand achter haar stond. Zijn haar viel me het eerst op. Die donkere, onbestemde blonde haarkleur die ik graag 'melkboerenhondenhaar' zou noemen, als ik het zelf ook niet had. Ik camoufleerde het alleen met een lichte kleurspoeling en wat gouden highlights. Ik voelde plotseling hete en koude rillingen over mijn rug.

Wat had ik een hekel aan dat haar; altijd zo stijf gekamd en keurig netjes kortgeknipt. Hoe vaak had ik niet met mijn vingers door die zachte, dikke bos gestreeld en moeten aanhoren dat ik zijn kapsel door de war haalde en dat dat soort liefkozingen tot het huwelijk bewaard moesten worden. Ik ben er nog steeds van overtuigd dat Adam Harris meer van zijn haar had gehouden dan van mij. Op zich geen probleem natuurlijk, behalve dat hij met mij verloofd was, niet met zijn kapsel.

En nu stond dat kapsel, en blijkbaar ook de man die eraan vastzat, in het halletje van mijn ouderlijk huis, waardoor de jaren leken weg te vallen. Het leek zo gewoon, zo goed, zo voor de hand liggend dat hij hier was, zoals hij hier zo vaak geweest was. Het hier en nu scheen plotseling heel misplaatst: Lewis en Ellie die bij het gezin hoorden terwijl Adam op afstand stond.

Blijkbaar was hij degene die Beth was gaan halen.

Ik deed een stapje bij mijn zus vandaan. Er daalde een beklemmende stilte neer. Adam toverde een gespannen glimlach op zijn gezicht. 'Hallo, Meg.'

'Hoi?' Dat had er niet als een vraag uit moeten komen, maar meer kreeg ik er niet uit. Ik kon alleen maar naar hem staren.

Mijn moeder schoof langs me. 'Ga eens aan de kant, Meg, je staat in de weg.' Ze pakte Adam bij de arm en trok hem de kamer in. 'Wat fijn je weer te zien, lieverd. We hadden je meteen willen vragen toen je thuis was, maar Beth zei dat je last had van een jetlag. Gaat het weer een beetje?'

'Veel beter, dank je.' Hij had het lef om op Lewis af te stappen en hem de hand te reiken. 'Lewis, toch? Ik geloof niet dat we ooit officieel kennisgemaakt hebben. Adam Harris.'

Lewis schudde zijn hand en hield zijn gezicht zorgvuldig in de plooi. Wat een farce. Wat een nachtmerrie.

Zou iemand nog vertellen waarom mijn ex-verloofde hier bij mijn ouders in de huiskamer stond? Ik voelde me als een kurk die halverwege een flessenhals was blijven steken, inmiddels zo opgezwollen dat ontsnappen niet meer mogelijk was. De herinneringen, het bouquet van vijf jaar tijd, roken naar een wijn van de smerigste soort, die alle zuurstof uit de lucht zuigt zodat helder denken niet meer mogelijk was.

Lewis liep op me af en sloeg zijn arm om mijn middel. Ik voelde hoe gespannen hij was, maar hij kuste me op mijn oor.

'Wil je weg?' fluisterde hij.

Ik schudde mijn hoofd. Er stond iets belangrijks te gebeuren, iets wat ik zou moeten begrijpen, maar mijn hoofd was net een wilde puppy die bevend achter zijn eigen staart aan joeg.

Iedereen begon tegelijkertijd te praten, maar ik kon er geen wijs uit worden. Het geluid drukte op me, verzadigde de lucht om me heen, en duwde harder en harder tegen me aan...

'Kan iemand me vertellen wat hij hier doet?'

Mijn schreeuw zuiverde de lucht en maakte een eind aan het kabaal. Ik had niet willen gillen, maar hier werd ik helemaal gek van.

Mijn zus kwam naast me staan en pakte me bij de hand. 'Hij is zo kwaad niet.' Ze sprak zachtjes, smekend, alsof we weer jong waren en ze me ervan probeerde te overtuigen dat ze de koptelefoon van mijn walkman niet expres had stukgemaakt.

'Dat weet ik wel.'

'Ik vond hem altijd al leuk. Dat wist je toch ook?'

'Misschien wel ja. Ik had een vermoeden. Maar...'

'We zaten in hetzelfde team in Frankrijk.'

'Hij was toch naar Haïti gegaan?'

Adam stond ons aan te kijken, ongemakkelijk op zijn voeten schuifelend.

'Dat was ook zo, totdat jij...'

Het had uitgemaakt. 'En toen?'

'Toen is hij naar Frankrijk gegaan en ik ben hem gevolgd.'

Ze schonk hem een liefdevolle blik en plotseling wist ik precies wat ze hierna ging zeggen.

'We gaan trouwen, Meg! Je bent toch zeker blij voor ons?'

'Ik...' Ik wilde graag zeggen wat zij van me wilde horen. Ze keek zo vol hoop en vertrouwen. Maar ik voelde een scherpe steek in mijn hart. Dus daarom had ze me zo gesteund toen ik met Lewis trouwde in plaats van met Adam. Dat had ze niet voor mij gedaan, maar voor zichzelf. 'Gefeliciteerd, zusje.' Ik deed mijn best om de woorden niet te snauwen.

Plotseling begreep ik de tekst op het spandoek. Iedereen was op de hoogte, behalve Lewis en ik. Ik kon bijna geen ademhalen.

Beth sloeg haar armen om me heen. 'Ik wist wel dat je het zou begrijpen. Mam zei van niet, maar ik was ervan overtuigd dat je blij voor ons zou zijn. Je wilt toch wel mijn bruidsmeisje zijn, hè?'

'Wanneer?' Ik bedoelde dat niet als instemming, maar ze drukte me weer tegen zich aan.

'Dank je!' zei ze vrolijk en ze pakte mijn beide handen vast. 'Mam en pap zijn echt fantastisch, je gelooft je oren niet. Ze hebben de kerkenraad overgehaald om Adam aan te nemen als hulppastor. En ze betalen voor de trouwerij en de huwelijksreis en hebben een aanbetaling op een huis gedaan. Ik had geen idee dat we zo veel spaartegoed hadden, jij?'

Mijn blik kruiste die van mijn moeder. Ik las de wrede waarheid in haar ogen. Nu begreep ik wat die 'andere dingen' waren waaraan ze mijn spaargeld hadden besteed. Ze hadden er hun favoriete schoonzoon mee binnengehaald. Ze hadden Beth beloond omdat zij de dochter was die hun goedkeuring wel wegdroeg. Het ging mij niet eens om het geld. Als ze me hadden gevraagd of ze er Beth, of zelfs Adam, mee mochten helpen zou ik daarmee zonder meer hebben ingestemd.

Maar de kilte die hieruit bleek. Die boosaardigheid, die zweem van leedvermaak in mijn moeders ogen. Ik kon mijn blik niet afwenden. Ze genoot hiervan, van dit moment waarop ze het mij betaald kon zetten, ten overstaan van alle anderen. Ik had haar vreselijk gekrenkt toen ik de theologiestudent had ingeruild voor een wetenschapper. En dat zou ze me bij elke gelegenheid laten voelen.

Ik liep struikelend de treden naar de voordeur af. Ik greep naar de deurklink.

'Meg!' Ik stokte in mijn beweging bij het horen van mijn moeders stem. 'Als je nu weggaat, kom je er nooit meer in. Besef je dat?'

Ik draaide aan de klink en leunde er met mijn volle gewicht tegenaan. Ik snakte naar adem. Mijn familie of mijn vrijheid? Erbij horen of zelfrespect? Zo moeilijk was die keuze niet.

Iemand raakte mijn arm aan. Ik keek op in de bruine ogen van Lewis. Zijn blik was zacht en bezorgd. Hij schudde nauwelijks merkbaar zijn hoofd. Hij wist wat het betekende om amper familie te hebben. Daarom had hij zo zijn best gedaan om de verzoening met mijn familie tot stand te brengen. Ik mocht dat nu niet opgeven.

Ik liet de deurklink los. Omwille van hem. Hij sloeg zijn arm om me heen en loodste me de trap op. Ik keek mijn moeder niet aan. Ik wilde haar triomfantelijke lachje niet zien.

2

Wen Ming, januari 2004

Zondagskinderen hebben altijd geluk. Ze wonen bij hun ouders. Ze hebben goede ogen. Ze hebben prachtig zwart haar, ronde wangen, en hun moeders zorgen ervoor dat ze een plat achterhoofd hebben, want dat is het mooist. Ze hebben een eigen kamer, vol met boeken en speelgoed, helemaal voor zichzelf alleen. Ze hebben een mooie roepnaam, een opa en een oma en tantes, ooms, neven en nichten. En ze worden niet in de steek gelaten.

Ik heb nooit geluk gehad. Ik had slechte ogen, een rond achterhoofd, platte wangen en haar in de kleur van modder. Voor mij geen boeken, roepnaam, familie. Ik had wel een scherp verstand en een koppig karakter. Iedereen zei dat ik anders was dan de andere meisjes. Ik had gewoon geen geluk.

Ik kende die andere meisjes, die wel geluk hadden. Ze liepen het kindertehuis voorbij, op weg naar hun school, giechelend terwijl ze *danbing* kregen als ontbijt, gekocht bij een stalletje op straat. De heerlijke geuren van die gebakken pannenkoekjes en het kruidige aroma van koriander, lente-uitjes en *zacai* zweefden over de muur de binnenplaats op, net zolang tot mijn hongerige maag knorrend aangaf gevuld te willen worden. Ik kon bijna proeven hoe het deeg en de eiervulling mij zouden verzadigen, zodat ik er de hele dag tegen kon. Ik ademde de kruidige geur diep in en stelde me voor hoe het eten me zou verwarmen, als een omhelzing. Maar ik kon nog zo diep ademhalen en van alles fantaseren, maar die andere meisjes kregen *danbing*, ik niet. Ze liepen weer verder, namen hun heerlijke geuren met zich mee en mijn maag bleef even leeg achter als voorheen.

En toch, hoezeer ik die geluksvogels met hun *danbing* ook

benijdde, ik wist dat ik nooit een van hen zou zijn. Ik wist zo veel meer dan zij, hoe jong ik ook was. Zij bevonden zich in hun veilige kringetje en beseften niet dat daarbuiten de wereld gevaarlijk en eenzaam was, en dat niet alle mensen *danbing* voor hun kinderen kochten. Ik wist iets wat zij niet wisten, namelijk dat je in deze wereld maar op één manier kon overleven.

Sterk zijn. Niemand vertrouwen. En bovenal...

Van niemand houden.

Hoe ik dat wist, weet ik niet, en ik zal het toen nooit zo verwoord hebben, maar dit wist ik diep vanbinnen. Ik voel die pijn nog steeds.

Ik zat apart van de anderen, alleen in een klaslokaal dat wel de binnenkant van een ijsblokje leek, lichtblauw, wit en schel. Ik leunde op het kleverige tafelblad vol krassen en luisterde naar een van de tantes die een verhaal vertelde. Het ging over een draak die uit de hemel gegooid werd en over vriendelijke mensen in een dorpje die zijn leven redden. Ik wipte met mijn gammele stalen stoel op het ritme van haar zinnen, ook al waren mijn voeten klam en prikte het zweet in mijn middel vanwege de vier lagen kleding die we allemaal moesten dragen. Ik kneedde de zachte, rode klei met mijn handen. Het moest een draak worden, maar de klei weigerde ergens anders op te lijken dan op een bobbelige slang.

Ik peuterde wat klei onder mijn vingernagels vandaan en keek even naar de tante. Misschien vond ze mijn draak wel mooi en zou ze hem ergens laten drogen. Dan zou ik een beeldje van een draak hebben, helemaal van mijzelf. Wezen hebben geen eigen spullen. Zelfs onze kleren deelden we met elkaar. We moesten het tegen de anderen zeggen als er weer een gat bijgekomen was, of een zoom rafelde. De kans dat ik een draak zou mogen houden was dus heel klein. We mochten nooit iets laten drogen dat we gekleid hadden, daar was het te duur voor. Maar deze tante was nieuw, misschien wist ze dat nog niet. Wie weet vond ze mijn draak mooi en kon ik haar voor één keertje overhalen.

Ik kneep mijn ogen samen tot ik die van haar in beeld kreeg, met een lichtkrans eromheen, zoals bij een straatlantaarn. Ze had een spleetje tussen haar voortanden, net een brievenbus voor enveloppen zo groot als een rijstkorreltje. Dat zou leuk zijn, rijst eten zonder je mond open te hoeven doen. Ik moest haar eens vragen of ze dat al geprobeerd had.

Ze las het verhaal verkeerd voor. Grote mensen denken altijd dat ze elk woord moeten uitspreken alsof het een ei is dat je in kokende soep laat vallen. Met zo'n plopgeluid. In soep die altijd vrolijk borrelt, of het nou een verdrietig, eng of spannend verhaal is. Grote mensen wisten niet hoe je iets goed moest doen. Maar ik luisterde toch vol aandacht, zodat ik het verhaal kon onthouden en later aan mezelf kon vertellen zoals het hoorde. Dan zou ik elk gevoel en alle spannende stukken precies zo kunnen proeven en erop kauwen tot het klonk als een feestje in mijn buik.

'Het onweerde zo erg dat het dorpje ervan trilde. Nog nooit hadden de mensen zo'n stortbui meegemaakt,' las de tante met haar plop-stem. 'De Keizer van de Wolken was boos! Daarom goot hij zijn woede uit over de aarde en liet hij de wolken leegschudden door de regendraken.'

Het leek ineens alsof het echt onweerde. Het geluid van voeten roffelde als een regenbui in de hal, en er klonk gegil en opgewonden gepraat van kinderen.

Ik rende naar de deur en zag iedereen in een flits voorbijrennen en ving flarden van vrolijke uitroepen op. 'Kraanvogel! Op het plein. Een echte!'

Er liep een rilling over mijn rug, net als wanneer ik *danbing* rook. Ik dacht er niet aan mijn jas te pakken, maar sprong tussen de stroom lichamen die op weg waren naar het plein. Dit betekende geluk. Een lang, gezegend leven. Voorspoed! Ik moest en zou die kraanvogel zien, slechte ogen of niet. Zoiets schitterends mocht ik niet missen.

De deuren naar het plein werden versperd door honderden weeskinderen die duwend en trekkend probeerden een glimp van de zeldzame vogel op te vangen. Na een poosje begrepen ook de kinderen die net als ik achteraan stonden, dat we niet het plein op mochten van de tantes en de onderwijzers omdat het dier anders zou schrikken. Mevrouw Wu, de directrice, zou foto's maken en die kregen we allemaal te zien, zeiden ze om ons gerust te stellen. Om mij heen werd mopperend geprotesteerd.

Ik kreeg het gevoel alsof ik vooroverviel doordat een beloofde traktatie plotseling uit mijn handen werd getrokken. Foto's? Dacht ze dat foto's de echte ervaring konden vervangen? Wat had ik nou aan een foto? Dat was niet meer dan een wazige, gevlekte afbeelding van wat iemand anders zich herinnerde. Smakeloze, waterige rijstepap.

Nee. Ditmaal wilde ik ook *danbing*. Voor mezelf.

Als alle onderwijzers en tantes de deuren dichthielden, dan was er waarschijnlijk niemand die de toegang naar het plein in het kantoor van de directrice in de gaten hield. Zou ik het wagen? Durfde ik de verboden kamer van mevrouw Wu binnen te gaan? Geen van de kinderen mocht dat. Ik wist alleen maar van die deur naar de noordkant van het plein omdat ik er vorige zomer tijdens een pauze eens een van de tantes naar had gevraagd.

Mijn voeten begonnen te trillen, en langzaam bij de andere kinderen vandaan te schuifelen, alsof ze me smeekten met ze mee te gaan. Ik concentreerde me op het stemgeluid van mevrouw Wu. Zou ik gehoorzaam zijn of kiezen voor een beetje geluk?

De directrice was streng, maar in haar waakzame ogen blonk altijd iets vriendelijks. Ze sloeg ons nooit en stuurde ons ook niet zonder eten naar bed. Het ergste wat me kon overkomen was dat ik een week lang niet voor schooltijd in het voorlees- en knutsellokaal mocht komen. Dan zou ik mijn half afgemaakte rode draak zeker niet mogen houden.

Maar een echte levende kraanvogel zien, dat was veel mooier dan een lelijke, bobbelige draak van klei.

Een gunstig voorteken was beter dan wat ook maar voor jezelf hebben.

Ik glipte langs de muren bij de andere kinderen vandaan en sloop door de verlaten gangen naar het kantoor van de directrice. De duistere kamer brieste van verontwaardiging toen een van de weeskinderen het verboden terrein betrad. Ik voelde hoe de afkeuring op me drukte en vreesde dat het kantoor me zou vastpakken en niet meer loslaten tot mevrouw Wu me kwam straffen.

Ik schuifelde vooruit en stootte met mijn knieën tegen het stalen bureau. Het galmde door de kamer alsof iemand alarm sloeg op een enorme gong.

Zelfs mijn hart hield even op met bonken.

Maar na enkele ogenblikken verpletterende stilte had het kantoor door dat het niet was gelukt me tegen te houden. Op mijn tenen liep ik weer verder. Ik zocht al tastend mijn weg langs het bureau. Mijn handen streken lichtjes over papieren en mappen.

Ik tikte tegen een fotolijstje dat met een klap op het bureau viel. Het geluid trok een verlammend spoor door mijn lijf, van hoofd tot tenen, als een schot. Ik pakte het lijstje op en tuurde naar de foto. In het zwakke licht kon ik niet veel zien, maar het leek een foto van de directrice en een man, haar man. Voor hen stond een jongetje. Haar zoon.

De directrice had een gezin. Dat was niet eerlijk. Ze zou ook wees moeten zijn, net als ik. Ik wilde niet dat iemand het over mij voor het zeggen had die niet wist wat het was om ongelukkig te zijn. Wat begreep zij ervan?

Ik zette het lijstje weer op het bureau, hopelijk op de goede plek. Toen schuifelde ik langs het bureau naar de deur. Ik moest snel zijn. Het zou al niet gemakkelijk zijn voor mij om de kraanvogel te zien, en hij zou waarschijnlijk wegvliegen als we te veel lawaai maakten. En natuurlijk zou ik ook betrapt worden en straf krijgen.

Ik hield mijn adem in en deed de deur voorzichtig op een kier. Daglicht en een koel briesje kwamen me tegemoet. Ik knipperde, verlangend dat mijn ogen voor één keertje wilden meewerken, en liep het plein op.

Eventjes zag ik niets dan een felle grijswitte schittering. Ik hoorde geen enkel geluid, dus ze hadden me vast nog niet gezien. Ik speurde het plein af en durfde amper te hopen.

Mijn blik vertroebelde, maar toen…

Daar was hij. Hij keek naar me. Ik zag het duidelijk, terwijl alles eromheen een vage mist van kleuren en schaduwen was. Hij was ongeveer zo groot als ikzelf en boven op zijn hoofd, tussen die ogen die op mij gericht waren, stond een bosje veren dat vreugde en voorspoed leek uit te stralen.

Ik kon er mijn ogen niet van af houden. Ik wilde dit moment in mijn geheugen prenten zoals rijstpapier de inkt opneemt zodat woorden en vezels met elkaar versmelten. Bijna onbewust stapte ik naar voren, mijn handen uitgestrekt.

Kon ik hem maar even aanraken. Al was het maar één veertje.

Hij keek niet weg, bewoog zich niet. Hij hield mij in zijn blik gevangen, trok me naar hem toe. Hij wilde dat ik op hem af kwam. Een paar passen nog maar. Hij knikte met zijn kop in mijn richting, alsof hij me met een buiging verwelkomde.

'Wen Ming!'

De schreeuw van de directrice sneed door de lucht. De kraanvogel vloog op me af, zijn vleugels gespreid. Mijn blik werd weer wazig, en het laatste wat ik nog scherp zag was een bos veren en een paar doordringende ogen waar geen welkom meer in te lezen was.

Ik voelde een warm lijf en klapwiekende vleugels over me heen vliegen, de vrijheid tegemoet. Ik gilde en hield mijn armen beschermend boven mijn hoofd.

Er plofte iets warms en kleverigs en nats op mijn hoofd en een van mijn handen.

Nog meer geschreeuw en het geluid van rennende voeten op het beton. Iemand greep me boos bij mijn arm. Ik luisterde niet eens naar de nijdige preek van de directrice. Ik had de kraanvogel bang gemaakt en verjaagd. Ik had het gevoel alsof de schande van me af droop, net als de vochtige substantie in mijn haar.

'Wat zit er op je hoofd en je hand?' Onze voorleestante trok aan mijn arm. Ze trok haar neus op. 'Het is poep! De kraanvogel heeft haar ondergepoept.'

De onderwijzers en tantes schoten in de lach, gevolgd door

de directrice. Ze kon even geen woord uitbrengen. 'Laat dat een les voor jullie zijn,' proestte ze ten slotte. 'Dat krijg je ervan als je zo'n mooi beest laat schrikken. Ik heb niet eens een foto kunnen nemen. Je hebt het voor iedereen verknald.'

De tante trok me naar de deur waar alle andere kinderen op een kluitje stonden te luisteren en te kijken. 'Kraanvogels brengen geluk,' zei ze hardop tegen de andere volwassenen. 'Als er eentje op je af vliegt, is dat een goed teken.'

'Ja, als-ie vliegt wel,' zei iemand anders. 'Maar ook als-ie je onderpoept?'

'Het komt uit een geluksvogel. Misschien brengt zijn poep ook wel geluk.'

Iedereen moest lachen en riep me na. 'Voel je je nu gelukkig, Wen Ming?', 'Je moet gelukspoep niet afwassen, hoor,' en 'We zouden er een beetje van in een potje kunnen doen, dan kun je dat om je nek hangen als een amulet.'

De poep droop in mijn nek. Ik voelde me niet zo gelukkig. Ik rook ook niet gelukkig. Ik liet mijn hoofd hangen; ik kon het niet aanzien dat iedereen in het tehuis mijn schande zag.

De tante sleepte me tussen de drom kinderen door die hun neuzen dichtknepen en naar mijn haar wezen. Ze bracht me naar een badkamer en duwde mijn hoofd naar beneden in een wasbak. Ze goot water over me. Het was koud en ik zag een grote vlek op het porselein verschijnen. Het leek een beetje op een bruine hond. Zelfs de hond leek me uit te lachen omdat ik zo dom was geweest.

Boosheid vloeide mijn ondersteboven hangende hoofd binnen tot het op barsten stond. Wat ik had gedaan was helemaal niet zo verkeerd geweest. En toch staken al die volwassenen de draak met me, terwijl ze zelf gelukkig waren en geld en familie en een eigen huis hadden, alleen omdat ik ook eens een greep naar een beetje geluk deed. Ze lachten me uit.

Ik zou ze nooit meer vertrouwen.

De tante boende mijn hoofd en haar met zeep schoon, wreef me met een handdoek droog en trok mijn vieze hemd en trui uit. Ze wees naar een oude stalen stoel.

'Ga daar even zitten. Ik haal schone kleren voor je.' Weg was ze. Mijn verontwaardiging zinderde onhoorbaar door het vertrek.

Ik sloot mijn ogen en haalde de kraanvogel weer voor de geest; zijn vredige blik op mij gericht. Ze konden lachen zo veel ze wilden, maar dat moment namen ze me niet meer af. Ik was ervan overtuigd dat ik eventjes in staat was geweest om te zien, vanwege de kracht en liefde van die kraanvogel. De schande was daarvoor geen te hoge prijs geweest.

'Gaat het?'

Ik schrok op van die zachte stem en de adem die langs mijn gezicht streek. Mijn ogen schoten open en ik zag een gezicht voor me. Een lelijke gespleten bovenlip met ronde, roze bulten aan weerszijden. Mijn adem stokte. Ik had wel eens eerder een hazenlip gezien, maar nooit van zo dichtbij. Nooit zo duidelijk. Een deel van haar neus ontbrak. Uit het gat stak een bobbel roze vlees, net een kleine teen.

Ik had medelijden met haar. Maar ze moest anderen wel met rust laten. 'Niks aan de hand. Wat doe je hier?' Ik probeerde streng en onverschillig te klinken. 'Ga weg. Je vraagt om moeilijkheden.'

'Niemand heeft hier moeilijkheden.' Haar mond vertrok in een grijns, waarschijnlijk als glimlach bedoeld. Door haar lach vulde de lucht zich met de heerlijke geur van *danbing*.

Mijn maag voelde aan als een grote hand die zich uitstrekte. Ik haalde puffend adem en probeerde er niet op te letten. 'Wat snap jij er nou van. Ik zit sinds daarnet juist wel in de problemen.'

De hand in mijn maag gaf me een stomp omdat ik zo gemeen deed. Maar dat moest nu eenmaal. Ze moest weg. Ik wilde alleen zijn.

Ze sloeg haar armen over elkaar. Het zag er niet naar uit dat ze weg zou gaan. 'Dat zijn geen moeilijkheden. In het weeshuis waar ik vandaan kom was het veel erger.'

Ze was pittiger dan ik had verwacht. 'Ben je nieuw?'

'Ja.' Ze sliste en haar woorden klonken vreemd. Ik kon horen dat ze haar best deed op haar uitspraak.

'Heb je niet gezien wat die kraanvogel met me heeft gedaan?'

'Ja.'

Ik rilde en sloeg de handdoek om me heen. Als dit bijzondere, volhardende, heerlijk ruikende meisje niet snel maakte dat ze wegkwam, zou de pijn die ik om haar in mijn maag voelde een gat in me branden. 'Ga weg. Ik ben een ongelukskind. Je kan beter niet met me praten.'

'Ik geloof er niets van.'

'Ik ben ondergepoept!'

'Dat je hier woont is al geluk hebben.'

'Jij bent echt dom! Wij zijn wezen. Dit is een weeshuis. Jij en ik zullen altijd ongewenst zijn en nooit geluk hebben. Wij krijgen nooit *danbing* te eten en de kraanvogel brengt ons geen voorspoed.' Ik was buiten adem en drong een paar tranen zo ver mogelijk bij mijn ogen vandaan. 'Ga nou maar weg. Ga weg!'

Ik kneep mijn ogen dicht en begroef mijn hoofd tussen mijn knieën. Maar ik voelde dat ze naast me bleef staan. Ik rook haar heerlijke zoete geur nog steeds.

'Het is hier mooi. Er is veel speelgoed en de muren hebben vrolijke kleuren. Op elk bed ligt een stapel dekens. We krijgen genoeg te eten.'

'Elke dag rijstepap.' Waterig, smaakt naar kool, nooit gekruid. Het hield je in leven, maar je werd er niet vrolijk van.

'Beter dan elke dag niks.'

Langzaam sloeg ze haar arm om mijn schouders. Niemand mocht mij ooit aanraken. Het voelde alsof er kokende soep over mijn huid stroomde. Ik gilde het uit en duwde haar weg. 'Blijf van me af. Raak me niet nog eens aan!'

Ze kroop ineen op de grond, de armen boven haar hoofd. Ze trilde. Huilde.

En nog ging ze niet weg. Waarom nou niet?

Haar zachte snikken drukten op mijn longen, knepen mijn keel dicht. Ik wilde haar in mijn armen nemen, voor haar zorgen, haar beschermen tegen alle kwaad. Ik wilde niet om haar geven. Maar ze leek me te duwen, aan me te trekken, in me te kruipen.

34

Ondanks mijzelf. Ze dwong mij me voor haar open te stellen. Ze wekte gevoelens op die ik niet wilde voelen.

Ik stak een bevende hand uit en hielp haar overeind. 'Het spijt me. Niet bang zijn. Wees alsjeblieft niet bang voor me.'

Ze boog zich naar me over en liet haar kleine hand in de mijne glippen. De trilling verplaatste zich via mijn hand door mijn hele lichaam. Ze kroop op mijn schoot. Ik kon haar niet tegenhouden. Ze sloeg haar armen om me heen. Ik kon haar niet tegenhouden. Haar warmte stroomde door mijn ijskoude lichaam. Ik kon het niet tegenhouden.

Ik begon te huilen, ik kon er niets aan doen. Ze nam bezit van me. Ik wilde me verweren tegen alle pijnlijke gevoelens die dat bij me losmaakte, maar ze was zo warm en rook zo lekker en mijn honger was zo groot.

'Werd je geslagen in dat andere weeshuis?'

'Soms. Als iemand merkte dat we iets verkeerd deden. Maar er waren niet genoeg tantes om alle stoute kinderen te slaan.'

Mijn keel werd dichtgeschroefd. Ik wilde me er geen voorstelling van maken dat ze geslagen werd. Ik zou de pijn zelf voelen.

'Waarom hebben ze je hiernaartoe gestuurd?'

'Weet ik niet, maar ik heb heel veel geluk gehad.' Ze tastte naar mijn hand en gaf er een kneepje in. 'Jij hebt ook geluk, ook al ben je ondergepoept.'

Ze kuste mijn wang. Een zoen. Nooit eerder had iemand me gezoend. Het voelde zacht, vochtig, liefdevol. De twee hobbels die haar lippen vormden en de kleine teen van haar neus lieten een afdruk op mijn huid achter, alsof ik het deeg was en zij mij kneedde, haar stempel op mij drukte.

Dit was *danbing*. Ik kon het proeven, niet alleen in mijn verbeelding maar echt. Ik proefde de smaken op mijn tong, net een kussentje van liefde. Ik beet in het ei en het deeg alsof het dikke kussens waren. Ik voelde het tegen mijn tandvlees, mijn verhemelte; warm en zacht vulde het alle holle ruimtes in mijn hoofd met dampende, kruidige vloeistof. Mijn tong rolde eromheen, telkens weer alsof ik niet kon ophouden en moest blijven proeven, proeven, proeven, tot het mijn keel in gleed als een tedere streling en zich nestelde in mijn maag. 'Stil maar, ik ben er nu,' leek het te zeggen.

Diep vanbinnen viel er iets hards en scherps uit elkaar. Het gaf een enorme, drukkende pijn. Ik liet me bevend tegen haar schouder zakken.

Toen deed het minder zeer. De honger vanbinnen was iets minder geworden. Het verlangen was anders geworden; minder wanhopig, beheersbaar nu. Mijn buik voelde warm aan.

Ik raakte voorzichtig haar gehavende lip aan. 'Doet het pijn?'

'Nee. Alleen wanneer mensen me erom uitlachen, of voor me wegrennen. Dan wel. En jouw ogen?'

Ik schudde mijn hoofd. Het waren niet mijn ogen die pijn deden.

Ze klom van mijn schoot en keek me aan. Ik miste haar warmte nu al.

'Je hebt heel veel geluk, Wen Ming.'

'Hoezo?'

Ze deed een stap achteruit en stak haar hand in haar broekzak. 'Omdat de kraanvogel iets voor je achtergelaten heeft.'

'Nog meer poep?'

Ze gaf geen antwoord, maar stak haar hand uit. In de palm lag een flintertje van iets roods. Ze pakte het tussen duim en wijsvinger van de andere hand en hield het voor mijn gezicht.

Het was een klein, gekreukeld, rood donsveertje.

Ze gaf het aan mij. De wereld hulde zich in een waas van tranen. Ik klemde de veer in mijn hand, het eerste geschenk dat iemand me had gegeven sinds ik in het tehuis woonde.

'Hoe heet jij?'

'Zhen An.'

Ik trok haar tegen me aan. De kraanvogel had haar bij mij gebracht. Hij had haar de moed gegeven mij haar liefde op te dringen. De veer was mooi en maakte het onderpoepen weer een beetje goed. Maar het grootste cadeau was het meisje zelf. Een vriendin. Nu had ik een echte vriendin. Dat was beangstigend en heerlijk tegelijkertijd. Ik kon haar wel verslinden, zo groot was mijn honger, maar toch was het goed zo.

De tante gaf me een klein kokertje waar ik de veer in kon doen. We deden er een koordje aan zodat ik het om mijn nek kon dragen; precies zoals het potje kraanvogelpoep waar de kinderen me mee gepest hadden. Iedereen wilde mijn rode kraanvogelveer zien, maar Zhen An was de enige die de ketting mocht dragen van me.

Ik werd nog wekenlang 'poephoofd' genoemd. Dat was niet kwaad bedoeld. Ze waren alleen maar een beetje jaloers omdat juist ik, bijna blind, een onooglijk weeskind en ook nog eens een maandlang verbannen uit het voorleeslokaal, nu met mijn kraanvogelveer en mijn nieuwe beste vriendin het gelukkigste meisje van heel China was.

3

Meg Lindsay, maart 2005

Ik klemde mijn altviool tussen mijn kin en mijn schouder. Ik beukte met de strijkstok over de snaren waardoor de scherpe geur van de hars rond mijn hoofd wolkte. Ik hoefde niet naar de bladmuziek te kijken; het stuk knalde zo uit mijn handen; ongegeneerd, opstandig, uitdagend zoals altijd wanneer ik in de beslotenheid van mijn studeerkamer speelde.

Ik zweepte de muziek op, duwde de strijkstok krachtiger tegen de snaren tot ze bijna knapten, alsof ik ze wilde straffen. Mijn altviool werd mijn stem die uitschreeuwde wat ik tegen hen had willen zeggen. Hij werd mijn benen, zodat ik weg kon rennen, het verdriet achter me kon laten. Hij werd mijn vuisten waarmee ik kon aanvallen als ik te zwak was om mezelf te verdedigen.

Mijn viool werd mijn geest. Hij kolkte van gloeiend hete woede, als een geiser die door de aardkorst heen breekt. Het had lang genoeg geduurd. Ik had lang genoeg gedaan alsof het niet erg was. Ik had lang genoeg gedaan alsof het me niets kon schelen. Dat ik me maar iets verbeeldde.

Mijn armen beefden en mijn strijkstok glipte knarsend van de snaren. Ik duwde hem met een ruk terug alsof ik een wild dier in bedwang probeerde te houden.

De stem van mijn moeder weerklonk in mijn altviool, de woorden van zo veel jaren geleden deden het glanzende hout trillen en drongen mijn lichaam in. Mijn ziel in.

'Je stelt ons altijd weer teleur, Meg. Dit hadden we niet van je verwacht...'

'Meg?' Ik voelde de stem van Lewis meer dan ik hem hoorde. Voelde zijn lichaam vlak bij me. Lewis, van wie ik zo veel hield en voor wie ik zo'n hoge prijs betaald had.

'Hoe kun je zomaar je opvoeding, je geloof de rug toekeren? Wat denk je dat God hiervan vindt...'

'Meg, houd eens op. Rustig, lieverd.'

'Opstandig. Egoïstisch.'

Ik wilde niet ophouden. Niet totdat ik haar stem het zwijgen had opgelegd. Mijn woede zou even stormachtig blijven tot ik een manier gevonden had om die onafgebroken stroom kritiek niet meer te hoeven horen. Tot ik vrij was.

'Je hoort dan wel bij dit gezin omdat je hier geboren bent, maar jouw beslissingen en levensstijl stroken niet met onze standpunten. Je kunt niet op nauwe familiebanden rekenen terwijl je onze normen en ons geloof overboord gooit.'

'Leg die altviool neer, lieverd.'

'Als je nu weggaat, kom je er nooit meer in.'

Hij streek met zijn hand langs mijn rug. Hij probeerde contact met me te krijgen, maar dat wilde ik niet. Ik wilde juist losbreken van al die jaren waarin ik geprobeerd had om te worden zoals zij dat wilden. Maar die vrouw kon ik nooit worden. Ze bestond niet, en een poging haar tot leven te wekken betekende het einde voor mijzelf.

Ik begon langzamer te spelen, iets gekalmeerd. Ik hoorde een vaag gezoem. Er bonsde iets tegen het plafond. Ik keek naar boven en zag een lieveheersbeestje zinloos tegen het pleisterwerk op vliegen. Het was nog te vroeg in het jaar voor insecten. Ik kreeg medelijden met het kleine diertje dat duidelijk opgesloten zat in een ruimte waar het niet thuishoorde.

'Ik hoor daar niet thuis, Lewis,' fluisterde ik.

'Nee.'

'Maar waarom doe ik dan zo mijn best... al zo veel jaar?'

Hij verstarde. Hij keek van me weg naar het lieveheersbeestje dat nu tegen de deurpost op kroop. 'Omdat ze je moeder is. Daar word je nooit te oud voor.'

'Zou ze van me houden?' Ik liet mijn hoofd tegen zijn arm zakken.

Hij wendde zich weer tot mij. Ik keek in zijn ogen en las er dezelfde troosteloze vraag in.

'Vast wel.'

Maar hij zei het zonder overtuiging.

'Zou je denken? Zou ze mijn muziek daarom tijdsverspilling noemen? Zou ze daarom nooit naar ook maar één van mijn optredens zijn geweest? Liet ze me daarom toen ik voor één keertje een minirok droeg, op de middelbare school, alle verzen uit Spreuken die over een hoer gaan overschrijven, allemaal tien keer? En zou ze daarom tegen Adam hebben gezegd dat hij moest oppassen voor mijn 'opstandige karakter' wanneer we eenmaal getrouwd zouden zijn? Toon je zo dat je van iemand houdt?'

Ik veegde een traan van mijn wang, vastbesloten er niet meer voor haar te laten. Ze had er al te veel op haar naam staan.

'Maar ze heeft je nooit in de steek gelaten.'

'Wel waar! Pap en zij allebei. Toen ik met jou trouwde.'

'Dat effect schijn ik op ouders te hebben.'

Ik legde een arm om zijn schouders en leunde tegen hem aan. 'Ik ben het zat. Ik wil niet dat het me iets doet. Ik wil dat verdriet niet meer. Ik wil niet meer zitten wachten op een blijk van haar liefde.'

'Ik denk niet dat je dat voor het zeggen hebt.'

Hij had gelijk. Ik kon me niet van haar losmaken, net zomin als dat lieveheersbeestje zich kon bevrijden uit zijn gevangenis. Ik had het geprobeerd. Ik had geprobeerd mijn eigen leven te leiden, zonder me druk te maken over de verstoorde verhouding met mijn moeder. De beklemming dreigde me te verstikken. Ik wrong me los uit Lewis' armen, snakkend naar adem. Ik begon te spelen, sneller en sneller terwijl de drukkende atmosfeer in de kamer me de adem benam.

Lewis pakte me bij mijn bovenarmen. 'Ophouden.'

Hijgend keek ik naar hem op.

Hij streek over mijn wang. 'Het spijt me. Je speelt schitterend, maar…'

'Het komt omdat ik zo kwaad ben.'

'Dit doet je geen goed.'

Hij wrikte de altviool uit mijn greep en legde die samen met de strijkstok in de kist.

'Heb ik je weleens verteld wanneer ik je voor het eerst gezien heb?' Hij schoof zijn bureaustoel dichterbij.

'Natuurlijk. Ik was er zelf bij. Jij zat achter in de oefenruimte van de universiteit tijdens een repetitie. Ik studeerde nog. Ik vroeg me af wie die nerd was en degene met wie ik een muziekstandaard deelde wist me te vertellen dat je een briljante natuurkundedocent was die graag tijdens orkestrepetities in de zaal ging zitten werken. We vonden je allemaal knap, maar een beetje raar.'

'Nee, dat was de eerste keer dat *jij mij* zag.'

Ik fronste mijn wenkbrauwen. 'Had je me dan al eerder gezien?'

'Ja, een paar dagen daarvoor. Ik liep langs een oefenruimte en hoorde iemand prachtig spelen. Ik keek door het ruitje en toen zag ik jou. Ik nam me voor dat ik je moest leren kennen zodat je voor altijd voor mij zou kunnen spelen.'

Ik schoof dichter naar hem toe, mijn onbeheerste woede ebde een beetje weg. 'Dat heb je me nooit verteld.'

'Zoiets geven briljante natuurkundedocenten niet graag toe. Ik heb een reputatie hoog te houden als nerd zonder romantische aanleg.' Hij glimlachte en plantte een kus op mijn wang.

'Dan heb je geluk gehad. Jij bent de enige voor wie ik kan spelen. Het idee alleen al om solo te spelen voor iemand anders geeft me het gevoel dat mijn hart in een blender wordt gestopt en op de hoogste stand vermalen.'

Hij kromp ineen. 'Dat is wel een heel plastische beschrijving. Jammer dat je met je therapie gestopt bent. Ik maak me zorgen om je.'

'Dat weet ik. Het spijt me als ik je teleurgesteld heb. Ik wil die plankenkoorts natuurlijk ook niet.' Maar ik had de duistere draden niet durven volgen die mij gebonden hielden, zodat ik niet durfde optreden. Ze leidden een bos in waar de naam van mijn moeder in elke boom gegraveerd stond. Het ontbrak me aan moed om door te dringen in die jungle. Het was veel makkelijker om te blijven zitten waar ik zat en te musiceren als orkestlid.

'Ik ben niet teleurgesteld. Ik zou alleen willen dat we...' Zijn stem stierf weg en hij gaf me een luchtige knuffel.

'Iedereen is een beetje vreemd, toch? Waarom zouden wij anders zijn?'

'Ieder huisje heeft zijn kruisje.'

'Mee eens.'

Hij grijnsde naar me en ik lachte, maar het was een wrang grapje. Lewis wist als geen ander wat een probleemgezin was. Zijn vader was een workaholic. Toen Lewis zeven jaar oud was, vertrok zijn moeder om nooit meer iets van zich te laten horen. We moesten ons allebei losmaken. Niet langer die duistere draden volgen tot we het licht bereikten. Niet langer vol verwachting naar onze ouders kijken. Niet langer dromen van een goede verhouding met onze familie.

Het lieveheersbeestje landde op mijn knie. Daar bleef het even zitten en spande zijn minuscule zwarte vleugels onder het rode schild aan.

We waren toe aan iets nieuws. Iets zuivers. Iets wat alleen van ons was. Niet besmet door de gezinnen waar wij vandaan kwamen. Wij zouden samen ergens aan moeten beginnen en het deze keer goed doen. Terwijl ik naar het kleine kevertje keek, kwam er iets in mij tot leven. Wat het precies was, wist ik nog niet, alleen dat het bruiste en prikkelde, hoopvol.

'Ik ga een eindje wandelen.' Ik griste mijn jas op die ik op de grond had gesmeten.

'Nu?'

'Ik ben zo terug.'

'Wil je dat ik meega?'

'Nee, hoor. Alleen maar even een frisse neus halen.'

Een frisse neus. Een frisse blik. Een nieuw begin.

Toen ik de straat op liep merkte ik dat het lieveheersbeestje was meegelift op mijn schouder. Hij vloog de vrijheid tegemoet.

Ik wierp hem een handkus toe om hem geluk te wensen terwijl het stipje steeds kleiner werd en ten slotte uit het oog verdween. De maartse koude van Chicago maakte plaats voor een warme gloed toen zich een nieuwe melodie in mijn hart begon te vormen. Ik luisterde er een poosje naar tot de noten duidelijker werden. Daarna begon ik te lopen op de maat van die muziek die zich vermengde met de hartenklop van de stad.

4

Liefde is een sterke emotie. Ze vult de hongerige leegte in me en geeft me kracht. Ik dacht altijd dat ik sterk zou zijn, zolang ik maar niet liefhad, wanneer ik alleen was. Maar toen ik van Zhen An ging houden, verdween dat vermoeide, pijnlijke gevoel vanbinnen. Alsof ik de hele dag door allerlei lekkers te eten kreeg.

Ik gaf niet veel om volwassenen. Zij hadden mij niet nodig; mijn bescherming niet, mijn zorg, mijn liefde niet. Maar kinderen wel, vooral de kleintjes. Hun behoefte aan liefde gaf mij voldoening. Ik had ze nodig, hard nodig.

Elke week weer trof ik nieuwe baby's aan, van slechts een paar weken oud, in de wiegjes met blauwe stalen spijlen die op de kinderafdeling stonden. Ik stak mijn gezicht zo ver mogelijk tussen de spijlen en trok gekke bekken naar ze. Ik zag zo slecht dat ik alleen hun wazige omtrekken gewaarwerd, omlijst door een vreemde donkere schaduw, alsof ik ze door een sleutelgat bekeek. Daarom stak ik mijn hand uit en aaide ze over hun zachte wangen en dikke haar. Ik was geboeid door hun kleine oogjes en zuiver ronde gezichtjes. Mijn verlangen was zo groot dat mijn maag zich samentrok. Ik had meer nodig. Ze moesten op mij vertrouwen, van me houden, naar mij verlangen. Ik had hun liefde nodig.

Wanneer tante Yang, die met het spleetje tussen de voortanden, mij betrapte, kreeg ik altijd een standje. 'Je mag hier niet komen met vieze voeten en ongewassen handen!' Dan tilde ze me op en droeg me de zaal uit. 'Ga met je vriendinnetjes spelen. Je bent te klein om ons met de baby's te helpen.'

'Ik ben niet te klein! Ik wil helpen.' Ik zette mijn vuisten in mijn zij. 'Als ik met de kinderen in de wiegjes speel, huilen ze niet zo hard.'

'Waarom wil je niet met kinderen van je eigen leeftijd spelen?'

Ik keek haar boos aan. 'Dat zijn zulke baby's!'

De tante schoot in de lach. 'Als het zulke baby's zijn, dan speel je vast graag met ze.' Ze gaf me een zetje. 'Ga nu maar. Zorg maar dat ze niet huilen, daar help je ons mee.'

Ik sjokte weg. Ik keek over mijn schouder en stak mijn tong uit naar de donkere omtrek van de tante. Ze moest weer lachen en liep de kinderafdeling op.

Maar toen ik de volgende keer langs de deur slenterde die naar de kinderafdeling leidde en vol verlangen luisterde naar het gehuil en gebrabbel daarbinnen, greep tante Yang me bij de arm. 'Wen Ming, ik zei toch dat je niet met je vuile voeten op de kinderafdeling mocht komen!'

'Dat deed ik niet! Ik stond buiten.'

'Aha. Goed zo.' Ze gaf me een knuffel die rook naar rijstepap en wasmiddel. 'Kijk eens wat ik voor je heb.'

Ze ging op haar hurken zitten en tilde mijn rechtervoet op. Ik verloor mijn evenwicht en moest haar bij de schouders vastpakken om niet om te vallen. Ze deed een canvas overschoen over mijn sandaal. Hij woog bijna niets. Daarna deed ze een andere over mijn linkervoet.

'Ze zijn te groot, maar een kleinere maat kon ik niet vinden. Je hebt zulke kleine voeten.'

Ik boog me voorover om ze aan te raken. Ze had de overtollige stof rond mijn sandalen ingestopt, wat niet lekker zat. Toch glimlachte ik toen ik de omtrek voelde. 'Ze lijken net op die van u!'

Ze trok een haarnetje over mijn hoofd en knoopte het teveel aan gaas achter mijn hoofd vast. Daarna trok ze me een afgedragen groen schort aan dat over de grond sleepte tot ze het met een reep stof rond mijn middel opbond. Ze wreef mijn handen in met een ontsmettingsmiddel dat vreemd rook. 'Nu mag je naar binnen zonder dat je de zaal vies maakt. Baby's worden snel ziek van bacteriën.' Ze kwam overeind, pakte mijn hand en legde die op een bus die naast de deur hing. 'Hier moet je je gebruikte spullen in doen. Je krijgt een zak vol met de kleinste maatjes van me. Dan kun je langskomen zo vaak je wilt. Maar je moet wel doen wat de tantes zeggen.'

'Dat zal ik doen.' Ik klemde mijn armen rond haar middel. 'Dank u.'

Vanaf dat moment mocht ik assisteren op de kinderafdeling. In het begin liep ik te sloffen op mijn overschoenen, en struikelde ik de hele tijd. Maar na een poos wende ik aan het extra materiaal dat ik droeg. De tantes konden me goed gebruiken om dingen te halen en op te ruimen, en ik was goed in het wiegen van huilbaby's die zich door niemand anders lieten troosten.

Ik zat het liefst in de houten schommelstoel met zo'n warm lijfje tegen me aan. De tantes moesten allemaal kussens om me heen opstapelen om de baby te ondersteunen, zo klein was ik. Ik draaide de stoel naar de gepleisterde muur zodat ik me met mijn voet kon afzetten. Zo zat ik hele ochtenden of middagen lang en kalmeerde de ene baby na de andere.

Een voor een hield ik ze in mijn armen tot ze voor mij als grote, handbeschilderde emaillen vazen werden waar ik al mijn liefde in uitschonk. Ik schommelde, schonk, schommelde, schonk, net zolang tot ze zo vervuld waren van mijn liefde dat ze alleen nog maar konden slapen. Mijn liefde had een ongekende kracht; ik was Wen Ming, Die Baby's Kalmeert. Mijn liefde schonk hun heerlijke dromen. Dromen die alleen ik kon geven.

Wanneer ze sliepen voelde ik hun warmte, hun kalmte, diep in mijn wezen trekken als hete zwarte thee. Ik zou ze wel willen knijpen en zo al die warmte in me opnemen, maar dan gingen ze alleen maar harder huilen. En dat zou me afkeurende blikken van de tantes opleveren.

Ze betekenden zo veel meer voor me dan alleen een warm lijfje. Ik leerde hun stemmingen kennen, hoe ze geaaid wilden worden en zelfs welke liedjes ze het liefst hoorden. Ze waren voor mij als *mei mei* en *di di*: zusjes en broertjes.

En dan opeens waren ze weg.

De eerste keer dat dat gebeurde kwam ik 's middags de kinderafdeling op om te helpen en liep tussen de rijen wiegjes door om al 'mijn' baby's persoonlijk te begroeten. Maar in plaats van vrolijk gekir bleef het stil.

'Waar is mijn *mei mei*?' Ik wees naar de lege plek in een van de wiegjes. Het had geen zin dat ik de zaal rondging om te zoeken bij welke tante ze was. Ik kon de andere baby in de wieg, een paar centimeter bij mij vandaan, al amper zien.

De tantes zwegen.

'Waar is deze *mei mei*?' vroeg ik, in de andere wieg turend. 'En deze?' Ik rende van de ene naar de andere wieg. Tien zusjes van me, weg! Ik vloog op een van de tantes af die bij de wastafel stond. Ik kon nog net zien dat zij geen kind in haar armen had, maar toch tastte ik haar lichaam af. Misschien hield er eentje zich verstopt. Misschien waren mijn ogen zo achteruitgegaan dat ik ze niet zag.

Geen *mei mei*. Er klopte iets niet. Er waren allemaal kinderen weg en het leek de tantes niets te schelen. Mijn hart bonkte en mijn keel werd dichtgeknepen. Nog steeds geen enkele reactie. 'Waar zijn ze?' huilde ik. Ik greep een tante bij haar schort en schudde haar door elkaar.

'Stil nou, Wen Ming!' Ze pakte mijn armen beet en hurkte tot ze me in de ogen kon kijken. 'Kom eens hier.'

De andere tantes hadden plotseling van alles te doen. Ze loodste me naar een schommelstoel en nam me op haar schoot. Het voelde vreemd vastgehouden te worden in plaats van zelf iemand beet te houden. 'De baby's zijn naar Amerika. Naar een gezin. Je zou blij moeten zijn voor ze. Nu hebben ze een eigen mama en papa.'

Ik kreeg bijna geen lucht. Moest ik hier blij om zijn terwijl mijn hart was uitgerukt? 'Wat is dat, Amerika?' Ik nam haar gezicht in mijn handen en tuurde ernaar in de hoop zo de mist uit mijn ogen en mijn hoofd te verjagen.

'Dat is een land hier ver vandaan, aan de andere kant van de oceaan.'

Dat was mijn grootste angst geweest. De oceaan? Ze had net zo goed kunnen zeggen dat ze dood waren. Nu kwamen ze zeker niet meer terug. Mijn keel werd dichtgeschroefd. 'Nee!' Ik kroop van haar schoot, ondanks haar pogingen me tegen te houden. Mijn voeten bleven in mijn schort haken. Ik viel op de grond, met mijn kin op de planken. Een verlammende pijnscheut benam me de adem, maar ik kreunde alleen maar en krabbelde overeind. 'Nee!'

Ik rende op de dichtstbijzijnde wieg af waar twee kinderen uit verdwenen waren. Ik was witheet en voelde een niet te beheersen kracht in me. Ik trok met beide handen aan de spijlen van de wieg tot die op de grond viel. 'Ik wil mijn baby's! Ik wil mijn baby's wiegen! Ik wil dat ze terugkomen!'

De tantes trokken me bij de wieg vandaan. Een van hen pakte me beet en schreeuwde me in het gezicht. 'Stop hiermee, Wen Ming! Stoppen, anders mag je nooit meer op de kinderafdeling komen.'

Ik begon nog harder te gillen. De overgebleven baby's huilden met me mee. Tante Yang trok me van de andere tante vandaan en droeg me de zaal uit. Ik schopte naar haar en maaide met mijn vuisten in de lucht, maar ze gaf geen kik. Ze ijsbeerde met me door de gang tot ik snikkend in haar armen tot bedaren kwam.

'Wie gaat ze nu wiegen?' hoestte ik, mijn keel schorgeschreeuwd.

'Hun nieuwe mama en papa.'

'En hebben ze ook een grote zus?'

'Sommigen wel.'

Een traan uit mijn oog gleed weer over mijn wangen en drupte in haar hals. Ik kon het wel uitschreeuwen bij de gedachte dat andere zussen mijn baby's zouden wiegen, maar ik was uitgeput. 'Waarom moeten ze naar Amerika en naar een mama, papa en zus? Ik houd toch van ze? Ik was hun grote zus.'

Ze gaf me een zoen, net onder mijn oor. 'Dat weet ik, lieve Wen Ming. Dat weet ik toch. Zo voel ik me ook. Maar een gezin is echt beter voor een baby.'

Er trok een rilling door me heen. Ik begreep niet waarom een gezin beter zou zijn. Er waren toch tantes voor ze? En een grote zus die ze in haar armen nam en zo volgoot met haar liefde dat ze heerlijke dromen hadden? Welke mama of papa aan de andere kant van de oceaan zou ook zo veel van mijn *mei mei* houden als ik? Ik wist niets van dat onbekende Amerika dat mijn kleine zusjes van me afnam.

Maar wat haatte ik die plek.

5

Meg Lindsay, maart 2005

Het Dragonfly Tea House is gevestigd op de hoek van een rijtje oude bakstenen winkeltjes bij Hyde Park. Door de verweerde houten deur heen kon ik de geur van thee en koffie ruiken en zelfs proeven, waardoor de spieren in mijn nek ontspanden. Nu pas voelde ik hoe stijf ze waren. Ik wilde de deur opendoen, maar wachtte even. Gedurende een ogenblik leek de lucht te trillen waardoor er een rimpeling door de bakstenen trok. Het was een bekend gevoel: het besef dat er iets te gebeuren stond wat mijn leven voorgoed zou veranderen. Ik had het gevoeld vlak voordat ik 'ja' zei op Lewis' vraag of ik met hem meeging naar een tangoles en voordat ik Adams verlovingsring afdeed. Maar om het nu te voelen? Dit was gewoon een café. Mijn oudste en beste vrienden waren hier. Toch hing er een verandering in de lucht, net als die geur die de komst van Mary Poppins aankondigt.

Ik schudde het bizarre gevoel van me af en rukte de deur open. Die klemt namelijk heel erg. Alle kleurige tafeltjes in de zaak bieden uitzicht op de deur, zodat je de klanten kunt zien binnentuimelen. Cinnamon, de eigenaresse en een van mijn beste vriendinnen, zegt dat ze de deur expres niet bijschaaft, omdat dat ervoor zorgt dat iedereen in de wereld gelijk is. Zelf Audrey Hepburn stapt hier niet elegant binnen.

Ik vond mijn evenwicht weer en liep naar de paarse bar met daarboven een grote glas-in-loodsculptuur van een libel die was bevestigd aan de leidingen die open en bloot langs het plafond liepen. De zaak rook naar kansen. Naar wonderen.

Naar een nieuw begin.

Cinnamon wierp een blik over haar schouder en wuifde loom in mijn richting. Ik leunde met mijn handpalmen op het koele graniet en voelde een koortsachtige levendigheid en nieuwsgierigheid. De wereld was één grote mysterieuze vijver waar ik zonder aarzelen in wilde springen. 'Ik wil een kind.'

Zo. Dat was eruit. Was ik de enige die begreep hoe elektrisch geladen dat woord was? Ik voelde me licht in mijn hoofd worden, alsof ik kon zweven zoals de libel boven mijn hoofd. Een felle vreugde vervulde me en benam me de adem.

Nieuw. Van mij. Een nieuw begin.

Cinnamon draaide zich om haar as om mij aan te kijken, waardoor het potlood achter haar oor vandaan viel. Het kletterde op de grond. 'Een kind?' De schrik was even van haar gezicht te lezen, maar ze verborg die snel achter een professionele façade van afstandelijke humor. 'Jammer, maar die zijn net op.'

Ze dook achter de bar weg om haar potlood op te rapen en kwam even later weer boven water. Ze draaide haar donkere, glanzende haar in een knot en zette die met het potlood vast alsof het een eetstokje was.

'Wat moet je toch met dat potlood? Het is zo'n cliché. En je gebruikt het nooit.'

'Maar dat zou wel kunnen. En wat gaat dat jou eigenlijk aan?'

'Touché. En, wat vind je ervan?'

'Waarvan?'

Ik onderdrukte een grom. 'Van een kind!'

Ze pakte een mok. Ze hoefde mijn bestelling niet op te nemen. Rooibosthee met magere melk, vaste prik. 'Natuurlijk houd ik van je, maar weet je zeker dat we daar al aan toe zijn?'

Ik trok een grimas. 'Heel grappig.'

Ze grijnsde terug en pakte de sojamelk. 'Zou je dit gesprek niet liever met Lewis voeren?'

Ik haalde mijn schouders op. 'Ik doe het nu met jou.'

Audra, mijn vriendin en lerares Engels, had haar laptop en een stapel nakijkwerk op haar tafeltje achtergelaten en hing nu aan de bar, haar handen om een bakje troost van Cinnamon geklemd.

'Wat doen Cinnamon en jij?'

Cinnamon moest haar stem verheffen om boven het gesis van de espressomachine uit te komen. 'Een kind krijgen, blijkbaar.'

'Ach, houd toch op.' Ik keek haar verontwaardigd aan in een poging niet in lachen uit te barsten.

'Ik ga even zitten.' Ik sleepte een stoel naar Audra's tafel toe en maakte ruimte voor mezelf.

Cinnamon kwam bij ons zitten.

'Moet je geen thee serveren?' Ik trok een blaadje uit de verse anjer die in een vaasje op ons tafeltje stond. Nu het hoge woord eruit was, verwachtten ze een toelichting van me. Het klonk vast dwaas. Onnozel.

Egoïstisch.

Dom.

Belachelijk.

Ik trok nog een paar bloemblaadjes uit. Eén. Twee. Drie. Daar lagen ze op tafel, stille getuigen van mijn afbrokkelende zelfvertrouwen.

Cinnamon gaf een tik op mijn hand. 'Je komt mijn café binnen stormen en gebruikt de woorden "ik", "wil" en "kind" in dezelfde zin. Die drommen klanten van me kunnen wel even wachten.'

Het lukte me na een poosje om de angst de kop in te drukken. Ik vertelde hun over het welkomstfeestje voor Beth dat ineens een verlovingsfeest bleek te zijn. Over mijn spaarrekening die ik kwijt was. Over Adam.

Het leek alsof ik ontzettend aan het zeuren was, maar zij hadden mij er de afgelopen moeilijke jaren doorgesleept. Ze hadden begrepen waarom ik jaren getwijfeld had voordat ik ja had gezegd op Adams huwelijksaanzoek. Ze hadden me gesteund tijdens mijn conservatoriumstudie, na mijn examen aan de Bijbelschool waar ik Adam had ontmoet. Ze hadden me niet veroordeeld toen ik Lewis leerde kennen en verliefd op hem werd, ook al was ik al verloofd. Ze wisten alles van de afgelopen vijf jaar toen mijn ouders mij doodzwegen en van de wankele verzoening die daarop gevolgd was. Ze waren ook op de hoogte van alles waarmee ik mijn familie op de kast had gejaagd: de tangolessen, mijn politieke standpunten en het symfonieorkest. Ze hadden me opgevangen wanneer ik verdriet had om die ontelbare steken en sneren die ik van mijn moeder te verduren kreeg, om hoe ze mij uit haar leven gebannen had, om de kloof die er nu tussen ons gaapte. Wat er vandaag gebeurd was, was niet meer dan de laatste regendruppel in het reservoir waardoor de stuwdam overstroomde en mij overspoelde met modderwater. Ze wisten wel dat ik niet zomaar gezeur was.

'Lewis en ik hebben onze familie nodig, maar je kunt mensen niet dwingen zich als familie te gedragen. Dus...' Ik was tot een conclusie gekomen en dook maar meteen in het diepe. 'We beginnen gewoon opnieuw. We starten een eigen gezin, van ons alleen.'

'Maar Lewis wilde toch geen kinderen?'

Ik wendde mijn blik af. Dat was een obstakel, inderdaad, maar dat hoefde ik nu nog niet uit de weg te ruimen. De wonderen waren de wereld niet uit, dat voelde ik. 'Dat moeten we bespreken.'

'Dus je wilt zwanger worden?' vroeg Audra met een frons. Ze wist wat ik vond van het moederschap. Geen wonder dat ze enigszins in verwarring was.

'Nee.' Ik begreep niet waar al mijn ideeën opeens vandaan kwamen. Het leek wel alsof ik op een klein knopje had gedrukt en zo een hele machine in werking had gesteld. Gedachten, verlangens waarvan ik niet wist dat ik ze had, borrelden op voordat ik ze onder woorden kon brengen. 'Ik wil graag een kind adopteren. Geen klein kind, geen pasgeboren baby of zo. Ik wil een wat ouder kind, eentje die niemand wil.'

'Waarom?' De vraag werd van twee kanten op me af gevuurd.

Geen idee waarom. 'Ik... we...' Het antwoord ontvouwde zich in mijn gedachten. 'Omdat we opnieuw moeten beginnen. Alles wat vanuit ons komt, torst dezelfde bagage mee als wij. Ik wil een gezin dat geen banden heeft met het verleden. Het moet helemaal anders worden. Iemand die ons net zo hard nodig heeft als wij haar.'

Mijn woorden eindigden in een onzeker zwijgen. Ik wachtte hun oordeel af. Ik zag hun gezichten deinen op de maat van mijn hartslag en ik had een droge keel. Ik nam een slokje thee. Wou dat het water was. Ik kon hun blikken niet meer verdragen.

Waarom zeiden ze nou niks?

'Wat voor kind wil je adopteren?'

Zo ver had ik nog niet vooruit gedacht. Ik leek net een kind dat rondrende in de stad en erop vertrouwde dat er wel iemand zou zijn die oud en wijs genoeg was om te zorgen dat ze niet verdwaalde. Die haar wel thuis zou brengen.

De deur van het café ging met een ruk open en ik voelde dat er een vochtige bries naar binnen waaide, beslist ongewoon voor Chicago. Een Aziatische vrouw struikelde over de drempel. Ze zag er moe uit, jaren ouder dan ze waarschijnlijk in werkelijkheid was. Ze had een klein, donker moedervlekje, links op haar kin. Ze bracht een geur van sigarettenrook met zich mee.

Voordat de deur achter haar dichtviel, ving ik een glimp op van rijstvelden en met bamboe begroeide heuvels. Ik hoorde het getokkel van oude, oosterse citermuziek; de noten kropen slingerend rond de vrouw. Ik zag een kind aan de overkant van de straat staan met kort donker haar en donkere ogen die mijn blik vasthielden. Daarna raasde er een bus voorbij en verdwenen het beeld en de geluiden. De deur viel krakend in het slot.

Er trilde iets in de lucht, iets wat groter en wijzer was dan ikzelf. Ik glimlachte naar mijn vriendinnen.

'Uit China. Ik ga een Chinees kind adopteren.'

Cinnamon knikte verstrooid en stond op om de vrouw te gaan helpen die net binnengekomen was, maar die gebaarde dat ze weer naar ons tafeltje terug kon gaan omdat ze eerst wilde bellen. Audra schudde haar hoofd en bestudeerde de leidingen langs het plafond alsof die ons wat gezond verstand konden geven. 'Ik snap er niets van. Je zegt toch altijd dat het veel beter zou zijn voor weeskinderen wanneer hulporganisaties ter plekke projecten opzetten in plaats van al dat geld uit te geven aan het adopteren van een enkel kind?'

'Nou, ja… als je weeskinderen wilt redden. Dat vind ik nog steeds. Maar ik wil geen kind helpen. Ik wil een nieuw gezin.'

'Dus je wilt een kind gebruiken dat toevallig wees is geworden om een lange neus te maken naar je moeder?'

Cinnamon snoof verontwaardigd.

'Nee!' Mijn tegenwerping kwam er harder uit dan ik bedoelde. Ik nam een slok thee en haalde diep adem. 'Nee. Ik wil een gezin stichten en daar hoort dat weeskind bij.' Er ontvouwde zich een nieuwe gedachte die zich naar alle kanten uitstrekte. Ik wist alleen niet of ik dat kon zeggen. 'Ik wil… ik wil…'

Cinnamon pakte mijn hand. 'Wat wil je, Meg?'

Het kon niet waar zijn. Dit kon ik niet willen. En toch was het zo. Ik knipperde met mijn ogen, maar het lukte niet de tranen tegen te houden.

'Ik wil moeder worden.'

Audra nam mijn andere hand vast, en beiden keken ze me zwijgend aan. Het was waar. Ik wilde niet zo'n moeder worden als de mijne. Ik wilde anders zijn, zo anders als mogelijk. Maar ook al mocht ik dan niet de moederliefde ervaren waar ik altijd van gedroomd had, ik kon wel iemand anders die kans op liefde geven. Ik zou een moeder zijn die van haar kind houdt, het accepteert en er trots op is. Op die manier zou ik een ander soort liefde ontvangen, een liefde die even sterk was. Dat wist ik omdat ik die liefde al die jaren vanbinnen had gevoeld…

De liefde van een dochter.

6

Zhen An was dol op kersenbloesem. Op het plein van het weeshuis stond een grote, oude kersenboom. In de lente galmden
mijn oren van haar bewonderende kreten. Ze besloop me met
haar handen vol bloesemblaadjes en strooide ze over mijn haar.
Nog weken daarna droeg ik die zoete geur met me mee, in mijn
neus en mijn herinnering.

Ik had een meer praktische aanleg. Bloesems waren zinloos als
er geen vruchten op volgden De boom bij het weeshuis gaf geen
kersen, alleen mooie bloemen. Wat had je daar nou aan? Een
kortstondig geurig genoegen dat niet beklijft.

De weken na die dag op de kinderafdeling kwam ik een boel
te weten over adoptie. Chinese gezinnen adopteerden bijna nooit
een kind uit het weeshuis. Dat was te duur, alleen rijke Amerikanen konden zich dat veroorloven. En als een Chinees stel een
kind adopteerde, koos het de mooiste uit, niemand wilde een
baby met een gebrek. Ze hielden de adoptie ook geheim. Amerikanen waren niet zo kieskeurig, maar ook zij hadden liever een
gezond kind.

Dat betekende dat ik geen gevaar liep geadopteerd te worden.
Ik was al zes, dus vast te oud, en mijn ogen gingen achteruit.
Niemand zou mij willen. Gelukkig maar.

Maar Zhen An was nog niet veilig. Ze was al vier jaar oud,
maar soms werden kinderen van vier nog geadopteerd. Amerikanen hadden bovendien geen bezwaar tegen een hazenlip. Ze
waren toch rijk genoeg om ze te laten opereren. Afgezien van
haar mond was Zhen An een knap meisje. Er kwam vast een keer
een rijke Amerikaan die haar wel wilde.

Mijn vriendschap met Zhen An was als bestrooid worden met kersenbloesem. Maar ik moest leren denken als een boom die meer wilde dan alleen bloesems.

Ik wilde kersen.

Ik wilde een gezin.

Ik wilde Zhen An; bij mij, voor altijd, mijn *mei mei*.

Ik had geen vader of moeder nodig. Ik, Wen Ming, zij die Baby's Wiegt, Houder van de Kraanvogelveer, Beste Vriendin van Zhen An, *ik* zou Zhen Ans moeder, zus, tante en vriendin zijn, meer familie had ze niet nodig. We hadden al gevraagd of we bedden naast elkaar mochten, en niet voor niets. Nachten achtereen huilde ze in haar slaap, geplaagd door nachtmerries over haar vorige weeshuis. Dan kroop ik bij haar in bed en trok haar dicht tegen me aan totdat ze rustig sliep. Ten slotte duwden we onze bedden tegen elkaar aan. Wanneer ik bij haar sliep, bleven de nachtmerries weg.

En wanneer we later groot waren, werd ik directrice van het kindertehuis en dan stond er geen foto van mijn gezin op het bureau maar eentje van alle kinderen. Aan meer familie had ik dan geen behoefte.

Ik vermoedde dat de tantes en de directrice niet zouden begrijpen dat ik als een moeder voor Zhen An kon zorgen omdat ik nog zo jong was en blind werd. Ik moest hen ervan zien te overtuigen dat *zij* degenen waren die voor ons zorgden. Ik had een plannetje, en dat zou vast slagen. Ik zorgde zelf wel voor een gezin dat niemand me kon afpakken.

Stap één: de directrice ervan overtuigen dat we geen Amerikaanse ouders nodig hadden. Ik was er gedurende de afgelopen weken, door af te luisteren en vragen te stellen, achter gekomen wat een pleeggezin was. Als Zhen An en ik pleegouders hadden, was het wel duidelijk dat we niet geadopteerd hoefden te worden. Ik had de ideale pleegmoeder al gevonden. Ik hoefde haar alleen nog maar over te halen.

De rechtstreekse benadering had ik al geprobeerd. 'Tante Yang, Zhen An en ik willen graag dat u onze pleegmoeder wordt. Alstublieft?'

Ze lachte naar me alsof ik een van de gedresseerde dieren in de dierentuin van Sjanghai was, die een kunstje voor haar deed. Ze gaf me een kus op mijn hoofd en wuifde me weg.

Ik wachtte een paar dagen af en probeerde een andere tactiek. 'Tante Yang, als Zhen An en ik uw pleegdochters waren, maakten we elke dag een lunchpakketje voor u klaar om mee naar het werk te nemen. En dan zongen we elke morgen voor u.'

Haar mondhoek krulde zelfvoldaan, zoals volwassenen altijd deden wanneer ze dachten dat ze het zo veel beter wisten dan ik. 'En als ik nou eens graag mijn eigen middageten klaarmaakte? Trouwens, ik wil 's ochtends rust aan mijn hoofd.'

Ik wees op het financiële voordeel. 'Tante Yang, wist u dat pleegouders elke maand geld krijgen als ze voor kinderen zorgen?'

Dat stond haar niet aan. 'Ik ga mijn geldzaken niet met jou bespreken. Hoe weet je dat trouwens van die toelage voor pleegzorg?'

'Door te vragen en te luisteren.'

'Je kunt je tijd beter besteden door vragen te stellen aan je onderwijzers, naar ze te luisteren en je best te doen op school in plaats van je met grotemensenzaken te bemoeien.'

Ik wilde haar vertellen dat het niet alleen over grotemensenzaken ging. Het waren ook mijn zaken, want ik had een pleeggezin nodig. Ik moest en zou haar overhalen!

Een week lang liep ik chagrijnig te pruilen totdat ik weer moed kreeg voor een nieuwe poging. Ditmaal ging ik er vol tegenaan.

Ik trof haar tijdens een van de zeldzame momenten dat ze op een stoel zat. Ze had geen baby in haar armen en las geen kinderen voor. Ik kroop op haar schoot en nestelde me dicht tegen haar aan. Toen ik voelde dat ze zich ontspande begon ik de aanval, een en al lieflijke onschuld.

'Tante Yang, waarom wilt u onze pleegmoeder niet zijn?'

'Waarom wil je dat dan?'

'Omdat u vriendelijk en goed voor me bent.'

'Dank je. Maar ik kan hier ook vriendelijk en goed voor je zijn. Daarvoor hoef je niet bij mij thuis te komen.' Ze streek met haar hand over mijn arm. Ze leek in gedachten verzonken. Ik voelde dat ze ontdooide. 'Ben je ongelukkig hier, vogeltje?'

Hoe kon ik daar nou antwoord op geven zonder mijn eigen glazen in te gooien of het weeshuis af te vallen? 'Ik denk dat Zhen An en ik nog gelukkiger zouden zijn in een gezin.'

'Misschien moet ik met mevrouw Wu bespreken of we jullie voor adoptie naar het buitenland moeten opgeven?'

'Nee! We willen hier blijven. Wij zijn Chinees. We willen een Chinees gezin. Bij u.'

'Dat gaat niet zomaar, vogeltje.' *Xiao niao*, vogeltje. Zo had ze me nu al twee keer genoemd. Het leek bijna een roepnaam. Dat moest wel een goed teken zijn. Ik klemde het kokertje met mijn kraanvogelveer in mijn hand en smeekte de kraanvogel om succes.

'Waarom niet? U hebt geen kinderen en wij hebben geen moeder. Is uw man niet zo aardig en vrijgevig als u?'

Ze verstarde en zweeg een poosje. Misschien was ik gestuit op iets waar ik spijt van zou krijgen. Maar toen ontspande ze weer. 'Mijn man is nog aardiger en vrijgeviger dan ik. Maar wat moeten we met jullie allebei aan? We hebben niet eens ervaring met één kind.'

Dat was alvast een kleine overwinning. Ik ging rechtop zitten en bracht mijn gezicht dicht bij dat van haar om beter te kunnen zien. 'Neem dan in ieder geval Zhen An in huis. Ze heeft een gezin nodig. Ze huilt de hele nacht omdat ze enge dromen heeft. Ik slaap altijd bij haar zodat ze niet bang hoeft te zijn. Bij u thuis zou ze vast heel gelukkig zijn.'

'En jij zou haar missen.'

'Ik wil dat zij gelukkig is.'

Vol verwachting hield ik mijn adem in.

Tante Yang sloeg haar armen steviger om me heen. 'Jij bent nog liever dan mijn man en ik. Het zou niet eerlijk zijn om jou en Zhen An uit elkaar te halen. Ik zal mijn man vragen of we jullie allebei in huis kunnen nemen.'

Ik sloeg mijn armen om haar nek, mijn hart bonkte van vreugde. 'Dank u! Dank u!'

'Ik kan niets beloven. Alleen erover praten.'

Maar van praten kwam doen, wist ik. Ik wist het zeker.

Ik kreeg gelijk. Toen het nieuwe schooljaar begon, woonden Zhen An en ik bij tante Yang en oom Zhou in hun appartement in een torenflat, niet ver van het weeshuis vandaan. Kersen waren het nog niet, maar dit was beslist meer dan bloesem.

7

Meg Lindsay, april 2005

Ik werd verliefd op Lewis Lindsay tijdens mijn eerste les in de Argentijnse tango. Adam en ik waren toen ruim een jaar kalmpjes verloofd. Hij was net naar Haïti vertrokken, waar hij drie jaar als zendeling zou gaan werken, boos omdat ik niet bereid was geweest mijn conservatoriumstudie op te geven om met hem mee te gaan. Lewis en ik hadden een apart soort vriendschap; we intrigeerden elkaar, denk ik. Een verstandelijke, niet-gelovige wetenschapper en een beschermd opgevoede christen met een artistieke inslag. Je zou het niet verwachten, maar het klikte tussen ons. Nooit eerder had ik iemand ontmoet die mij zo onvoorwaardelijk accepteerde.

Hij klampte me aan na mijn laatste optreden met het orkest van de universiteit, drie weken voordat ik slaagde voor mijn master altviolist. 'Dat was mooi! Heb je aanstaande vrijdag wat?'

'Ik zou moeten oefenen of studeren. Volgende week woensdag is mijn afstudeerrecital en die vrijdagmorgen daarna heb ik een mondeling examen.'

Hij kneep zijn ogen tot spleetjes. 'Zie je tegen je recital op?' Hij wist dat ik plankenkoorts had.

'Ik probeer er niet te veel aan te denken. Dan word ik misselijk namelijk. Mijn huisarts heeft me bètablokkers voorgeschreven, maar ik vind het geen prettig idee om medicijnen te gebruiken.'

'Ik leef me je mee. Ik wou dat ik je kon helpen.'

'Je komt luisteren, toch? Meer kun je niet doen.' Ik keek hem glimlachend aan. De genegenheid die ik in zijn blik las, gaf me een ongemakkelijk gevoel en ik wendde mijn blik af. 'Wat is er dan vrijdag?'

'Eh… een les Argentijnse tango?'

Mijn hoofd schoot zijn kant weer op en ik keek hem verbaasd aan. 'Wil je op dansles?'

Hij lachte. 'Ik dans al tien jaar de tango,' zei hij gegeneerd. 'Misschien wil jij het ook wel leren.'

'Dat wist ik niet.' Ik kende Lewis al jaren als een beetje een grappige, wat sullige natuurkundige, maar er bleek veel meer in hem te schuilen. Veel wat ik niet wist. Boeiend. 'Graag, hoe laat?'

'Misschien is het toch niet zo'n goed idee. Je kunt beter oefenen of studeren; ik wil je niet van je werk houden.'

'Nee, ik wil juist graag. Een tangoles is precies wat ik nodig heb. Te veel voorbereiding is even slecht als te weinig.'

Hij lachte als een klein kind achter een stapel verjaarscadeaus of een kleuter die trots is op een zelfgemaakte tekening. 'Prima. Zes uur bij El Bailongo.'

Zodra hij me tegen zich aan trok zoals dat bij de Argentijnse tango gaat, bovenlijven tegen elkaar, mijn arm in zijn nek, had ik het gevoel dat hij mijn binnenste cirkel in stapte en al mijn geheimen blootlegde. Best prettig, realiseerde ik me schuldbewust.

Veel bedwelmender en opwindender dan de sporadische omhelzingen van Adam.

'Misschien kun je Adam dit aanleren.' Zijn woorden streken langs mijn oor. 'Dan kunnen jullie dansen op je bruiloft.' Hij sprak op zachte toon, maar er klonk iets scherps in door, vooral toen hij 'bruiloft' zei.

Ik probeerde niet te lachen. 'Dansen staat boven aan Adams lijstje met hoofdzonden, naast seks voor het huwelijk en stemmen op de Democratische Partij.'

'Daar heeft-ie dan zichzelf mee.' Hij verstevigde zijn greep en ik voelde zijn nekspieren aanspannen. 'Hoe komt het toch dat je met hem verloofd bent?'

'Nou, hij… ik houd van hem.' Ik besefte dat dat niet erg hartstochtelijk klonk, dus ik voegde er snel een uitleg aan toe.

'Kijk, zo hevig verliefd zijn we niet meer. Maar dat is sowieso nooit blijvend, dus ik denk dat een lange kennismakingsperiode

goed is. Zo voorkom je al te grote teleurstellingen na de wittebroodsweken.'

'Klinkt spannend allemaal.' Hij duwde me een stukje van zich
af en keek me ernstig aan. 'Zal hij jouw muziekcarrière ook stimuleren als hij aan het evangeliseren is onder de inboorlingen?'

'Hij komt terug om hier dominee te worden.'

Dat was geen antwoord op zijn vraag. Hij schudde zijn hoofd
en trok me de omhelzing van de dans in. 'Verspil je talenten niet,
Meg. Je hebt er veel te hard voor gewerkt.'

Ik draaide mijn hoofd en bekeek zijn profiel. Hij keek me zijdelings aan, zijn grote bruine ogen stonden somber. Ik keek weer
over zijn schouder. 'Jij hebt makkelijk praten. Jij hoeft je niet aan
te passen aan mijn audities, de repetities en mijn optredens. Het
is niet makkelijk om met een musicus getrouwd te zijn. Allemaal
excentriekelingen met een wispelturig karakter.'

Ik voelde zijn lippen langs mijn oor strijken, zijn adem hor-
tend, gefrustreerd. 'Ik zou je stimuleren. Je bent het waard.'

En toen was het zo ver. Het tijdstip was niet ideaal. Ik had het
ook veel beter met Adam kunnen afhandelen. Ik wilde dat ik
eerlijker was geweest tegenover mijzelf en hem. Maar het was nu
eenmaal zo: sinds dat ogenblik was alles anders. Ik werd verliefd.

Op Lewis.

We gingen op huwelijksreis naar Buenos Aires. Overdag kregen
we privéles van een tangoleraar in ons hotelletje en 's avonds bezochten we dansfeesten. We wandelden door de met enorme eiken
omzoomde lanen, kusten elkaar bij zonsondergang op de Vrou-
wenbrug in Puerto Madero, waar alle straten namen van sufraget-
tes dragen, terwijl de rivier onder onze voeten in vuur veranderde.

Ten slotte ging ik met hem mee op een stille bedevaart naar
het herenhuis waar zijn moeder was opgegroeid. Ze had Italiaanse ouders en haar vader werkte voor de overheid. Ze hadden
jarenlang in Buenos Aires gewoond. Meer wilde hij mij niet over
haar vertellen; ik wist niet precies hoeveel hij zelf wist. Ze had
haar gezin verlaten toen hij nog maar zeven jaar oud was. Toch

stond deze periode uit haar kindertijd voor Lewis op een of andere manier symbool voor de vrouw zelf. Intimiteit, acceptatie, vriendschap, liefde: dat betekende Argentinië allemaal voor hem. Toen ik dat eenmaal begreep, kreeg ik het land ook lief. Niet dat dat moeilijk was; het land lijkt een neonreclame die onophoudelijk 'houd van me' knippert, alleen een hart van steen kan er weerstand aan bieden.

Weer terug in Chicago raakten we snel gewend aan een aangename routine. Op vrijdagavond dansten we de tango en dronken we pittige Argentijnse *mate*-thee, waar Lewis een heel ritueel van maakte.

Mate drink je samen uit één kalebas. Je deelt één rietje, waar een handig zeefje aan zit dat de gedroogde blaadjes *yerba mate*-thee tegenhoudt. Ik nam een slokje van de hete vloeistof die me een heldere geest en nieuwe kracht gaf.

Zijn mond nam het rietje van mij over.

Veel meer dan een drankje delen, deelden we iets van onszelf. Vertrouwen. De bereidheid een risico te nemen om zo dicht bij elkaar te zijn.

Intimiteit.

Deze vrijdagavond was het meer dan een ritueel. Meer dan wederzijdse acceptatie en een bevestiging van onze liefde. Deze vrijdagavond moest ik woorden vinden om hem ervan te overtuigen dat we ons kringetje moesten openstellen; van twee naar drie. We hadden een kind nodig dat ons ook nodig had.

Het klaaglijke crescendo van een bandoneon begroette me toen Lewis de deur voor me openhield en ik naar binnen liep. De eerste keer dat ik zo'n instrument zag, noemde ik het per abuis een accordeon. Lewis was ontzet.

'Wat is het verschil dan? Ze zien er precies hetzelfde uit.'

'Dat is zoiets als zeggen dat er geen verschil is tussen Britney Spears en Luciano Pavarotti!'

Die fout maakte ik dus niet meer.

El Bailongo was wat mij betreft veel meer dan een dansgelegenheid, wat de naam van de zaak betekende, want je kon er de lekkerste Argentijnse empanada's eten in heel Chicago. De geuren van de kruidige vleesvulling hulden het restaurant in een gezellige, vriendelijke sfeer, net een pretentieloze, huiselijke maaltijd. Het lege gevoel in mijn maag had opeens niets meer te maken met trek in eten, zelfs niet met mijn zenuwen. Toen een serveerster ons een tafeltje wees op de galerij boven de dansvloer, drong het plotseling tot me door: al mijn goede herinneringen aan eten waren ontstaan in een restaurant.

Zelfs Lewis zou moeten toegeven dat dat betekenis had. Dat we allebei snakten naar verandering. Hij had een hekel aan veranderen. Zelfs als de gaten in zijn sokken vielen, was het nog een gevecht om hem zover te krijgen dat hij nieuwe kocht.

Onze *mate* werd gebracht, ditmaal in een kalebas van aardewerk. De gedroogde *yerba mate*-blaadjes waren al geschud en geschikt rond de *bombilla* van roestvrij staal die uit de pot stak. De serveerster zette een theepot met kokend water en een potje honing naast de kalebas en we bestelden empanada's bij haar.

Deze avond had ik alle intimiteit nodig die het delen van een drankje kon bieden. Als ik het gesprek niet de gewenste kant op stuurde, ging het de hele avond over het nut van femionische en bosonische velden. Uiteraard was ik een vrouw van vlees en bloed en vond ik niets opwindender dan deeltjesfysica, maar soms moet je je eigen plezier opofferen voor een hoger doel.

Ik stak mijn hand uit op het moment dat zijn vingers de theepot raakte. Met een frons trok hij zijn hand terug. Meestal liet ik hem opschenken. Maar vanavond niet. Vanavond was de *mate* van mij. Ik nam de honneurs waar. Ik goot een beetje heet water in de kalebas, precies genoeg om de *yerba mate* even te laten trekken. 'Ik heb vandaag een e-mail van je nicht gekregen.'

Hij snoof. 'Welke?'

'Weet ik niet. Jessie Bao. Bij wie hoort die ook alweer?'

'Ik denk dat dat de vrouw van Deng is, wat betekent dat ze een achternicht van me is. Aangetrouwd.' Hij inspecteerde de kalebas. 'Je kunt nu de rest van het water wel opgieten.'

'Ja, weet ik wel.' Ik goot heet water over de *mate*. 'Dus, Jessie…'

'Doe je er geen honing bij?' Arme Lewis, ik gooide zijn ritueel in de war. Dat moest nu eenmaal. Voor de goede zaak.

'Nee. Ik heb vandaag geen trek in zoete thee.' Daar kon hij niets tegen inbrengen; de schenker bepaalt. 'Jessie schrijft dat je grootmoeder misschien gedotterd moet worden.'

Ik zoog aan de *bombilla* en voelde hoe de krachtige warme drank zich in mijn lichaam verspreidde. Meestal was het eerste slokje niet voor mij, want dat neemt de schenker altijd om te bepalen of de *mate* goed smaakt. Het gaf een bittere kick, zo'n beetje tussen sterke koffie en groene thee in; de smaak van lef. Ik voelde me ook moedig worden. Er kwamen drie gezinnen het restaurant binnen. De ouders waren blank, en elk gezin had ten minste één Aziatisch kind bij zich. Ze kregen een grote tafel rechts van ons toegewezen en gingen luidruchtig zitten.

Ik gaf Lewis een knikje in hun richting, maar hij leek niets bijzonders aan hen te zien. Een klein Aziatisch meisje stond naast de tafel en keek me met een klein lachje aan. Ze had een vreselijk kapsel en donkere ogen die me bekend voorkwamen. Maar waarvan, daar kon ik niet opkomen. Toch voelde ik iets kordaats over me komen toen ik naar haar keek. Alsof ze me aanmoedigde.

'Nog even over die e-mail.' Ik nam nog een slokje.

'Ik heb er ook een gehad.' Hij keek me aan, zijn ogen tot spleetjes geknepen. 'Ik hoop dat het goed gaat met *nai nai*. Een hartoperatie op haar leeftijd is niet niks.'

'Misschien moeten we eens langsgaan. Je ziet je familie bijna nooit. Je praat zelfs amper over ze.'

'Er is niet veel te vertellen.'

'Het is toch je familie.'

Hij sloot een ogenblik zijn ogen. 'Ik hoor niet in hun wereld thuis. Dat weet je.'

'Maar dat zou wel kunnen.' Ik nam het laatste slokje *mate* en goot weer heet water op. Ik bood Lewis de thee aan. 'Je houdt van de Argentijnse cultuur terwijl je niet eens Argentijns bent. Waarom niet van de Chinese cultuur?'

Hij stak de *bombilla*, die nog vochtig was van mijn mond, tussen zijn lippen. Hij nam een slokje, keek van de thee naar mij en fronste een wenkbrauw. 'Goed gedaan.' Hij dronk nog wat en keek naar me alsof ik een van zijn onderzoeksobjecten was. Hij slikte; ik kon bijna voelen hoe de warmte zich in hem verspreidde. Ik kon de blik in zijn ogen niet thuisbrengen, waardoor mijn maag zich samenkneep.

Ik keek naar het meisje aan de tafel naast ons. Ze wierp een blik over haar schouder en ik zag dat er een klein lieveheersbeestje in haar haar vloog. Ik voelde me plotseling heel vredig en wendde me weer naar Lewis. 'Waarom interesseer je je niet voor China? Het zijn tenslotte volksgenoten.'

Hij verslikte zich bijna. 'Mijn wat?'

'De Chinezen zijn je volksgenoten.'

Hij schoof de kalebas naar mij toe. 'Moet ik mezelf onderdompelen in de Chinese cultuur, alleen maar omdat ik voor een kwart Chinees ben? Ik ben meer Italiaan dan Chinees.'

Ik nam Lewis bij de hand en streelde hem, naar ik hoopte geruststellend.

'Alle familieleden van je die nog leven, zijn Aziatisch. Voor zover wij weten, tenminste.'

'Ik ben niet Chinees, oké?' Hij zweeg een poosje. 'Ik heb me nooit bij ze op mijn gemak gevoeld. Hoezeer ik ook mijn best deed. Ik was heel anders dan zij. Je hebt er geen idee van.'

Ik begreep het waarschijnlijk beter dan hij dacht, maar dat hield ik maar voor me. Ik schonk opnieuw water in de kalebas en schoof die naar hem toe voor een laatste ronde. 'Leg het dan uit. Help me je te begrijpen. Praat met me.'

Hij liet zijn schouders afhangen. Streek met zijn vinger langs de rand van de kalebas. 'Wanneer ik in de zomer bij mijn grootmoeder logeerde, sprak ze alleen maar Chinees tegen mij, en alle andere familieleden ook. Ze wisten dat ik ze niet kon verstaan, maar zagen het als hun taak om me in hun taal onder te dompelen tijdens de maanden dat ik bij hen verbleef. Ze bedoelden het goed, dat weet ik wel, maar ik voelde het als straf. Alsof het een straf voor mijn vader was omdat hij zijn afkomst niet aan mij doorgaf.'

Ik voelde de eenzaamheid van hem uitgaan en mij met bitterheid omringen. 'Waarom heb je dat nooit verteld?'

Hij haalde zijn schouders op. 'Ik probeerde de taal op te pikken, maar dat is niet makkelijk. Toen ik acht jaar was, heb ik mijn neven en nichten om hulp gevraagd.' Hij wees naar zijn waterglas. '"Wat is dat?" vroeg ik hun. "*Chi shi*," zeiden ze. Dus toen ik even later dorst had, ging ik naar mijn tante toe en vroeg om *chi shi*. Ze sloeg me in m'n gezicht en gaf me een standje.'

Mijn mond viel open. 'Waarom?'

'Het is een nogal grove manier om te zeggen dat je ergens maling aan hebt.'

Ik voelde de tranen achter mijn ogen prikken. 'Kon je het haar niet uitleggen?'

Hij nam een slokje thee. 'Ik heb het geprobeerd, maar ze zei dat als ik kon vloeken in het Chinees, ik me dan ook maar in het Chinees moest verweren. Dat soort geintjes haalden haar kinderen voortdurend uit, dus ze ging ervan uit dat ik het ook expres deed. Ik kreeg een week huisarrest. Mijn neven en nichtjes vonden het een goede grap, maar ik heb ze nooit meer om hulp gevraagd.'

'Wat verschrikkelijk!'

Hij schudde zijn hoofd. 'Het zijn geen slechte mensen, maar ze hebben zo veel ongeschreven regels. Allemaal dingen waarvan ik niet wist dat ze verkeerd waren. En dan waren er ook leuke dingen, die zij aangenaam vonden, maar die ik niet begreep en dus niet kon waarderen.' Hij grijnsde spottend en leunde achterover in zijn stoel. 'Het spijt me dat ik je dit nooit verteld heb. Zo belangrijk leek het me niet. Niet erger dan elk jaar naar zo'n verschrikkelijk zomerkamp te moeten, toch?'

Mij hield hij niet voor de gek. 'Arme jongen.' Ik pakte zijn hand. 'Ik wou dat ik je had kunnen troosten.'

Hij kneep in mijn hand en gaf me een bleek maar gemeend lachje. 'Ik ook.'

De *mate* was koud geworden. Onze empanada's werden geserveerd, maar ik had geen trek meer. Niet in eten in ieder geval.

Het enige wat ik nu nog wilde was dat die vreselijke holle blik uit de ogen van mijn man verdween. Hoe kon het dat we vijf jaar getrouwd waren en ik dit niet van hem wist? Was ik zo egoïstisch dat ik deze gesloten deur niet had opgemerkt waarachter dit stuk van zijn jeugd zich schuilhield?

Ik stelde me hem voor als dat jongetje van acht; tenger, pezig, met sproeten op zijn neus en die grote, eenzame, bruine ogen achter te grote brillenglazen. Hij paste niet in dat gezin, net zo min als ik in het mijne. Ik ademde zwaar en voelde een steen op mijn borst drukken. Precies daarom moesten we dit doen! Wij hadden het beiden gevonden: een passende plek bij elkaar. Moesten we die kans dan niet ook aan een ander ongewenst kind bieden?

Ik speelde met mijn eten. Mijn maag was van streek. Lewis at zwijgend zijn bord bijna leeg. Ten slotte staakte ik mijn poging te doen alsof ik at en legde mijn vork neer. 'Ik vraag me af hoeveel kinderen zich op dit moment net zo ongeliefd voelen als jij toen.'

Hij keek me strak aan. Ik huiverde onder de priemende blik die hij me door zijn oogharen toewierp. 'Niet doen.'

'Wat niet? Het lijkt me alleen zo zielig, jou niet?'

'Natuurlijk. Maar je moet geen hulpprogramma's opzetten, Meg. Je moet geen mensen redden.'

'Nee, maar vind je niet dat het onze verantwoordelijkheid is zo veel mogelijk te helpen?'

Hij duwde zijn bord van zich af. 'Ik denk dat het onze verantwoordelijkheid is om nog erger te voorkomen.'

'Nog erger? Hoe bedoel je dat?'

'Hoe vaak komen mensen met de beste bedoelingen niet binnen banjeren zonder enige kennis van zaken waardoor ze meer kwaad dan goed doen?'

Nou had ik zo mijn best gedaan, en toch ging het gesprek een kant op die ik niet wilde. 'Wat heeft dat nou met de operatie van je *nai nai* te maken?'

Hij stond plotseling op. 'Geen idee. Jij mag het zeggen.' Hij stak zijn hand uit. 'Zullen we dansen?'

Waren we dan niet al in een tango verwikkeld?

Ik volgde hem naar de dansvloer. Hij sloeg zijn rechterarm om me heen, zodat ik geen andere keus had dan me tegen hem aan te vlijen, mijn linkerarm in zijn nek en mijn lippen vlak bij zijn oor. Mijn hart ging sneller kloppen. Dat moest hij gemerkt hebben, getuige zijn zelfvoldane kneepje in mijn rug. Ik zuchtte. Mannen. Nergens ter wereld was een dansvloer groot genoeg om hun ego te herbergen.

Mijn poging om het onderwerp dat me zo na aan het hart lag tijdens het eten aan te snijden was jammerlijk mislukt. Wie weet zouden, wanneer onze lichamen een zelfde ritme vonden, ons hart en verstand wel volgen.

De bandoneon zette een nummer in met een klaaglijke, sensuele melodie. Strijkers en gitaren vielen in en gaven de muziek een zwoele, suggestieve sfeer. Ik wachtte tot hij me een teken met zijn lichaam gaf; een spierbeweging, een inademing, een duwtje tegen mijn bovenlijf.

De tango is een 'wandelingetje'; het paar danst dicht bij elkaar en kijkt elkaar niet aan, maar over de rechterschouder van de partner. Ik kon zijn gezicht niet zien, maar voelde de spanning in zijn lichaam. Toen hij ten slotte een pas naar voren zette en me ruggelings tussen de stroom andere dansparen duwde, drongen zijn nagels in mijn rug. Ik kromp ineen. Hij mompelde een verontschuldiging en ontspande zijn greep.

Ik kende deze muziek. Het was een van mijn lievelingsnummers; het ritme resoneerde diep in mijn ziel en viel samen met mijn hartslag. Het was een opzwepend lied. Ik voelde de druk van Lewis' hand, die me leidde, in mijn rug. Meestal vond ik dat opwindend, maar ditmaal voelde zijn aanraking zo ongemakkelijk, zo rusteloos dat ik de dans het liefst zou beëindigen.

Dat kon natuurlijk niet. Daarmee bedierf ik het niet alleen voor ons, maar ook voor de anderen op de dansvloer. Hij liet me om mijn as draaien en trok me dichter naar zich toe. Ik voelde zijn adem in mijn nek. Dit was een langzame dans, maar hij hijgde snel. Een ogenblik lang klampte hij zich aan me vast, wiegend op de maat van de muziek, zijn gezicht in mijn hals verborgen.

'Gaat het?' fluisterde ik tegen zijn stugge, donkere haar.

'Dans nou maar.'

Ik sloeg mijn rechterbeen om het zijne. Doorgaans deed ik dat zo soepel als een zijden lint dat zich om hem slingerde, maar onze timing was niet goed. Hij struikelde bijna en begroef zijn vingers in mijn rug in een poging overeind te blijven. Zo stuntelig hadden we nog nooit gedanst, ook niet toen ik nog een beginneling was. Ik knipperde het waas voor mijn ogen weg en probeerde me tegen hem aan te vlijen.

Hij hield me niet lang dicht bij zich. Hij streek met zijn voet langs de mijne, deed een pas en dwong me tot de *carpa*, 'de tent', waarbij ik met mijn bovenlichaam tegen hem aan leunde met mijn benen schuin opzij. Daarna sleepte hij me een aantal passen met zich mee en tilde me de lucht in.

Als reactie streek ik met mijn been langs het zijne om vervolgens tussen zijn benen te stappen. Het was me niet duidelijk of dit een samenspel of een gevecht was. Hij leek boos te zijn.

Zat onze woordenwisseling tijdens het eten hem dwars? Maar we hadden wel fellere discussies gevoerd zonder dat dit erop gevolgd was. Ik trok mijn hand uit de zijne en veegde een traan weg. Hij zag het gebaar wel, maar wendde zijn blik af.

Bij het slotakkoord liet hij me een achterwaartse buiging maken, waarbij onze blikken elkaar eindelijk kruisten. Hij keek gekwetst, niet boos. Een fractie van een seconde leek het alsof hij zich betrapt voelde.

Hij trok me overeind en we snelden de dansvloer af.

Ik greep hem bij de hand en trok hem de verlaten gang naast de danszaal in. 'Nou, dat ging lekker.'

Hij knikte. 'Niet onze beste dans, nee.' Hij trok een pruillip en wendde zijn blik weer van me af.

Om een of andere reden vond ik dat ik mijn mond moest houden en afwachten. Ik leunde tegen de muur en keek hem aan, mijn handen tegen mijn onderrug gedrukt. Hij zette zijn bril af en poetste hem schoon aan zijn overhemd. Daarna zette hij hem weer op. Hij liet zich tegen de muur zakken, vlak bij mij, en keek me in de ogen.

'Meg…' Zijn stem klonk hees. Hij slikte moeizaam maar wendde zijn blik niet af. 'Wanneer was je van plan me te vertellen dat je een kind uit China wil adopteren?'

8

Meg Lindsay, april 2005

Er is een tijd geweest dat een ruzie met Lewis me onvoorstelbaar leek. Wat hij ook deed, het was voor mij als een bol wol voor een jong katje. Die stem zonder ook maar een spoortje afkeuring, ogen die naar me keken met verlangen en bewondering in plaats van bezitsdrang, handen die me aanraakten om me te liefkozen in plaats van... nou, in plaats van helemaal niet.

Ik geloof niet dat ik ooit ben opgehouden me af te vragen, toen ik me halsoverkop overgaf aan de liefde, of een huwelijk zo harmonisch en perfect kon blijven. Ik verwachtte van niet, maar ik verwachtte dan ook helemaal niets van Lewis. Misschien hoopte ik er wel op. Misschien rende ik wel naar het altaar zonder erbij na te denken, zonder te analyseren, zonder te dromen zelfs, voor één keer in mijn leven. Wanneer de werkelijkheid zo ongelooflijk volmaakt is, wat zou je dan nog dromen?

Vreemd genoeg kan ik me onze eerste ruzie ook niet meer herinneren. Ik denk dat het geleidelijk ging; eerst een kritische opmerking, dan een sneer, tot we waarschijnlijk een keer een 'echte' ruzie hadden. Veel indruk heeft die in ieder geval niet op me gemaakt. Geen sprake van drama's of trauma's, geen moment van bezinning omdat je je ineens afvraagt hoe het toch zo gekomen is, in een vlaag van onzekerheid of schuldgevoel.

Wat ik me wel herinner is dat ik verbaasd constateerde, ongeveer twee jaar nadat we getrouwd waren, dat ik blijkbaar boos kon zijn op iemand van wie ik zo veel hield en die ik zo bewonderde. En wat me nog meer verwonderde, was dat ik boos op hem kon zijn zonder hem te verachten en zonder dat hij mij verachtte. Ik weet nog dat ik op de universiteit in een oefenruimte zat, me inspeelde met een toonladder in C-groot, toen dat tot me doordrong. Ik kon gerust boos worden op Lewis, en ook als hij boos op mij was, was ik veilig. Geen emotionele chantage, geen wrok, geen ijzig stilzwijgen. Als we ruzie hadden, deden we dat eerlijk en direct; volgens mij bewonderden we elkaars strategie zelfs. Ik kon de toonladder afmaken tot G, maar toen moest ik huilen. Vijf minuten lang. Blijkbaar was ik erin geslaagd, hoe onbezonnen en onervaren ik ook was, om samen met hem een relatie op te bouwen waarin we konden ruziën, mopperen, jammeren en fouten maken zo veel als we wilden, zonder daarmee afbreuk te doen aan onze liefde, vriendschap en trouw. We verloren ons respect niet voor elkaar, sterker nog, we waren onze onenigheden amper bewust.

Een geschenk van God dat ik beslist niet verdiend had.

Hakkelend probeerde ik antwoord te geven op de vraag van mijn man. Een golf gloeiende angst overspoelde me, voor het eerst. Zou ik nu toch te ver zijn gegaan, te veel hebben gevraagd? Meer dan hij kon geven? Misschien hadden we nu toch zo'n Eben-Haëzermoment bereikt; zo'n ruzie die ons huwelijk zou verdelen in een periode voor en na het conflict. Misschien stonden we voor veranderingen waar we nooit van hadden gedroomd.

Hij was meteen eerlijk geweest toen we elkaar leerden kennen. Natuurkundigen, dat waren geen goede ouders. Ze gingen helemaal op in hun onderzoekswerk, wat een ramp was voor een kind dat hulp en liefde nodig had. Hij was niet van plan zijn carrière op te geven en wilde ook geen kind opzadelen met een afwezige vader.

Het leek me een beetje onzin om de oorzaak van die overtuiging bij zijn vak te zoeken. Hij had het misschien zelf zo ervaren met zijn eigen vader, maar Liam Lindsay was geen natuurkundige. Aan de andere kant wilde ik zelf geen kinderen omdat ik niet net als mijn eigen moeder wilde worden, dus ik kon Lewis moeilijk verwijten dat hij net zo reageerde op zijn vader.

En toch: wij konden een andere keuze maken, opnieuw beginnen, breken met het verleden.

'Hoe weet je dat?' fluisterde ik, bijna onhoorbaar boven de muziek uit.

Hij vermeed mijn blik. 'Navigatie- en downloadgeschiedenis op de pc. Was niet zo moeilijk.'

'Heb je me bespioneerd?' Ik liep in de richting van de eetzaal en probeerde niet al te aangeslagen te kijken. Ik kon heel slecht tegen ruzies in het openbaar.

Lewis snelde achter me aan en sprak over mijn schouder, bij mijn oor. 'Ik begrijp dat je daar boos om bent, maar ik maakte me zorgen. Sinds die zondag bij je ouders doe je een beetje vreemd. En je zei maar niks.'

Ik griste mijn jas van mijn stoel. Lewis wierp een blik op de rekening en stak twee briefjes van twintig dollar in het mapje. De Aziatische kinderen en hun ouders waren nergens te bekennen. Het meisje met het rare kapsel was weg. 'Misschien had je ernaar moeten vragen.'

'Misschien had je er iets over moeten zeggen. Dingen geheimhouden is iets wat je ouders zouden doen. Ik dacht dat jij het anders wilde.'

De waarheid doet niet alleen maar pijn. Ze is als zo'n Zuid-Amerikaanse mier die gilt voordat hij je aanvalt en met zijn giftige beet een verlammende, kloppende pijn toedient. Aardig beestje.

'Als jij niet zo anti-kind was, hoefde ik niets geheim te houden.' Ik wilde de deur uit stormen, maar merkte hoezeer mijn onredelijke verwijt mijn zachtaardige echtgenoot kwetste en in verwarring bracht. Een voltreffer.

Net als wanneer je door het ijs zakt. Wanneer je je verzet tegen de verlammende omhelzing, brokkelt het ijs alleen maar verder af en kun je je nergens meer aan vastklampen. Verzet je je niet, dan zink je alleen maar dieper en sijpelt alle levenswarmte weg.

Dit was niet wat ik wilde! Maar er was geen ontkomen aan. Zelfs mijn schietgebedjes om wijsheid leken als lood op mijn voeten te vallen. Ik was niet wijs, mijn dwaasheid dreigde me kopje-onder te trekken.

Lewis pakte mijn arm vast toen ik net de deur door was. Ik voelde de frustratie en aanwakkerende woede om mijn verrassingsaanval in zijn greep. We leken wel twee honden, de tanden ontbloot, grommend naar elkaar. Dit werd geen beheerste, respectvolle ruzie. Daarvoor hadden onze verwarde emoties te diepe wortels. We stonden op het punt elkaar te bezeren. Ik werd er misselijk van.

'Ik ben helemaal niet "anti-kind", dat weet je best. Je weet toch…'

Ik legde hem met een trillend handgebaar het zwijgen op. Links van me stond die Aziatische vrouw die ik in het theehuis had gezien op de dag van het etentje bij mijn ouders. Ze stond tegen de muur geleund, een dunne rooksliert kringelde omhoog uit de sigaret in haar linkerhand. Ze zag er nog even moe uit als die middag in het theehuis.

Ze keek me strak aan en wees met haar sigaret naar mijn voeten. Ik volgde het gebaar met mijn blik en zag dat er een glanzend, rood lint om mijn rechterenkel gewikkeld zat. Het liep over de ongelijke trottoirtegels naar Lewis en slingerde zich om zijn enkel. Ik voelde de hartenklop van onze verbondenheid; die zekerheid heel diep vanbinnen dat God ons aan elkaar gegeven had. Onze levens waren vanaf de geboorte aan elkaar gekoppeld, als zielsverwanten. Het rode lint dat ons met elkaar verbond was in de loop van de tijd steeds strakker geworden, had ons naar elkaar toe getrokken en ons één gemaakt. Het lint spande zich om zijn en mijn been, trok ons terug van de rand in een poging ons tegen onszelf te beschermen. Het bracht ons in herinnering dat niets in staat was die kostbare, wonderlijke band tussen ons te verbreken, zelfs de ruzie van dit moment niet.

'Het spijt me.' Ik legde mijn hand in zijn nek en kuste hem. Mijn been gleed om het zijne, als een tangopas, en streek langs zijn enkel. De draad die ons met elkaar verbond huiverde verheugd alsof hij zeggen wilde dat we er wel uitkwamen, samen, omdat dit, ons samenzijn, echt, goed en waarachtig was.

Hij beantwoordde mijn kus, nam mijn gezicht in zijn handen

en streelde mijn haar. We drukten ons tegen elkaar aan en kwamen weer tot onszelf; ons diepste zelf, als mens en als echtpaar.

Op dat moment wist ik het: dit was een nieuw begin voor ons. Samen. Doordat we onze verbintenis erkenden en niet verbraken. Dat besef benam me de adem. Dat ik dat niet direct begrepen had.

Ik hoorde iets ruisen en fladderen en deed mijn ogen open. In een glimp zag ik enorme vleugels, een tenger, wit lichaam en een rode kam op de kop van een kraanvogel. Even glom de elegante vogel in het licht van een straatlantaarn en verdween toen in de nacht. Ik duwde Lewis van me af. De vrouw was nergens meer te bekennen.

Een rood veertje cirkelde langzaam naar beneden op een onzichtbare luchtspiraal en belandde op mijn mouw. Een belofte. Ik nam het tussen duim en wijsvinger en liet het aan Lewis zien, die er met wetenschappelijke verwondering naar keek. Ik streek ermee langs mijn lippen en rook de zwakke geur van tabaksrook die nog in het dons hing. 'Nu wil ik wel praten,' zei ik. Hand in hand liepen we weg, het rode lint trok ons klapperend naar elkaar toe.

Hij onderdrukte zijn terechte ergernis over het feit dat ik zo lang met adoptieplannen had rondgelopen zonder hem erbij te betrekken en hoorde me aan. Hij stelde het soort vragen dat je van een wetenschapper kunt verwachten: hoe gaat het precies in zijn werk, hoe weet je als ouder dat je met een bonafide bureau te maken hebt, hoe worden kinderen en ouders aan elkaar gekoppeld? Wetenschappers willen graag weten 'hoe' iets werkt, dat kun je observeren, begrijpen, beheersen. Weet je niet 'hoe' iets zit, dan kun je onderzoek doen, bestuderen, experimenteren tot je het weet. Het kan even duren, maar 'hoe' is een vraag waar je antwoord op krijgt. Het 'hoe' biedt je de zekerheid dat alles uiteindelijk zin heeft, dat je daar ten slotte wel achter komt. Vragen naar 'hoe' wekt hoop.

'Waarom' is een onzekere, hulpeloze vraag. Zelfs als je weet waarom, verandert er niets. Het wordt er niet beter van; hoe het verder moet wordt er niet duidelijker door. Het 'waarom' is ongrijpbaar, vluchtig, schuchter. Het verleidt ons, vervult ons van een hunkering het vast te grijpen en niet meer los te laten. Het spiegelt ons antwoorden voor, lokt ons met zoete melodieën van dromen en verlangen.

We strompelen erachteraan, verslaafd en verdwaasd, en wanneer we erin slagen een van de ragfijne vleugels beet te pakken, valt het uit elkaar; een illusie, een suikerspin. Een flikkering slechts, en ten diepste onbevredigend.

Toch kunnen zelfs wetenschappers er geen weerstand aan bieden. Waarom uit China? Waarom zijn die kinderen verlaten? En eentje pijnlijk dicht bij huis: waarom wilde ik adopteren? Waarom wilde ik geen kind van mezelf? Waarom was ik niet langer tevreden met ons tweeën?

Waarom had ik niet meer genoeg aan zijn liefde?

'Het heeft niets te maken met jouw liefde voor mij.' April blies met zijn kille wind en voerde mijn woorden met zich mee.

'Met jouw liefde voor mij dan? Ben je me zat?'

'Nee,' haastte ik me te zeggen, geraakt door de kinderlijke angst en het verdriet in zijn ogen.

Hoe moest ik het 'waarom' nu uitleggen? Hoe kon ik het kleine jongetje dat in zijn hart woonde uitleggen dat ik gek op hem was en dat altijd zou blijven, maar dat de liefde die je voor elkaar voelt sommige wonden nu eenmaal niet genezen kan? Waarom was dat zo? Waarom gaf God ons aan elkaar maar was die liefde toch niet genoeg? Trouwens, waarom kon de liefde tussen God en mijzelf mijn verdriet niet wegnemen? Wat was er met mij aan de hand, waarom had ik nog iemand anders nodig?

Die vraag hield ik liever op afstand. Ik kon er niet over praten met Lewis, die mijn geloof wel respecteerde, maar er zelf geen behoefte aan had en zich er ook niet in wilde verdiepen.

Ik sloeg mijn armen om zijn middel en liet mijn hoofd tegen zijn schouder rusten. 'Ik weet niet waarom ik dit wil. Niet omdat ik niet meer van je houd of niet genoeg van je houd of zo. Ik heb dit gewoon nodig. Wij hebben het nodig. Waarom weet ik niet.'

Hij drukte zich steviger tegen me aan. Het was geen blijk van instemming. Aanvaarding, meer niet.

Daarop volgde nog een serie vragen: de vlijmscherpe tegenwerpingen. Hoe zit het met ons werk? Wat doen we met ons appartement? Past een kind wel bij onze levensstijl? Allemaal open vragen. Ze zijn niet bedoeld om iets op te lossen, ze leiden niet tot meer begrip. Ze putten je alleen maar uit totdat je wel toe moet geven. Ik had deze aanval verwacht en gaf zo goed mogelijk antwoord. Ten slotte zag ik in dat ik hem niet kon overtuigen. Toen we bij ons appartementencomplex aankwamen en hij de glazen deur voor me openhield, voelde ik dat hij een muur om zich opgetrokken had, een ondoordringbaar schild. Ik voelde de druk binnen in me toenemen; een kolkend mengsel van tranen, wanhopig smeken, het verstikkende besef dat ik gefaald had, dromen die nog één keer gehoord wilden worden en vooral boosheid omdat ik begreep dat ik zonder hem niets kon beginnen. Ik klemde mijn lippen op elkaar om te voorkomen dat ik dat er allemaal in één keer uit zou gooien terwijl hij naar onze postbus liep. Geen ruzie in het openbaar. Nooit.

Hij viste een paar brieven en twee pakketjes uit het oude, zwartgelakte, bronzen kastje. Een brief in een bruine envelop was aan hem gericht. Hij bekeek het adres met een frons en glimlachte toen. 'Van Chase Littleton. We hebben samen gestudeerd; hij werkt nu aan de universiteit van Washington. Ik heb in geen jaren meer van hem gehoord. Benieuwd wat hij me gestuurd heeft.'

Hij draaide het andere pakje om, een envelop van stevig karton voor mij, van *Chinees adoptiebureau de Rode Draad*. Het logo van de instelling, een lieveheersbeestje op een rood lint, was duidelijk zichtbaar in de linkerbovenhoek. Hij gaf me de envelop, zijn gezicht was uitdrukkingsloos.

'Ik heb afgelopen maandag een mailtje gestuurd om informatie op te vragen. Meer niet.' Waarom kwam dat er nou zo verontschuldigend uit?

Hij was even stil. Als een weegschaal die geluidloos schommelend het gewicht bepaalt. 'Mijn moeder is weggegaan toen ik zeven jaar oud was.'

'Weet ik.'

'Mijn vader had het altijd te druk voor mij.'

'Aha.'

'Als zij niet van mij konden houden, van hun eigen vlees en bloed, hoe kan ik dan ooit van een kind houden dat niet van mij is?'

'Liefde is niet aan bloedverwantschap gebonden.'

'Je begrijpt het niet. Ik zou geen goede vader zijn. Dat weet ik zeker. Waarom wil je dat een kind aandoen, terwijl je weet dat haar vader niet van haar houden kan? Dat is de hel waar *ik* in geloof, Meg. Dat heb ik zelf meegemaakt, met allebei mijn ouders. Dat doe ik niet nog een kind aan.'

Hij reikte me de kartonnen envelop aan. Ik griste hem uit zijn handen en liep naar de lift. De hoge hakken van mijn tangoschoenen zonken diep weg in het hoogpolige tapijt. Hij kwam achter me aan. Geen van beiden zeiden we iets. Vragen naar het hoe, waarom en wat wervelden om ons heen, maar er waren geen antwoorden. Alles was al gezegd.

9

Mijn dagen waren nu vol geluiden die zweefden in mijn schaduwwereld als vermicelli in de soep. Tante Yang deed me op de
school waar de andere weeshuiskinderen naartoe gingen, maar
daar was niet veel te doen voor mij. Ik kon eigenlijk alleen de
grootste karakters met de dikste streepjes lezen en zelfs dan moest
ik mijn hoofd heen en weer bewegen om het hele karakter te
kunnen bekijken. Leren schrijven was praktisch zinloos. Mijn
onderwijzers klaagden dat ze graag geschikte computerbestan-
den zouden hebben, zodat ze me konden leren typen en met
spraakherkenning leren werken. Maar voor dat soort mirakels
zou ik naar een speciale blindenschool moeten gaan. Ik gebruikte mijn oren en verstand dan maar.

Ik luisterde en onthield. Ik smeekte tante Yang en oom Zhou
ook onophoudelijk om me voor te lezen. Wat, dat maakte me niet
uit, als het maar leerzaam was. De krant, televisie, radio: ik genoot
er evenzeer van als van de stukjes eend en varkensvlees die ik plotseling te eten kreeg nu ik bij een pleeggezin woonde. Oom Zhou
las vaak tijdens het eten voor uit de krant over de geweldige prestaties van China. Zijn stem klonk dan diep, vol trots over de enorme
ontwikkeling die ons land doormaakte. We stonden op het punt
onze positie op te eisen 'als het welvarendste en invloedrijkste land
ter wereld'. Hij vertelde over de wonderen van de wetenschap
waar zijn studenten op de universiteit mee kennismaakten. Er was
niets wat hij niet wist over natuurwetten. Al snel wist ik meer over
zo ongeveer alles dan mijn onderwijzers, ook al kon ik niet eens
lezen. Ik probeerde dat niet te laten merken; ze zouden zich gene-
ren als ze beseften dat ik veel slimmer was dan zij.

Er waren ook aanrakingen. Zhen An die haar arm om mijn middel sloeg, haar hand in de mijne. Een knuffel van tante Yang, een schouderklopje of een aai van oom Zhou. Zhen An deed zelfs een poging om te leren lezen, zodat ze 's avonds bij me op schoot kon kruipen om de wereld ook naar mij toe te brengen. Ik herkende elk van hen aan hun huid, hun geur, hun stem. Ik hield van hen allemaal.

Mijn dagen waren gehuld in schemerdonker, maar goed, ze regen zich aaneen als schitterende dromen. Ik had een reden om 's morgens wakker te worden.

Was de dag in nevelen gehuld, de nacht was diepe duisternis. Zodra de zon onderging, kon alleen de allerfelste lamp de zwarte sluier voor mijn gezicht doorboren. Ik vond het akelig om naar buiten te moeten, want zelfs het schijnsel van straatlantaarns werd opgeslokt in de duisternis die mijn gezichtsvermogen aantastte.

Oom Zhou plakte een touw met stevig plakband op de grond, zodat er een pad door het appartement ontstond. Wanneer ik het touw volgde, stuitte ik niet op obstakels en kon ik me niet stoten of struikelen. Ik liep met één voet langs het touw op de grond en kon zo in een sneltreinvaart van kamer naar kamer gaan.

Ik was er trots op dat ik me zo goed kon redden in mijn wereldje dat steeds duisterder werd. Zhen An was bang voor het donker, maar ik kende geen angst. De nacht had geen geheimen voor mij. Hij was een goede vriend met wie ik mijn geliefde *mei mei* vertrouwd moest maken.

Alleen om haar maakte ik me nog ongerust. Ze was niet zonder reden naar ons kindertehuis overgeplaatst. Telkens weer kwamen er grote mensen naar haar toe, met luide, vrolijke stemmen, die zeiden hoe knap en lief ze was. En dan gingen ze op zachte toon staan smoezen zodat ik ze niet kon verstaan, maar ik begreep het toch wel. Ze wilden haar aanmelden voor adoptie naar het buitenland. Ze wilden haar bij mij vandaan halen.

Op een avond in oktober lag ik in bed, dicht tegen haar aan. Ze had vredige dromen, daarvan getuigde haar regelmatige ademhaling. Ditmaal kon ik niet slapen. De volgende morgen moesten we allebei naar de dokter, die ging kijken wat er aan onze misvormingen gedaan kon worden. Waarom? Zodat we aantrekkelijker waren voor Amerikaanse gezinnen?

Ik lag op mijn zij, zo klein mogelijk opgerold, en probeerde mijn pijnlijke schouders en dichtgeknepen keel te ontspannen. Ik trok Zhen An dicht tegen me aan, haar zijdezachte haar tegen mijn gezicht, maar een misselijkmakende twijfel sneed mijn adem af. Mocht ik erop hopen dat ik haar echt altijd in mijn armen zou houden?

De duisternis maakte plaats voor een vorm die glansde. Het was een enorme roofvogel met een witte kop, bruine vleugels die de hele kamer omspanden, klauwen als pijlpunten en een gewelfde, messcherpe snavel. Met ogen zo donker dat mijn duisternis wel dag leek, kwam hij krijsend op ons af gevlogen. Hij richtte zijn pijlen op Zhen An. Ik wierp me boven op haar om haar te beschermen. Ik hield het kokertje met mijn kraanvogelveer omhoog, zodat de pijlen zonder me te verwonden van me af ketsten. Het dier kwam op me af gedoken met vlammende ogen en wrede, scherpe klauwen.

'Blijf van haar af!' schreeuwde ik. Ik ging schrijlings over haar heen op het bed staan en weerde de aanval van de vogel met mijn vuisten af. Het dier krijste opnieuw en vulde de kamer met zijn woede. Ik klemde het kokertje in mijn hand en gaf het beest een stomp. Het kwam met een klap tegen de muur aan en gleed op de grond. Ik krabbelde van het bed af en wierp me slaand en schoppend en schreeuwend op het beest totdat mijn handen kleverig waren van zijn veren en bloed. De vogel gaf zijn verzet niet op en worstelde zich steeds dichter naar het bed toe, vastbesloten om mijn Zhen An mee te nemen. Mijn kraanvogelveer gaf me kracht. Ik klemde mijn armen om de vogelnek en kneep. Ik had overal pijn en er hing een sterke lucht van zweet, bloed en dood in de kamer, maar ik liet niet los.

De vogel liet zich opzijrollen, zijn enorme lijf drukte me tegen de vloer. Ik kon amper ademhalen. Mijn greep om zijn nek verslapte, maar het beest werd ook zwakker. Nog even volhouden…

Een trillende klauw greep me bij mijn nek zodat de kamer om me heen begon te draaien tot mijn lichaam opging in de duisternis en het gevecht opgaf. Mijn laatste gedachte was aan Zhen An. Ik hoopte dat ik haar uit de klauwen van die boosaardige vogel had kunnen redden.

'Wen Ming!' Tante Yang klonk angstig, haar handen trilden terwijl ze mij door elkaar schudde.

Ik keerde weer terug in mijn lichaam en merkte dat ik op de vloer van mijn slaapkamer lag. Toen ik probeerde te gaan zitten, sneed de pijn door mijn schouder en been. Zhen An huilde. Ik worstelde me overeind, verscheurd door angst alsof het de vogelklauwen waren die ik nog voor me zag. 'Zhen An? Ben je ongedeerd?'

Oom Zhou nam me in zijn armen. 'Er is niks aan de hand met haar. We zijn juist bezorgd om jou.'

Ik stribbelde tegen, probeerde scherp te zien. 'Die vogel, is die er nog?' Het was nog steeds donker, ik kon niets zien.

'Stil maar, kleintje. Er is geen vogel.' Tante Yang pakte mijn hand en gaf er een kus op. Haar gezicht was klam van het zweet. 'Je hebt een nachtmerrie gehad en toen ben je uit bed gevallen. Het lijkt erop dat je het bedlampje omgestoten hebt. De lamp is kapot en er ligt glas op de grond. Je bloedt. We moeten die afspraak met de dokter maar verzetten. We gaan morgen even naar het ziekenhuis. Misschien moet je gehecht worden.'

'Ik was bang, *jie jie*,' jammerde Zhen An. 'Jij hebt nooit een nachtmerrie. Alleen ik.'

Ik klemde me aan oom Zhou vast en begroef mijn gezicht in zijn armen. Zhen An had gelijk.

Ik had nooit een nachtmerrie.

10

Meg Lindsay, april 2005

Soms kan samen zwijgen aangenaam zijn. Dan brengt het je zelfs nader tot elkaar. Lewis en ik ervaarden vaak zo'n meditatieve stilte die doordrong tot in de kloofjes en krasjes op je ziel als massageolie, intiem, verbindend, toegewijd.

Er is ook een ander soort zwijgen. Dat voelt alsof je op een koude winterdag het licht wilt aandoen. Je weet dat je een vonk kunt verwachten als je het knopje aanraakt, dat je een schok krijgt, ook al probeer je dat te voorkomen. Soms is stilzwijgen zo, als statische elektriciteit die steeds heviger wordt tot de ontlading volgt bij de minste of geringste aanraking. Hoe langer je wacht, hoe heviger de schok. En toch doe je wat je kunt om die te vermijden.

Zulk stilzwijgen omringde ons toen we ons appartementencomplex bereikten. We meden elkaars blik toen Lewis de deur voor me openhield. Ik klemde de envelop van het adoptiebureau in mijn handen en zag hoe hij in de studeerkamer verdween. Als ik iets had gezegd, zou dat te pijnlijk zijn geweest. We moesten er eens over praten, maar dat schoven we nog even voor ons uit.

Ik liet me op de bank vallen, trok mijn knieën hoog op en zette de envelop ertegen. Ik wilde graag weten wat erin zat. Maar wat had ik daaraan? Waarom mezelf kwellen met wat ik toch niet kon krijgen?

Ik liet mijn voorhoofd tegen het karton rusten. Er gleden een paar tranen over mijn wangen. Ze drupten op de envelop, waar plotseling een zoete wierookgeur uit opsteeg. Hij wervelde om me heen en moedigde me aan tot ik me niet meer kon inhouden. Ik scheurde de envelop open. Er zat een dvd in.

Op het zilveren schijfje stonden mijn dromen verbeeld. Ze vloeiden samen met het verlangen in mijn hart en kregen tastbare vormen; trokken me naar zich toe met kleur en geluid, omgaven me, vervoerden me. Ik bleef wierook ruiken. De geur van geloof. Van de hand van God.

Ik zag een rivier in een diepe kloof waar vissersbootjes op voeren. Ik hoorde een vrouw een oud Chinees lied zingen. Ze zweeg en keek me aan. Ze had een moedervlekje, links op haar kin.

Ik kreeg geen lucht. Rookslierten wervelden om me heen. Mijn longen vulden zich met een krachtige, zoete rook en ik kon weer ademen, mijn ogen openden zich. Nu kon ik dat land aan de andere kant van de wereld zien, ruiken, proeven, horen, aanraken. De rook vulde mijn lichaam tot in de verste uithoeken met het wezen van China dat ik voortaan mijn hele leven met me mee zou dragen.

Ik zag rijstvelden en steden vol wolkenkrabbers. Ik danste met een staatartiest mee die voor een chic hotel fluiten verkocht. Ik stond op een bushalte naast een zakenman, strak in pak, midden tussen het puin.

Ik streelde de dikke vacht van een panda. Ik boog voor een keizer uit de oudheid. Ik hurkte naast een paar daklozen in een steegje en deinde mee met de mensenmassa in een dure discotheek.

Ik zag hoe het dichtstbevolkte land op aarde zijn naaktheid probeerde te verhullen met wat lompen nationale trots, en zijn wonden verbond met witgeverfde vuile lappen. Ik keek het in het gezicht en zag mijn eigen spiegelbeeld.

De geurige wierook trok me steeds dichter naar zich toe. Toen zag ik de kinderen. Ze speelden op een vervallen binnenplaats van een weeshuis, hun kleren gescheurd. Kinderen zaten aan een lage tafel en aten kommetjes rijst met platte lepels. Peuters speelden in hun box of hingen lijdzaam in een kinderstoeltje. Ze keken zo wijs uit hun ogen, als hoogbejaarden die een lang leven achter zich hadden; een leven dat je geen enkel kind toewenste.

Een peuter met kortgeknipt haar verscheen uit de mist die om me heen wervelde. Ze zat gehurkt naast een metalen wiegje, dronk uit een halflege zuigfles en keek me aan met sombere, nietsziende ogen. Ik stak mijn hand naar haar uit, maar ze draaide zich om en liep terug, een kale, onpersoonlijke zaal in die vol stond met wiegjes. Geen speelgoed, geen teddyberen. Twee of drie baby's per wieg.

De mist trok een muur tussen ons op en ik beukte met mijn vuisten op de onwerkelijke afscheiding, niet in staat haar te bereiken. Niet in staat te helpen, maar hoe kon ik iemand helpen als ik zelf zo stuk was?

Ik weet niet wanneer de tranen precies kwamen. Ik pakte een kussen van de bank en klemde het tegen me aan. De beelden en indrukken spoelden over me heen als water door een rijstveld. De kinderen ontsproten in mijn ziel, hun wortels drongen diep door in mijn hart. Wat leek ik in veel opzichten op hen. Misschien niet wat omstandigheden, maar wel wat gevoel betrof: een leven gestempeld door afwijzing en de ervaring niet goed genoeg te zijn, niet geaccepteerd te worden door diegenen die je zonder meer zouden moeten liefhebben en aanvaarden.

Ik wreef langs mijn ogen en smeerde mijn mascara uit op mijn hand. De vloer kraakte. Lewis stond tegen de deurpost geleund en keek naar het beeldscherm. Met elke ademhaling snoof hij de rook op en ik zag hoe de gloed van de wierook zijn ogen vulde. Er gleden druppels geurige olie langs zijn wangen.

Hij keek naar me tot de spanning uiteindelijk zo hoog opgelopen was dat er geen ontkomen meer aan was. Een knetterende vonk sprong tussen ons over en een pijnscheut doortrok me als een blikseminslag. De geur van verbrande huid vermengde zich met de wierook: een scherpe stank van opoffering en boetedoening.

Hij onderdrukte een snik en wankelde terug naar de studeerkamer. Toen ik de andere kant opkeek, zag ik het kind met de doffe ogen, ouder inmiddels, hurkend onder een half afgebrokkelde betonnen muur. Haar verdriet raakte me diep en ik wist dat ze ditmaal niet van me weg zou lopen.

Het verdriet trok van beide kanten aan me, reet me uiteen tot bloedens toe. Ik hoorde hem huilen, haar fluisterend kermen. Het vloeide samen in een klaaglijk lied.

Eindelijk zag ik de armoede in mijn eigen huis. De honger en naaktheid van miljoenen weeskinderen was ook die van mij. Als ik dat verdriet wilde stillen, moest ik beginnen met het helen van de wonden van mijn naasten.

Ik vouwde mijn handen om het bibberen tegen te gaan en wendde mijn blik van het kleine meisje af. Ik liet haar in de rook en de bedwelmende geur achter en liep op degene af van wie ik nog steeds meer hield dan van wie ook maar. Mijn geliefde, dieper gekwetst dan ik beseft had. Maar nog steeds degene die ik liefhad, die ik helpen kon.

Lewis drinkt vrijwel nooit iets sterkers dan een glas port na het eten, maar af en toe, als iets hem echt dwarszit, iets de duistere herinneringen die hij diep weggestopt heeft wakker roept, schenkt hij een glas cognac in en gaat ermee naar de studeerkamer. Hij doet de deur nooit dicht, maar sluit alleen die naar zijn ziel. Soms loop ik dan langs de studeerkamer in de hoop dat hij me nodig heeft, naar me opkijkt en me binnenvraagt, maar zijn ogen zijn altijd gericht op de foto van zijn grote voorbeeld, de wereldberoemde natuurkundige Naomi Ricci, alsof hij toegang heeft tot haar briljante geest en daar een oplossing kan vinden voor wat hem ook maar bezighoudt.

Hij nipt van zijn cognac en laat de duistere drank hem langzaam en teder omhelzen. Hij drinkt en kijkt voor zich uit, en af en toe spant er een spiertje in zijn nek. Zijn kaak verstrakt. Een oud verdriet walst rond als de drank in zijn glas. Zacht en bitter. Soepel en bijtend.

Wat zou ik hem dan graag bij zijn schouders pakken, door elkaar schudden en hem proberen te laten zien hoe ik het zie. Ik zou het hem wel toe willen schreeuwen. 'Je kunt haar verafgoden zo veel als je wilt en de grond voor haar voeten kussen, maar ze kan je nu niet helpen. Zij heeft het antwoord ook niet. Je kunt zoeken tot je een ons weegt, maar je vindt nooit wat je weten wilt, wat je nodig hebt. Niet in haar ogen, niet in haar gezicht en niet in haar brein.'

Maar dat kan ik hem niet zeggen, natuurlijk. Naomi Ricci is slechts de hogepriester van de godin die hij vereert: die veeleisende en onstuimige godheid. Ze bekoort zijn verstand, verblijdt zijn hart. Zijn liefde voor haar is eindeloos, in zijn beleving kent haar schoonheid geen grenzen.

Ooit zal hij inzien dat zij geen antwoorden op zijn vragen heeft. Zijn leegte niet kan vullen. Zijn verdriet niet kan stillen. Hij is sterk, maar ik vraag me weleens af of hij opgewassen is tegen de waarheid wanneer zijn godin slechts sterfelijk blijkt te zijn.

Onvolmaakt.

Als dat moment aanbreekt, en dat zal gebeuren, zal ik hem opvangen. Hem laten huilen. Zijn hoofd tegen mijn borst trekken, aan mijn hart. Zodat hij eindelijk de deuren en ramen vanbinnen open kan gooien en er licht kan schijnen in die vochtige, bedompte ruimtes. Ik zal bewijzen dat niet iedereen met een opgeheven vingertje 'ik had je toch gewaarschuwd?' zegt. Zodat hij weer kan lachen. Meer wil ik niet.

En daarom zeg ik er niets over.

Ook nu trof ik hem zo aan, het glas amberkleurige cognac terzijde geschoven. Hij staarde naar de foto van dr. Ricci. De kamer was dampend heet. De foto zweette, tranen dropen langs de metalen lijst. De bruine envelop lag op het bureau, half verscholen onder een paar aan elkaar geniete pagina's uit een tijdschrift.

Hij liet niet merken dat hij me zag, dus ik sloop de kamer in en pakte de pagina's uit het tijdschrift. Ik liet mijn blik over de eerste alinea's glijden. Het was een interview met dr. Naomi Ricci uit een nummer van *American Science News* van oktober 1983. Boven aan de bladzijde had iemand iets geschreven.

Ik kwam dit artikel tegen toen ik een paar dozen met oude kranten en tijdschriften opruimde. Geen idee of je het al eens gelezen hebt, het

dateert uit je eerste studiejaar, volgens mij. Omdat je haar zo bewon-
dert stuur ik het je maar op, voor je archief.
Chase

Lewis verroerde zich niet. Ik las het artikel door. Het ging vooral
over de grote ontdekking die dr. Ricci in 1979 had gedaan, iets
met bosonen en subatomaire deeltjes; veel te moeilijk voor mij.
Er werd hoog opgegeven over haar bijdrage aan de wetenschap
in een tijd waarin er niet veel vrouwelijke natuurkundigen waren
die onderzoek deden in plaats van als leraar of huisvrouw aan de
slag te gaan. Ze benadrukte dat ze zich volledig voor haar werk
had ingezet en leek haar schouders op te halen over vragen naar
haar worsteling om serieus genomen te worden als vrouw. Ze
had wel wat moeten opgeven voor haar carrière, maar dat stond
niet in verhouding tot de voldoening die haar onderzoekswerk
haar gaf. En zodra haar mannelijke collega's hadden ingezien hoe
goed en met hoeveel inzet en concentratie ze haar werk deed,
hadden ze haar zonder meer geaccepteerd.

Als feminist was ik niet erg onder de indruk van die duidelijke
knieval voor het mannenbolwerk, maar zo zat de wereld meer
dan twintig jaar geleden nu eenmaal in elkaar. Je kon niet anders
dan waardering opbrengen voor haar vastberadenheid en haar
prestaties in wat ongetwijfeld een vijandige omgeving was.

'Interessant artikel.' Ik legde de pagina's voor hem neer. Er
verschenen slierten stoom toen het vocht op de foto begon te
verdampen. 'Lewis?'

'Ze had geen kinderen.' De woorden dropen een voor een van
zijn lippen, zacht en vlak als gesmolten lood.

'Hè?'

Zonder zijn ogen af te wenden stak hij me het artikel weer toe.
'Op de tweede bladzijde. Lees maar.'

Ik sloeg het blad om tot ik het citaat had gevonden waar hij
op doelde. 'Nou en?'

Het vuur binnen in hem laaide op en zijn lichaam gloeide
alsof het uit kooltjes bestond. 'Ze had geen kinderen, Meg!'

Zijn woede verschroeide de kamer zodat de randen van het tijdschriftartikel zwart blakerden.

'Je hebt te veel gedronken.'

Hij griste het cognacglas naar zich toe en sloeg het in één teug achterover. 'Ze had geen kinderen!' Hij schreeuwde het de foto toe, als een mantra. Hij graaide het artikel uit mijn handen, maakte er een prop van en smeet die naar de foto. De woedend samengebalde verschroeide woorden verbrijzelden het glas van de foto. Ik kreeg een splinter in mijn gezicht en voelde een warm straaltje bloed en een brandende pijn.

'Lewis!'

Met moeite kwam hij uit zijn trance en keek me aan. Zijn woede ebde weg en maakte plaats voor bezorgdheid en spijt. Hij streek met trillende vingers het bloed van mijn wang. De studeerkamer koelde langzaam af terwijl hij de wond met een zakdoekje depte en me een kus op het voorhoofd gaf.

'Wetenschappers zijn geen goede ouders,' fluisterde hij in mijn hals.

'Jij wel.'

'Die kinderen op dat dvd'tje... die hebben iemand nodig die ze niet in de steek laat.'

'Wij laten ze niet in de steek.'

'Hoe weet je dat? Denk je dat onze ouders dat wel van plan waren geweest?'

'Wij weten hoe dat voelt. Wij maken niet dezelfde fout. We kunnen niet veranderen wat er met ons beiden is gebeurd. Maar we kunnen dat een kind wel gunnen; kinderen hebben die tijd nog.'

De geur van wierook en het ritme van Chinese slagwerkmuziek vulde de kamer. We stonden er zwijgend middenin en vergaten de tijd. Lewis trok me tegen zich aan en begroef zijn handen in mijn haar.

Uiteindelijk gaf hij zich over. 'Goed dan.'

'Je bedoelt "ja"?'

Ik voelde dat hij knikte.

'Weet je het zeker? Niet alleen omdat je... Ik wil je nergens toe dwingen.'

'Ik weet al een paar weken dat je hiermee rondloopt. Dus ik heb er ook over kunnen nadenken. Het beangstigt me. Ik ben bang dat het helemaal misgaat. Dus nee, ik weet het niet zeker. Maar toch zeg ik ja.'

'Dank je.'

'Zorg dat ik niet wegga, Meg. Wat er ook gebeurt, zorg ervoor dat ik jullie niet in de steek laat. Beloof je dat?'

'Ik beloof het.' Alsof ik zoiets kon verzekeren; ik kon daar natuurlijk alleen maar voor bidden. 'Je wordt vast een goede vader.'

'Zou je denken?'

'Zeker weten.'

Hij duwde me achteruit als tijdens een tango totdat ik tegen een ladekast stond. 'Straks zijn we vader en moeder.'

Zijn stem klonk gedempt, verrast. Ik glimlachte naar hem. 'Straks zijn we vader en moeder.'

Rook stroomde de kamer binnen en wervelde zoet geurend om ons heen en bracht beelden en stemmen met zich mee. Ik zag het meisje haar blinde ogen opslaan naar de lucht en glimlachen. Ik zag de vrouw met de moedervlek en de sigaret gracieus naar me buigen. Ik zag een meterslang felrood lint vrolijk wapperen op de wind om ons te begeleiden op ons toekomstige pad. De vleugel van een kraanvogel streek langs mijn wangen. En om ons heen vlogen honderden, duizenden kleine rode lieveheersbeestjes die zich voegden in een dans van overgave en hoop.

Deel II

Vuurwerk

'Het is makkelijk om te geven om mensen die ver weg wonen.
Het is niet altijd zo makkelijk om onze naasten lief te hebben.
Het is makkelijker om een kopje rijst te geven aan iemand die honger
heeft dan de eenzaamheid en het verdriet te stillen van een huisgenoot
die zich ongeliefd voelt. Zorg voor liefde in je eigen huis,
want daar begint de liefde voor anderen.'

Moeder Teresa

11

Wen Ming, februari 2005

Na het voorval met de gevallen lamp, die me vijf hechtingen en veel bewonderende blikken van klasgenoten opleverde, liet tante Yang het doktersbezoek voor wat het was. Ik had gewonnen, voorlopig tenminste. Na een poosje mochten de hechtingen eruit en was er nog maar een klein wit litteken zichtbaar. Zhen An maakte zich niet langer zorgen over mijn 'nachtmerrie' en niemand sprak er meer over. Heel soms, wanneer ik met Zhen An speelde, zuchtte tante Yang weleens, of ze zei 'hmm' bij zichzelf. Ze broedde ergens op, dat merkte ik wel.

Ze legde me uit dat ik op bamboe leek; fijn en buigzaam maar met een verborgen kracht. Ik kon buigen maar zou niet breken. Ze vergeleek Zhen An met een porseleinen vaas; mooi, maar breekbaar. Ik weet niet precies wat ze daarmee bedoelde, maar telkens als ze dat zei, hing er een gewichtige sfeer in de lucht.

Ze begon er steeds vaker over na oudejaarsavond. Het werd mijn zevende oudejaarsavond, de eerste keer sinds ik me kan herinneren dat ik die met familie doorbracht. We zouden naar de grootouders van oom Zhou gaan, en al zijn familieleden waren uitgenodigd: ooms en tantes, een broer en een zus, neven en nichten en schoonfamilie. Ik kon het me niet voorstellen dat je zo veel familie kon hebben. En wij, twee misvormde weeskinderen, mochten erbij zijn. Wekenlang spraken we nergens anders over. We waren zo opgewonden en voelden ons zo vereerd dat we hele nachten wakker lagen tot we zo moe en gespannen waren dat we ruzieden als staatkatten. Tante Yang, die bijna nooit boos werd, zei dat kinderen die niet slapen en stout zijn niet naar het feestdiner mogen op oudjaar. Daarna waren er nergens twee kinderen te vinden die liever sliepen dan wij. Ze hadden ons gerust een week lang op ons bed vast kunnen binden als dat nodig was om mee te mogen naar het oudejaarsfeest van onze pleegfamilie.

Eindelijk brak de oudejaarsdag aan.

'Zhen An! Wen Ming! Ik heb iets voor jullie.'

Tante Yang en oom Zhou waren in de woonkamer. Ik draaide mijn hoofd alle kanten op tot ik kon zien dat mijn tante iets achter haar rug hield. Haar gezicht was wazig, maar de vonken sprongen van haar glimlach alsof het vuurwerk was.

'*Hong bao, hong bao!*' riep Zhen An huppelend uit, waarbij de vloer trilde op elke lettergreep.

'Nee, dom gansje,' zei ik met een speels duwtje. 'De rode enveloppen krijgen we later pas, op het feest.'

'Ze heeft toch een beetje gelijk.' Tante Yang stak ons een boodschappentas toe. 'Het is wel iets roods.'

We stortten ons op de tas. Cadeautjes waren zeldzaam, zelfs nu we pleegouders hadden. De doktersrekeningen en andere kosten waren zo hoog, en we waren tenslotte maar pleegkinderen.

We staken gretig onze handen in de tas en ik streek langs koele, gladde en zachte stof. Ik haalde de stof eruit en hield hem voor mijn gezicht zodat ik kon ruiken en zien. Het felle rood van het brokaat drong door mijn duisternis heen. Een jurk. Een schitterende rode Chinese jurk.

Mijn handen beefden terwijl ik ernaar staarde. Dit kon toch niet waar zijn? Nooit eerder had ik zoiets heerlijks gevoeld.

'Die is voor jou, Wen Ming. Zhen An heeft eenzelfde. Jullie zien er straks net zo mooi uit als de andere kinderen. Rood is de kleur van vrolijkheid en geluk.'

Zhen An zwierde al met haar nieuwe jurk voor zich door de kamer om hem aan oom Zhou te laten zien. Ik hoorde zijn goedige stem bewonderende kreten uiten. Ik kreeg geen woord uit mijn mond. Ik zocht waar tante Yang stond en keek op naar haar wazige omtrek in de hoop dat ze op mijn gezicht kon lezen wat ik niet zeggen kon.

Daarna voelde ik haar armen om me heen en sloeg ik de mijne om haar nek. '*Xie xie*, tante,' fluisterde ik tegen haar schouder. Ze omhelsde me nog steviger. Ze had me begrepen.

Later die middag wurmden we ons in onze nieuwe jurken. We hadden er ook witte maillots en glimmende zwarte schoenen bij gekregen. Ik draaide me om en om voor de spiegel en kneep mijn ogen tot spleetjes om te kunnen zien hoe ik eruitzag. Helaas, er zat niets anders op dan met mijn handen langs de zijden stof te strijken die heerlijk aanvoelde op mijn huid. Tante Yang borstelde mijn haar en deed er een halve, hoge paardenstaart in die ze vast strikte met een gouden lint, zei ze.

Ik streek met mijn hand door mijn gladde haar. De vorige nieuwjaarsdag leek zo lang geleden; in het weeshuis was geen sprake van nieuwe jurken en gouden linten. Mijn haar was er altijd kortgeknipt, dat was handiger wanneer er een luizenplaag of schurft uitbrak. Sindsdien was het een paar centimeter gegroeid, en tante Yang had het telkens bijgeknipt zodat het nu bijna overal even lang was.

'Nu ik!' Zhen An duwde me opzij, een kam in de hand. 'Krijgen we vanavond echt *jiaozi*? Knoedels met vleesvulling was haar lievelingsgerecht, en dat werd traditioneel op oudejaarsavond geserveerd.

Tante Yang probeerde mopperend een kam door Zhen Ans klitten te halen. 'Zit nou eens stil! Ja, schalen vol. Tante Fang maakt de allerlekkerste *jiaozi*.'

'Vast niet lekkerder dan die van u.'

Tante Yang gaf een rukje met haar kam. 'Heel lief van je. Nou stilzitten.'

Zhen An kletste tijdens de hele rit met de metro naar het oude centrum van Sjanghai, waar oom Zhous papa, mama en *nai nai* woonden. Het was koud buiten, maar dat deerde me niet. Het idee dat ik familie had verwarmde me, ook al was het een geleende familie.

Ik hield tante Yang stevig bij de hand toen het asfalt overging in straatstenen en ik slechts strompelend vooruitkwam. De zon was ondergegaan, mijn wereld was duister geworden. Zhen An kwam dichterbij lopen en vertelde wat ze allemaal zag.

'Deze straat is heel smal, een bus of een auto kan er niet door. Er hangt wasgoed boven ons hoofd.'

Dat kwam me bekend voor. Ergens, ooit, had ik in een smalle straat gewoond waar wasgoed hing aan lijnen die tussen de huizen gespannen waren. Ik hoorde niet meer wat Zhen An verder vertelde. Niet lang daarna trok tante Yang aan mijn arm om aan te geven dat er een bocht kwam.

'Hebt u hier gewoond toen u klein was, oom Zhou?' Zhen An liep bij me vandaan. Ik hoorde dat er op een deur geklopt werd, en tante Yang en ik stonden stil.

'Ja, mijn overgrootvader heeft dit huis gekocht en onze familie woont hier sindsdien. Wanneer mijn *nai nai*…' Hij schraapte zijn keel. 'Op een dag gaat mijn broer met zijn gezin hier waarschijnlijk ook wonen.'

Ik begreep wel waarom hij zijn eerste zin niet afmaakte. Wanneer zijn *nai nai* doodging, zou zijn broer hier komen wonen om voor hun ouders te zorgen, had hij willen zeggen. Maar op een oudejaarsfeest moet je niet over de dood praten, dat brengt ongeluk.

Ik hoorde de deur opengaan. Zhen An zei dat het een mooie, rode deur was, beschilderd met perzikenbloesems en bamboestengels en lentegedichten. Tante Yang liet mijn arm los en plotseling was de nacht koud en dreigend. Ik durfde daar niet naar binnen, in het huis van de voorouders van oom Zhou; een vreemd huis. Ik zou er de weg niet kunnen vinden. Er was geen touw op de vloer en tante Yang en oom Zhou konden me moeilijk de hele avond bij de hand nemen. Ik zou verdwalen.

Het rare gevoel in mijn maag doortrok mijn hele lichaam. De volwassenen zeiden iets, maar ik hoorde alleen maar gezoem in mijn oren. Mijn hart leek harder te kloppen en ik hapte naar lucht, maar kreeg alleen een dun sliertje binnen.

Ik voelde een warm lichaam zich tegen me aandrukken. Zhen An. Ze sloeg haar dunne armpje om mijn middel, deed een stap naar voren en trok me zachtjes met zich mee. 'Als wij bij elkaar blijven,' fluisterde ze, 'dan kan ik voor jou kijken en jij voor mij praten… jij kunt me beter verstaan.'

Ik gaf haar een kneepje en wreef langs haar wang. Het voelde raar om nu van haar afhankelijk te zijn. Tenslotte wilde ik haar moeder zijn. Ze had natuurlijk gelijk; we hadden elkaar nodig. 'Vind je het eng?'

'Niet als jij erbij bent,' zei ze.

Tante Yangs stem klonk dichterbij. 'Kom maar, vogeltjes. We blijven toch niet de hele avond buiten staan?'

Ze stelde ons voor aan de moeder van oom Zhou, die de deur open had gedaan. Ze begroette ons met een vrolijk '*Gong xi fa cai!*' en loodste ons naar binnen. Allerlei geuren kwamen me tegemoet. Knoedels, rijst, vis: de geur van overvloed. Van een feestmaal zoals ik dat nog nooit had meegemaakt.

Ik hoorde gemompel van veel stemmen in de verte.

'Het is een mooi huis,' zei Zhen An, duidelijk onder de indruk. 'De vloeren zijn van glimmend hout en er hangt een echte kroonluchter aan het plafond.'

De moeder van oom Zhou pakte onze jassen aan en we trokken onze schoenen uit. Tante Yang hielp me met een paar pantoffels voor de gasten. Splinternieuw, zei ze, want dan kon je alle roddels in het nieuwe jaar vertrappen. Ik wist niet wat een roddel was en kreeg de tijd niet om ernaar te vragen. Het zou wel een salamander of een torretje zijn, maar waarom je die zou willen vertrappen, dat snapte ik niet.

Zhen An loodste me door een gang en daarna naar links, de kamer in waar alle stemmen klonken. Ik voelde nu een dik tapijt onder mijn pantoffels. Een knappend haardvuur verspreidde een gezellige warmte. Het leek me nog mooier dan in mijn dromen. Een echt thuis.

Maar niet voor mij.

Wij waren maar gasten. Terwijl de mensen aan elkaar voorgesteld werden en de stemmen om me heen één brij vormden, besefte ik dat ik hier niet thuis hoorde. Zhen An drukte zich dichter tegen me aan, zij voelde hetzelfde. We werden aan zes andere kinderen voorgesteld. Zhen An zei me dat ze allemaal beleefd naar ons knikten, dus dat deden wij ook. Het jongste kind was nog maar twee en begon te gillen toen hij Zhen An zag. Zijn moeder verontschuldigde zich en ging met hem de kamer uit.

'Hij schrok van het gezicht van dat meisje,' zei een van de jongens, iets ouder dan ik, hardop. 'Kijk eens naar haar mond!'

Een paar grote mensen zeiden dat hij zijn mond moest houden en gaven ons een snoepje om het goed te maken.

De andere kinderen renden de kamer in en uit en zeiden 'tante', 'oom', 'neef', 'nicht', zelfs 'papa' en 'mama' tegen elkaar met een vertrouwelijkheid die ik nooit eerder meegemaakt had. Een vertrouwelijkheid waar ze recht op hadden omdat die familiebanden echt waren, voor altijd. Zouden tante Yang en oom Zhou altijd onze tante en oom blijven? Dat geloofde ik niet.

We kropen samen in een leunstoel in de hoek van de kamer zodat Zhen An mij alles kon vertellen wat mijn ogen niet zagen en ik haar kon zeggen wat ik hoorde en zij niet.

'Is er iemand hier die aandacht voor ons heeft?' vroeg ik haar.

'Sommige kinderen kijken naar ons en dan gaan ze met een van de ooms of tantes staan fluisteren. En dan knikken ze.' Ze zweeg even. 'Ik wou dat we mee mochten spelen,' ging ze daarna verder.

'Ze kennen elkaar allemaal. Het is familie. Maar we kunnen wel proberen mee te doen.'

'Nee! Ze durven nu al bijna niet naar mijn mond te kijken.'

'Weet je, straks gaan we *jiaozi* eten. We kunnen zolang wel even kijken.'

Ze schurkte dichter tegen me aan en terwijl het feestje om ons heen wervelde deden wij alsof het allemaal acteurs waren en wij op de eerste rij in de bioscoop zaten.

Ik moet eerlijk toegeven dat de *jiaozi* van tante Fang een ietsepietsie lekkerder was dan die van tante Yang. Niet dat ik dat ooit hardop zou zeggen, uiteraard. Er was ook *niangao*, zoete koekjes van kleefrijst. Zhen An was er dol op, maar ik vond ze niet zo lekker. Ik koos voor de kip; van vlees kreeg ik nooit genoeg. Stevig vlees dat lekker rook en smaakte en me een soezerig en verzadigd gevoel gaf. Als ik later directrice van het weeshuis was, kregen de kinderen elke dag vlees. Zo veel ze maar wilden, tot hun buikjes bol en rond waren en ze allemaal een onderkin hadden.

Tijdens de maaltijd deed ik mijn best om het gesprek dat tante Yang en oom Zhou met zijn moeder voerden niet te volgen. Ze zaten een paar plaatsen verderop aan mijn rechterkant en hadden niet in de gaten dat ik zo goed kon horen. Het ging over mij en Zhen An. Ze praatten zachtjes, maar ik kon het toch verstaan.

'Hoelang blijven ze bij jullie, die eh... pleegkinderen?'

Het bleef een poos stil. 'Waarom vraag je dat, mama?' zei oom Zhou.

'Ze kosten vast veel geld, met die gebreken van ze. Jullie zouden moeten sparen voor een eigen gezin.'

'Daar hebben we het al eens over gehad,' zei tante Yang beleefd. 'De pleegzorg wordt betaald door een Amerikaanse hulporganisatie. We krijgen een maandelijkse toelage om voor ze te zorgen.'

'De Amerikanen bemoeien zich met onze zaken, terwijl ze daar niets mee te maken hebben. Jullie zouden zelf een gezond Chinees kind moeten krijgen.'

'We zorgen voor Chinese weeskinderen, mama.' Oom Zhou sprak rustig en met eerbied, maar ik kon horen dat hij zich geneerde. Ik had niet de indruk dat de anderen aan tafel het gesprek volgden. In ieder geval deden ze alsof ze niet meeluisterden.

De *jiaozi* smaakte plotseling zuur en bleef in mijn keel steken. Ik wilde niet dat oom Zhou en zijn moeder ruziemaakten over mij en Zhen An. Ik wilde geen moeilijkheden veroorzaken voor tante Yang en oom Zhou, die zo lief voor me waren geweest. Dat zou respectloos en ondankbaar zijn.

Ik balde mijn vuisten in mijn schoot, onder tafel. Zhen An pakte mijn hand vast. 'Gaat het wel?'

Ik knikte, ook al ging het niet.

De volwassenen praatten nog steeds. Oom Zhous moeder klonk nu nog ongelukkiger. 'Al mijn zussen zijn al *nai nai* behalve ik. Waarom? Omdat jullie me geen kleinkind geven. En waarom niet? Omdat jullie al je tijd aan die weeskinderen besteden. Tegen de tijd dat je broer en zus getrouwd zijn, ben ik misschien al oud en loop ik met een stok rond. Ik begrijp jullie niet. Al jullie neven en nichten zijn getrouwd en hebben al kinderen. Wat is er toch mis met mijn drie kinderen?'

'Helemaal niets,' zei oom Zhou. Het klonk alsof hij nog meer wilde zeggen, maar zijn moeder had nog veel meer te vertellen. Ze praatte ook steeds sneller.

'O, er is echt wel iets mis. Je bent óf dom óf gek dat je je lieve moeder zo behandelt. Geen kleinkinderen! Heb je daar ooit van gehoord?'

'We willen heus wel kinderen, op de juiste tijd.'

'Wanneer is dat dan? Nou? Nooit. Helemaal nooit. Jullie wachten en wachten maar tot het goede moment en dan ben je ineens te laat. Ik weet ook wel dat het beter is om kinderen te krijgen als je wat ouder bent, maar te oud is even slecht als te jong. En al jullie kostbare tijd gaat maar naar die weeskinderen...' Ze ging fluisterend verder, maar het klonk mij oorverdovend in de oren. '... naar misvormde weeskinderen, en ik heb maar op eigen kleinkinderen te wachten. Wat heb ik misdaan dat ik zo'n zoon verdiend heb? Dat zou ik wel eens willen weten. Wat heb ik verkeerd gedaan dat ik zo gestraft word?'

Oom Zhou zuchtte. Tot mijn schrik biggelden er tranen over mijn wangen.

'*Jie jie*, je huilt! Ben je ziek?' vroeg Zhen An, die naast me zat, ontsteld.

'Huilt ze?' De rest van de familie ving de kreet van tante Yang op en hun gesprekken verstomden. 'Wen Ming?' Ik hoorde haar stoel over de grond schrapen en toen stond ze naast me en voelde aan mijn voorhoofd.

'Ik ben niet ziek.' Ik wilde nog meer zeggen, maar de tranen verstikten mijn stem. Ik verborg mijn gezicht in haar omarming.

Iedereen staarde naar me, ik voelde het alsof ik geslagen werd. 'Het spijt me.'

'Stil maar, mijn *xiao niao*. Hoorde je ons praten?'

Ik knikte. Ik had het niet willen toegeven, maar de schaamte en het verdriet was te veel voor me.

'Ze heeft gehoord wat je zei!' Tante Yang draaide haar hoofd om, ik nam aan dat ze haar schoonmoeder een boze blik toewierp.

Oom Zhous moeder kreunde. Ze kwam ogenblikkelijk naar tante Yang en mij toe. 'Niet huilen! Niet huilen. Hier, wat lekkers voor je. Het was niet de bedoeling je te kwetsen. Ik wist niet dat je ons kon horen. Ik ben blij dat jullie vandaag hier zijn, en dat mijn zoon en schoondochter voor je zorgen. Later zul je het wel begrijpen.' Ze aarzelde even. 'Misschien ook niet. Maar in ieder geval wordt het wel duidelijk als je groot bent. Droog je tranen maar. Niet huilen op oudejaarsavond, hè? Je wilt toch geen ongeluk brengen in het nieuwe jaar?'

Een van de volwassenen verbrak de stilte, waarin je alleen mijn gesnotter kon horen, met zijn zware stem. 'We zijn nu wel klaar met eten. Wie wil er een nieuwjaarscadeautje?'

Niemand dacht meer aan mij toen alle kinderen door elkaar begonnen te roepen om hun rode envelop. De oom (ik was zijn naam vergeten) zei dat ze stil moesten zijn. 'Ik denk dat de eerste *hong bao* voor onze twee jonge gasten zijn.'

Tante Yang duwde me overeind en Zhen An klemde mijn hand stevig vast. Ik was nog steeds gekrenkt, maar dat gevoel sliep even in. Je kon moeilijk blijven huilen wanneer je de eerste rode envelop in je leven kreeg. Zou er veel geld in zitten? Waarschijnlijk niet, maar ook een klein beetje was al een fortuin in mijn ogen. Misschien gingen we wel naar de winkels met tante Yang. Straks kon ik iets kopen wat helemaal alleen van mij was, om altijd te bewaren.

Tante Yang pakte mijn handen en stak ze naar voren. '*Gong xi fa cai,*' zei de oom met de harde stem vrolijk. '*Xie xie,*' zei ik toen ik de envelop in handen kreeg en ik knikte zo plechtig als ik kon. Zhen An bedankte ook. Ik voelde aan mijn envelop. Hij was dik, en er zaten dunne, ronde dingen in. Munten! Mijn eigen muntgeld.

Het was natuurlijk onbeleefd om de envelop meteen open te maken. Daarom tastte ik met bonzend hard met mijn vingers langs de munten, door het papier heen. De envelop was niet zwaar, maar er leken aardig wat munten in te zitten. Wat zou ik daarmee kunnen kopen? Tante Yang zou me moeten helpen met tellen.

Toen alle enveloppen uitgedeeld waren, zette iemand de tv aan. Het Nieuwjaarsgala zou zo beginnen. Ik wist niet wat dat was. Tante Yang legde uit dat het een schitterende show was met cabaret, dans en muziek en allerlei andere optredens, om het nieuwe jaar in te luiden. Iedereen scheen het geweldig te vinden, maar ik zou toch alleen maar naar de muziek kunnen luisteren.

Op de een of andere manier belandden Zhen An en ik in een zijkamer met drie van de kinderen.

'Zullen we onze *hong bao* openmaken?' zei een jongen, die volgens Zhen An een beetje op een giraffe leek. 'Zhou Wei en Zhou Li, jullie eerst.'

Die vonden dat blijkbaar een goed idee, want ik hoorde gescheur. Ze riepen enthousiast over de inhoud van hun envelop, maar ik hoorde geen munten klinken. Ze hadden nieuwe bankbiljetten gekregen waar ze allemaal heel blij mee waren.

'Nu die van jullie!' beval de giraffe (ik kon echt al die namen niet onthouden!).

Ik dacht dat dat nu wel kon omdat zij hun enveloppen ook opengemaakt hadden. Ik tastte langs de rand van de envelop waar de flap zat.

'Ben je blind of zo?' vroeg een meisje.

'Bijna,' zei ik. Ik had de flap gevonden en scheurde hem open. Ik schudde de munten in mijn handpalm en hield ze goed vast. Ik wist niet zeker of de andere kinderen me mijn geld zouden teruggeven als ik er eentje liet vallen.

'Het is chocolade!' zei de giraffe.

Ik trok een wenkbrauw op.

'Jij ziet echt niks, hè? Het zijn chocolademunten.'

'Is het geen echt geld?' vroeg Zhen An met bevende stem.

'Natuurlijk niet! Mijn papa geeft toch geen echt geld aan een weeskind?'

Dus we gingen niet winkelen met tante Yang. Niets kopen, alleen voor mijzelf. Het was de bittere waarheid; waarom zou iemand inderdaad echt geld aan een weeskind geven? Toch weigerde ik deze kinderen mijn werkelijke gevoelens te laten zien. Ik had al gehuild vanmiddag, dat gebeurde niet nog eens. 'Chocolade, Zhen An! Wat lekker. Dat gaan we samen opeten.'

'Hoe doe je dat eigenlijk met zo'n mond?' vroeg de giraffe.

Zhen An verstarde, maar zei niets. Er trok een waas voor mijn ogen en het werd nog donkerder dan normaal. Ik tuurde door de nevel in de richting van zijn stem. 'Laat haar met rust.'

De jongen die op een giraffe leek kwam naar me toe. Ik voelde zijn zelfvoldane gloed. 'Het is maar goed dat zij hier is. Ze lijkt op Nian, het monster met de leeuwenkop.' Ik voelde dat hij om ons heen liep en merkte hoe de andere twee kinderen met een mengeling van afgrijzen en nieuwsgierigheid naar hun vervelende neef keken, niet wetend of ze mee zouden doen of hun ouders moesten halen. Ik legde een arm om Zhen An, die beefde. De giraffe bleef vlak voor ons staan. 'Eet jij soms kleine kinderen, Nian? Moet ik vuurwerk afsteken om je weg te jagen? Ik ga je pakken!'

Zhen An verborg jammerend haar gezicht tegen mijn borst. Plotseling voelde ik me sterk en moedig, zo boos was ik. 'Jij bent een akelige jongen. Ik zal je papa zeggen dat je vervelend doet tegen jullie gasten.'

'Je bent maar een weeskind, hij gelooft je heus niet. Ik zeg gewoon dat we een spelletje doen omdat het oudjaar is. Hij gelooft me vast en dan pakt hij jullie je *hong bao* weer af.'

Zhen An klemde haar envelop vast. Ik voelde iets in mij opzwellen wat op het punt stond los te barsten.

En toen gebeurde dat ook. Er schoot een zwart met rode draak uit mijn borst, badend in een lichtglans. Ik kon nu zelf ook zien. Hij cirkelde wijs en rustig rond de jongen (ik zag dat die echt net een giraffe leek), en gaf mij een knipoog.

Zijn kracht gaf mij mijn kalmte terug. Ik staarde de giraffe aan. 'Waarom kijk jij niet wat er in je *hong bao* zit? Dat willen wij ook weleens zien.'

Hij grijnsde naar me. Hij was zo verwaand dat hij niet eens zag dat de draak zijn adem over de envelop blies. Hij scheurde hem open. Er zat maar één vel papier in. Het was een prachtig gekalligrafeerd gedicht.

De giraffe trok een wenkbrauw op en las het gedicht hardop voor.

Er was eens een jongen
met een giraffennek
en een paardengezicht
die onaardig was tegen de gasten
op oudejaarsavond.
Die domme jongen,
die dwaze giraffe
zag niet dat de draak,
die onschuldigen beschermt
en wreekt, woedend werd
omdat hij zich monsterlijk gedroeg.
Vandaar dat die domme jongen
geen nieuwjaarscadeau kreeg.
Als hij dit jaar tot inzicht komt,
krijgt hij er volgend jaar misschien een.
Wat een zielige jongen.

Het neefje en nichtje van de jongen giechelden. Zhen An zuchtte van opluchting; ik kon voelen dat ze breed glimlachte.

Ik deed alsof ik verbaasd was en haalde mijn schouders op. 'Wij hebben tenminste chocolade.'

'Papa!' riep de giraffe en rende de kamer uit. Wij lachten tot we niet meer konden. De draak maakte een beleefde buiging. Een rode rookpluim en weg was hij.

De andere kinderen waren de rest van de avond heel aardig voor ons. Ze hielpen zelfs met vuurwerk aansteken. Ik wist helemaal niet dat er een draak in mij schuilde, maar nu voelde ik me moedig, sterk. Heel handig als je een weeskind bent en bijna blind.

Zhen An had geen draak vanbinnen. Ze liet haar hoofd hangen, streek haar haar voor haar ogen en zei de hele avond verder niets en keek niemand meer aan, hoe ik ook aandrong.

De giraffe en de andere kinderen hadden mijn kwetsbare *mei mei* kapotgemaakt.

Twee weken later, na een heleboel gesprekken tussen oom en tante achter gesloten deuren, maakte tante Yang een nieuwe afspraak voor ons met de dokter van het weeshuis. Ik begreep niet waarom dat nodig was, maar tante Yang zei dat het kwam omdat ik van bamboe was en Zhen An van porselein. Je weet wel, zoiets wat grote mensen vaak zeggen en wat nergens op slaat.

De dokter was ervan overtuigd dat Zhen Ans hazenlip geopereerd kon worden, maar zei dat daar geen geld voor was. Het zou het beste voor haar zijn wanneer een buitenlands echtpaar haar zou adopteren. Zhen An liet haar hoofd hangen en streek haar haar voor haar ogen en weigerde op te kijken tot we weggingen.

De dokter onderzocht mijn ogen en mompelde een paar moeilijke woorden, zoals *retinitis pigmentosa* en zei dat er niets aan te doen was. Ik zou waarschijnlijk helemaal blind zijn voordat ik volwassen was. Tante meende dat er misschien wel iemand in Amerika was die mij ook wilde adopteren, maar ik wist wel beter. Er was heus niemand die een blind meisje wilde. Ik zou alleen maar tot last zijn, zelfs voor rijke buitenlanders. Maar Zhen An wilden ze vast wel, die konden ze opereren en dan was ze mooi, volmaakt.

Wat voor leven zou ik later hebben als blinde zonder familie? Zou iedereen me plagen en op me neerkijken zoals op het oudejaarsfeest? Of erger nog, zou ik op straat belanden om te bedelen? Tante Yang verzekerde me ervan dat dat nooit zou gebeuren. Ik had veerkracht en was vindingrijk, zei ze. Ik zou me wel redden.

Maar ze kon niet helpen dat haar stem bezorgd klonk.

En Zhen An dan? Als zij hier zou blijven, zouden jongens zoals die giraffe haar voortdurend uitlachen om haar hazenlip. Ze zou eraan kapotgaan; daar was tante Yang juist zo bang voor. Een kwetsbare, prachtige porseleinen vaas met een barst. Maar ik kon haar toch niet laten gaan? Ook bamboe kan niet alles verdragen.

De volgende dag nam ik haar apart en liet haar beloven dat ze nooit zou moeten toestaan dat iemand haar adopteerde.

'Maar tante zegt dat ze mijn mond heel kunnen maken.'

'Ja, maar dan zien wij elkaar nooit meer.'

'Ik ga toch niet zonder jou weg?'

'Dat moet dan misschien wel.'

Ik voelde dat ze in tweestrijd stond. Ik omhelsde haar stevig. 'Als ik later groot ben, ga ik veel geld verdienen en dan zorg ik voor je. Ik betaal de operatie en dan ben je het mooiste meisje van heel China.'

'Zou je dat doen?'

'Ja, natuurlijk! Jij bent mijn *mei mei*, voor altijd.'

Ze aarzelde nog steeds. Maar toen gaf ze me een knuffel. 'Dan blijf ik altijd bij jou.' We beloofden elkaar plechtig, bij alle voorouders die wij nooit gekend hadden, dat we zouden weigeren geadopteerd te worden en altijd zussen zouden blijven.

Bovendien beloofde ik de draak die ronddwaalde in de eindeloze diepten van mijn binnenste dat ik mijn *mei mei* zou beschermen tegen iedereen die haar als een monster behandelde, alleen maar omdat ze niet volmaakt was.

Prachtige beloften. Maar stel dat ze toch verbroken werden? Stel dat ze weg zou gaan? Ik hield mezelf voor dat ik zou buigen en nooit barsten. Ik was sterk. Ik redde me wel. Ik was net bamboe. Drakenbamboe.

Desondanks bleef ik me zorgen maken, meer nog dan over het toenemende duister dat mijn gezichtsvermogen aantastte. Je kon een porseleinen vaas de hele wereld over sturen. Maar bamboe moet wortels in de aarde hebben, anders gaat het dood.

12

'Meg! Stop het nou maar in die envelop. Alsjeblieft.' Lewis probeerde de formulieren uit mijn handen te pakken, maar ik liet niet los.

'Ik wil het dossier graag nog één keer controleren.' Ik bladerde door het verslag van ons gezinsonderzoek en alle andere papieren, stukken van de notaris, authenticiteitsverklaringen. 'Ik wil niet dat het adoptiebureau alles moet terugsturen omdat we iets vergeten zijn. Als we de stukken nu opsturen, kan de aanvraag over twee weken in China ingediend worden. Ik wil niet dat we vertraging oplopen.'

'Het is wel goed zo. Je hebt het al zes keer gecontroleerd vandaag. Laten we het nu op de post doen.'

Ik liet het dossier niet los. 'Je hebt de zaak bijna een halfjaar tegengehouden. Gun mij nu nog een paar minuutjes.'

'Hoezo tegengehouden?'

Ik zuchtte overdreven geduldig, maar daar was hij niet van onder de indruk. 'Je hebt er weken over gedaan om de vragenlijst in te vullen. Je had telkens geen tijd om met me mee te gaan naar de notaris. Je hebt je medisch onderzoek steeds weer uitgesteld. Als ik je niet voortdurend had hoeven aansporen, was dit twee maanden geleden al klaar geweest.'

'Het was een lijst met zesendertig open vragen!' De trek om zijn mond was verbeten alsof hij op het punt stond zijn rekenmachine te halen om te bewijzen dat hij gelijk had. 'Misschien vind jij het geen probleem om bladzijden vol te moeten pennen over je liefdesleven, je financiën en hoe je een kind denkt te gaan opvoeden, die vervolgens door volslagen vreemden gelezen en beoordeeld worden, maar ik wel.'

'Wat maakt dat nou uit? Het gaat erom dat we een kind helpen.'

'Je had me niet gewaarschuwd dat ik binnenstebuiten gekeerd zou worden alsof ik in een laboratorium onderzocht werd. Ze weten inmiddels nog meer van mij dan wat ik weet van subatomaire deeltjes.'

Ik schoot in de lach, maar mijn glimlach verflauwde snel weer. 'Ik wist niet dat ze zo veel persoonlijke informatie nodig hadden. Sorry.'

Hij wimpelde mijn verontschuldigingen af en sloeg zijn armen over elkaar. 'Mijn vader scheen niet erg onder de indruk te zijn toen ik hem vertelde dat we een kind wilden adopteren. Te druk met zijn investeringen en financiële zaken. Mijn familie in Californië was vooral bezorgd over het feit dat we zo'n kind van zijn cultuur afsneden. En jij lijkt te denken dat het één groot avontuur is; je hebt het nog niet eens aan je ouders verteld.'

Ik wist niet wat ik daarop moest zeggen. Hij had gelijk. Iets in mij verzette zich ertegen mijn familie in te lichten. Niet dat ik bang was voor hun afkeuring, integendeel zelfs. Ik was bang dat dit weleens een van de weinige beslissingen van mij zou zijn die hun goedkeuring kon wegdragen. Maar ik wilde niet dat zij dit nieuwe begin direct zouden bederven door zich ermee te bemoeien. Dit was iets van Lewis en mij samen...

... en van de maatschappelijk werker, het adoptiebureau, de immigratiedienst, de Chinese overheid, de notarissen en alle andere instanties, uiteraard.

'Het is ook een avontuur. Vind jij van niet?'

'Tot nu toe is het alleen maar vervelend.'

Ik sloeg mijn klauwen uit als een kat. Nog even en ik ging blazen. 'Denk je zo over het vaderschap?'

Hij keek alsof hij een klap in zijn gezicht had gekregen. Hij liep rood aan. We staarden elkaar aan tot ik besefte dat ik te ver gegaan was.

'Ik ga naar mijn werk.' Hij griste zijn jas mee en liep naar de deur.

'Wacht, Lewis. Het spijt me, dat was niet fair.' Ik rende naar de deur en hield hem tegen. 'Ik wil niet dat je boos wegloopt. Het spijt me… ik meende niet wat ik zei.'

Zijn blik werd wat milder. 'Waarom ben je eigenlijk zo wrevelig? Ik zei alleen maar dat je moest opschieten met die stukken. Je blaast het enorm op.'

'Ik wilde juist niet opschieten, maar even van het moment genieten. We zetten een grote stap vandaag. We sturen een verzoek op om ouders te worden. Het is net zoiets als… als stoppen met de pil en dan tussen de middag thuis gaan vrijen omdat ik de juiste temperatuur heb. Ik wilde er iets belangrijks van maken en niet tussen de bedrijven door de formulieren op de bus doen. Ik wou geen ruzie maken.'

Hij keek even naar het plafond en toen weer naar mij. 'Soms begrijp ik helemaal niets van jou,' zei hij, half lachend, half gefrustreerd. 'Ik zie dit gewoon als noodzakelijke stappen. Pas als we een kind toegewezen krijgen, ga ik het spannend vinden. Ik hoef niet zo nodig van elke stap iets bijzonders te maken.'

'Maar ik wel. Misschien niet van elke stap, maar wel van de grote. Een formulier op de post doen is misschien niet zo opwindend als vrijen tussen de middag, maar toch is het een belangrijk moment. Voor mij in ieder geval.'

Hij keek me een ogenblik peinzend aan en liep toen weer terug. Hij gooide zijn jas over een keukenstoel en pakte zijn mobiele telefoon.

'Wat doe je?'

'Ik bel dat ik een dagje vrij neem. Daarna controleer ik de papieren zelf nog eens, stop ze in de envelop en plak hem dicht. Ook al moet ik je in de badkamer opsluiten zodat je er niet aan kunt blijven prutsen. Daarna gaan we hem met z'n tweeën op de post doen en in Chinatown Chinees eten.'

'Waarom?' vroeg ik hees.

Hij grijnsde me toe terwijl hij het nummer van zijn werk intoetste. 'Om je te bewijzen dat ik best in staat ben om bij de gelegenheid stil te staan. Het zou natuurlijk nog mooier zijn wanneer we tussen de middag naar huis gingen en deden alsof je de juiste temperatuur had.'

Ik sloeg mijn armen om zijn nek en gaf hem een vluchtige kus. 'Daar kan ik wel mee instemmen.'

Oktober 2005

Onze aanvraag was ongeveer een maand geleden in China ingediend, en ik vond het wachten nu al ondraaglijk. Het kon wel langer dan een jaar duren voordat we een geschikt adoptiekind voorgesteld kregen, maar toch lukte het me Lewis over te halen om het kleine kamertje in te richten als kinderkamer; fuchsiaroze en appelgroen, voor een meisje.

Ik vond het een heel naar idee dat ergens aan de andere kant van de wereld een meisje, mijn kleine meid, het weer een dag zonder haar familie moest doen. Een onrustig verlangen nam steeds meer bezit van me, totdat ik me voelde als een fles priklimonade die geschud was tot hij bol stond vanwege de druk. Een jaar lang wachten? Onaanvaardbaar. Er waren daar kinderen die nu, op dit moment, snakten naar een gezin. Mijn dochter was daar en ik was niet van plan een jaar lang haar slaapkamer te schilderen.

Ik ging op zoek naar haar.

De oktoberwind, geurend naar viooltjes en kersenbloesem, voerde haar stem met zich mee. 'Mama,' zei ze. Een woord dat in bijna alle talen spreekt van liefde. Een woord dat nooit tegen mij was gezegd. En toch zocht het me op, geurend, fluisterend. 'Mama, ik wacht.'

Ik zag haar ogen in de wolken, in de herfstbladeren, in elke schaduw en zonnestraal. Ik wist hoe haar ogen eruitzagen, hun vorm, de kleurnuances. Ik had ze eerder gezien; ze bevolkten mijn dromen. Ik moest haar vinden.

Ik wacht.

Wachten. Er wacht een kind. Plotseling verschenen die woorden in de inbox van mijn e-mailprogramma. 'Kinderen op de wachtlijst.' Een koppeling. Mijn vingers vlogen over het toetsenbord terwijl ik het wachtwoord intypte waarmee ik me kon aanmelden op het afgeschermde gedeelte van de website van het adoptiebureau.

Een lijst. Ik aarzelde. Was ik hieraan toe? En als ze eens op die lijst stond? Mijn leven zou op zijn kop staan. Dat wilde ik natuurlijk, maar was ik er al klaar voor?

Stel dat ze juist niet op de lijst stond. Zou ik daartegen kunnen? Mijn mond voelde zo droog alsof iemand er een sok in had gepropt. Mijn handen beefden.

Ik scrolde door de foto's. De kinderen die op dit soort wachtlijsten stonden waren meestal iets ouder of gehandicapt. Lewis en ik hadden al besproken wat we wel en niet aandurfden. Ik sloeg snel een paar kinderen over die beslist te zwaar voor ons zouden zijn. Ik wilde niet in hun ogen kijken, bang dat zij het zouden zijn. Liever haar niet op de lijst te zien dan haar aan te treffen en te beseffen dat ze niet voor ons was bestemd.

De foto van een klein meisje verscheen op het scherm. Ik moest haar wel in de ogen kijken. Ik kende die ogen. Mooie, donkere, zachtmoedige, droevige ogen waarin je kon lezen dat ze wisten hoe wreed de wereld kon zijn. Het waren de ogen met die hongerige blik die me vanaf de straat hadden aangekeken in het theehuis, de sombere ogen die me uitdagend hadden aangekeken toen ik met Lewis *mate* dronk, die avond dat ik hem zei dat ik een kind wilde adopteren.

In die ogen was nog een zweem te bespeuren van vrolijkheid. Sporen van kinderlijke onschuld die zich koppig vastklampten aan een hart dat te snel groot geworden was. Een sprankje vuur, hoop, gezondheid, leven. Energie, elegantie. Intelligentie en zelfs een vleugje pret.

Mijn hart bonkte in mijn oren en mijn handen werden slap. Ik wierp mijn hoofd achterover en liet de vreugde op me neer regenen; tranen als kersenbloesems dwarrelden op mijn gezicht. Ze vervulden me met hun zoete geur terwijl de roze bloemblaadjes om me heen op de vloer vielen. Ze streken over mijn gezicht en fladderden langs mijn oogleden als de streling van een nieuwsgierig kind. Mijn kind. Mijn dochter.

Ze was er. Ik had haar gevonden. Ze bestond, hier, nu. Niet alleen in mijn dromen en verlangens en wensen. Maar in de werkelijkheid, in een echte stad van beton, steen, glas en hout. Ze had een lichaam; vlees, botten, spieren. Ze huilde echte tranen, at echt eten en in haar hart droeg ze alle echte mysteries die mensen bezitten.

Ik staarde haar aan en las niet alleen het gemis in haar ogen, maar ook een belofte: de belofte van een doel, van capaciteiten, kracht, van de bijdrage die zij zou leveren. Op dat moment begreep ik dat het om meer ging dan om mijzelf en wat ik nodig had. Zij had een bestemming, en wij zouden haar slechts mogen helpen die te bereiken.

Ik riep naar Lewis, die aan kwam rennen. Ik wees naar het beeldscherm van mijn pc. 'Ik heb haar gevonden.'

'Wie heb je gevonden?'

Wist hij dat dan niet? Kon hij het niet voelen? Kon hij haar geur van kersenbloesem niet ruiken? 'Haar!' Ik trok hem dichter naar het beeldscherm toe en wees haar foto aan.

Hij tuurde fronsend naar de pc. 'Wat? Wie is... O, bedoel je...' 'Ja!'

Hij duwde zijn bril omhoog op zijn neus en boog zich voorover om haar gegevens te lezen. 'Is zij het? Weet je het zeker?'

'Hé, je zou dit toch spannend vinden?'

'Ja, als dit het kind is dat we toegewezen krijgen.'

'Zie je dan niet dat dat gaat gebeuren?'

Het leek er even verdacht veel op dat hij op zijn tong beet. 'Je moet me wel een kans geven, hoor.'

Ik rolde mijn bureaustoel achteruit zodat hij beter op het scherm kon kijken. Hij las zwijgend met net zo'n blik op zijn gezicht als wanneer hij een vakblad las.

Ik beet op mijn duimnagel en keek aandachtig naar hem. 'Ze is niet volmaakt.'

'Hmm.' Hij keek niet op.

'Maar dat zijn wij ook niet.'

Hij knikte, weer zonder op te kijken.

'Ze zou perfect zijn voor ons.'

'Stil nou, Meg. Laat me even lezen.'

'Sorry.'

De stilte was niet te verdragen. Eindelijk leunde hij achterover en keek me aan. 'Ze moet geopereerd worden.'

'Dat is geen probleem... toch?'

'Weet je zeker dat zij het is?'

'Ik heb het gevoel alsof ik haar al heel lang ken. Alsof ze bij me hoort. Ja, ik weet het zeker.'

'Jij bent onnavolgbaar, weet je dat?' Maar hij zei het glimlachend. Hij stak zijn hand uit naar het beeldscherm. Hij streek met zijn vingers over haar lippen en zijn blik werd zorgelijk, teder. 'Arm kind... En, heb je al een naam voor haar bedacht?'

Zijn woorden joegen een schok door mijn hart, als een sterke espresso. 'Een naam?'

'Ja, een naam,' zei hij met een knipoog. 'Je weet wel, zo'n woord dat je kunt gebruiken als er gevaar dreigt of wanneer ze haar kamer moet opruimen.' Hij schoot in de lach toen ik hem vol onbegrip aankeek. 'Je gaat me toch niet vertellen dat je haar nog geen naam hebt gegeven? Of wil je haar bij haar Chinese naam noemen?'

Mijn stoel viel bijna omver toen ik met een kreet overeind sprong. Ik kuste hem en kon er niet mee stoppen. Dat probeerde hij overigens ook niet.

Eerlijk gezegd had ik nog geen naam gekozen. Het duurde zelfs een paar weken voordat ik eruit was.

Eva. Leven.

We noemden onze dochter Eva Zhen An Lindsay.

13

Meg Lindsay, januari 2006

Die dag zou het pakket komen met de plaatsingsdocumenten. Twee dagen geleden had het adoptiebureau gebeld dat zij de informatie van het CCAA, het Chinese Centrum voor Adoptiezaken, hadden ontvangen. Eva Zhen An was van ons. Tenminste, zodra we het pakket ontvangen hadden en de formulieren met onze handtekeningen erop naar het bureau hadden teruggefaxt. Het CCAA had voor een versnelde procedure gezorgd omdat Eva op de wachtlijst stond en geopereerd moest worden. Een vleugje schuldgevoel mengde zich met mijn jubelstemming; hoeveel gezinnen die hun aanvraag al eerder hadden ingeleverd dan wij moesten minstens anderhalf jaar wachten voor ze een kind voorgesteld kregen? Blijkbaar was dat niet altijd zo geweest, en ik begreep niet helemaal goed waarom het nu zo veel trager verliep. Sommigen zeiden dat het kwam omdat er minder kinderen te vondeling werden gelegd. Anderen weten het aan de kindersmokkelaffaire in Hunan, waardoor buitenlanders voorlopig geen kinderen meer uit die provincie mochten adopteren. Weer anderen wisten zeker dat de Chinezen duizenden gezonde weeskinderen achterhielden voor adoptie naar het buitenland, maar dat ging er bij mij toch niet in.

Waar het ook aan lag, de Chinese adoptieprocedures veranderden snel. Ik had het gevoel dat wij nog net aan het eind van de gouden eeuw waren ingestapt. Wat ik een akelige gedachte vond. Hoe kon je ooit zoiets tragisch als te vondeling leggen en bomvolle weeshuizen als een gouden eeuw bestempelen? Toch voelde het een beetje zo: het was een betrouwbaar adoptieprogramma zonder sprake van corruptie en schandalen, dat duizenden weeskinderen bij liefhebbende ouders plaatste. Voor allemaal een happy end.

Ik zou ook zo'n happy end krijgen en er een nieuw begin van maken. Een gezin. Ik zou moeder worden. Al scheen het me nog steeds toe dat dit voor een andere geluksvogel was weggelegd. Niet voor mij.

Op de dag dat ik het telefoontje kreeg, belde ik Lewis direct op met het goede nieuws, ook al had hij het druk met de voorbereidingen voor zijn experiment. 'Ze is aan ons toegewezen.'

'Echt waar?'

'Jep. Ze is van ons!'

Ik wist niet zeker wat ik kon verwachten. Hij had gezegd dat dit het moment was waarop hij het spannend ging vinden, maar toen hij antwoord gaf klonk zijn stem hees. 'Meg, dank je dat je me overgehaald hebt,' zei hij. 'Ik ben er echt heel blij mee.'

Lewis wordt niet snel emotioneel, dus ik wist even niet wat ik moest zeggen. Tenslotte zocht ik mijn toevlucht maar bij een grapje, lekker veilig. 'Mooi, maar vind je het ook spannend?'

'We gaan vanavond uit eten en dan bestel ik haar gewicht in Chinese hapjes, ben je dan overtuigd?'

'Helemaal.'

Die middag slenterde ik door de stad, mijn hoofd in de wolken, terwijl mijn voeten vanzelf de weg naar Chinatown vonden. Ik was op zoek naar iets, een welkomstcadeautje voor mijn dochter, maar ik wist nog niet wat. Mijn eigen teddybeer van vroeger lag al op haar bed klaar, die zou ik meenemen naar China. Dat werd Eva's eerste knuffel. Ik was nu niet op zoek naar speelgoed. Maar ik zocht wel iets.

Ik slenterde tussen de stroom winkelende mensen mee en bleef af en toe even staan om een etalage te bekijken of de geuren uit een restaurantje op te snuiven. Ik was onrustig en voelde me opgejaagd tot een vrouw me plotseling de weg versperde. Ze had een moedervlekje, links op haar kin.

'Hallo,' zei ze met een zachte, lage stem. 'Zoek je iets?'

Ik keek haar fronsend aan. 'Ik ken je... ja toch?'

Ze glimlachte geheimzinnig. 'Jij gaat op lange, lange reis.'

'Ja, naar mijn dochter in China.'

'Niet die reis.'

'Wat bedoel je dan?'

Ze pakte een sigaret. Die stak zichzelf aan en ze nam een trekje. 'Jij denkt dat je nu moeder bent, ja?'

Ik wist niet wat ik daarop moest antwoorden dus ik zei niets.

'Je bent niet moeder vanwege een telefoontje. Net als ik geen moeder ben omdat ik een kind heb. Je wordt moeder door een reis. Een lange, lange reis.'

Ik knikte. 'Dat klinkt logisch. Ik wil er graag aan beginnen.' Ik deed een pas opzij om langs haar te lopen.

Ze pakte me bij de arm. 'Waar ga je heen?'

'Een cadeau zoeken voor mijn dochter.'

'Goed. Maar waar ga je heen?'

Ik keek de straat langs en wees op de eerste de beste winkel. 'Daarheen.'

Ze hield me nog steeds vast. 'Daar vind je niet wat je zoekt. Kom mee. Ik breng je wel.'

Ze liet mijn arm los en liep verder.

Mijn nieuwsgierigheid won het van mijn ergernis. Ik liep slippend door de sneeuwbrij en ijsgladde stukken op het trottoir tot ik haar ingehaald had. 'Het is toch niets illegaals, hè?'

Ze keek me beledigd aan. 'Nee.'

'Het spijt me.'

Ze knikte meewarig en nam nog een trekje van haar sigaret. Schudde nog eens haar hoofd en liep weer verder.

Ik moest mijn best doen om haar bij te houden toen ze me voorging, kriskras door de straten en steegjes van Chicago's Chinatown waarvan ik niet eens wist dat die bestonden. Ik had de indruk dat we steeds in hetzelfde kringetje rondliepen, maar er waren steeds minder toeristen en straatverkopers tot zij en ik de enigen waren. We liepen door een kronkelsteegje dat zo nauw was dat twee fietsen elkaar amper konden passeren.

'Een reis, begrijp je?' riep ze achterom kijkend.

'Waar gaan we naartoe?'

'Niet naar wat jij dacht.'

Aan weerszijden rezen hoge, bouwvallige bakstenen gebouwen op en boven mijn hoofd wapperde het wasgoed krakend aan bevroren waslijnen. De steeg was schoon, veel schoner dan de meeste straten in Chicago, en het rook er anders. Naar gekookte rijst en sesamolie.

Ze hield stil bij een hoog hek van zwart gietijzer, dat openzwaaide. Ze gebaarde dat ik haar voor moest gaan. Ik liep naar binnen, door een donkere gang, net zo'n soort ruimte als tussen twee bakstenen gebouwen. Bovenlangs groeide een groene wingerd die zijn ranken langs de muren liet bungelen. Er waaide een warm briesje om me heen dat een aangename, aardse geur met zich meebracht.

De vrouw gaf me een zetje dat ik verder moest lopen, dus ik volgde de stenen muur, op de bron van de geur af. Het gangetje kwam uit op een open binnenplaats. De lucht was er zo warm als in de vroege zomer. In het midden omlijstten grote keien en kleinere stenen een vijver, gevuld met lichtgroen water waar lelies en lotusbloemen in dreven. Een wilg liet zijn takken overhangen en een brugje nodigde uit alles van dichtbij te bekijken.

Het was er stil, op het geritsel van bladeren en het geruis van water na. Ik liep naar de rand van de vijver. Een koikarper met een zwarte en oranje tekening gleed onder me door in het troebele water. Mijn oog viel op iets zachtgroens om zijn staart.

Ik keek om naar de vrouw, die naar me stond te kijken en een dunne rooksliert uitblies.

'Vind je de reis verrassend? Je had niet verwacht dat ik je hier naartoe zou brengen. Maar dit is beter. Kijk nog eens naar de vis.'

Ik deed wat ze vroeg en zag dat de vis, die weer langs kwam zwemmen, een armband van jade om zijn staart droeg. Zonder erbij na te denken stak ik mijn hand in het water en haakte een vinger achter de armband. De karper maakte een koprol door het water en gleed weg. Ik viste de armband uit het water en hield hem in het zonlicht. Glinsterende druppels dropen op mijn voeten. In de armband was een patroon van een ranke draak gegraveerd. Kop en staart waren door een imitatieparel aan elkaar verbonden.

'Dank je,' zei ik tegen de vis.

Een donkere vorm vloog over me heen en landde op de vijver. Het was een mandarijneend met schitterende witte, oranje en bruine kleurvlakken. Hij zwom op me af en liet ook een jade armband uit zijn snavel vallen. Deze was bewerkt met kersenbloesems en Chinees kantwerk.

'Ook bedankt,' zei ik tegen de eend.

De vrouw lachte vrolijk. 'Veel mooier dan die in de winkels, toch?'

Ik knikte glimlachend naar haar. 'Ze zijn prachtig. Moet ik... wat zal ik... kan ik iets betalen?'

Ze snoof. 'Heeft een eend of een vis geld nodig?'

Ik wilde iets terugzeggen, maar werd afgeleid door een geluid. Het was een kind. Het huilde.

'Wie is dat?' vroeg ik de vrouw. Het geluid vulde mijn hart met zo veel eenzaamheid en wanhoop dat ik bang was dat het zou smelten en dat mijn bloed in de vijver zou stromen. Ik keek rond of ik het kind kon vinden, maar zag niemand. Ik wist alleen dat het Eva niet was. Dat maakte het nog erger, want haar zou ik kunnen troosten. Een ander kind niet.

De vrouw zag er verdrietig uit. 'Sommige reizen zijn niet zo gemakkelijk. Vergeet nooit dat je bestemming niet altijd daar is waar je denkt naartoe te gaan.' Ze hield haar hoofd schuin en keek me langs de punt van haar sigaret aan. 'Jij wordt wel een goede moeder.'

Ik kon even niets uitbrengen. Vreemd dat ik haar bevestiging zo prettig vond. 'Dank je,' wist ik uiteindelijk schor uit te brengen, een brok in mijn keel.

Plotseling werd ze onrustig. Ik stak de twee armbanden omhoog. 'Ik heb maar één dochter.'

'Houd de andere zelf. Je komt wel te weten voor wie die is.' Ze deed een stap achteruit.

Ik wilde haar niet laten gaan, al wist ik niet waarom. 'Wat moet ik zeggen als Eva vraagt van wie ze de armband krijgt?'

Ze keek me niet-begrijpend aan. 'Van haar moeder natuurlijk. Je wilde toch een cadeau geven aan je dochter? Dit is het cadeau. Nu nog een dochter.'

Ik beet op mijn lip en glimlachte naar haar. Ze was duidelijk niet van plan me te vertellen hoe ze heette of wat ook verder nog. Maar hier en nu scheen dat niet van belang. 'Dank je.'

Ze zette nog een stap bij me vandaan. Ik hoorde nog steeds dat andere kind huilen.

'Wacht!' Ik liep op haar af. 'Hoe kom ik weer op straat?'

Ze draaide zich om en liep het met wingerd overgroeide gangetje in. Ik wilde haar volgen, maar keien en struiken belemmerden mijn weg. Toen ik het gangetje bereikt had, was ze nergens meer te bekennen. Ik onderdrukte een kreun en keek nog een keer om naar de idyllische tuin. Zo vredig, de enige wanklank was het huilende kind.

Het gehuil van de onbekende verstomde. Ik bekeek de armbanden die ik in mijn rechterhand had. Ik deed de drakenarmband om mijn hand. Het kostte moeite, maar hij paste precies om mijn pols. De andere bewaarde ik in mijn tas. De kersenbloesems waren voor Eva, leek me. Ik wenste dat ik daar kon blijven. Het brugje lokte me, maar de eigenaar van deze tuin zou het vast niet op prijs stellen als ik hier nog langer bleef. Bedrukt keerde ik me om en liep het gangetje in.

Ik liep door het hek en bevond me in dezelfde straat als waar ik vandaan kwam.

Een reis. Ja, ja.

Lewis had beloofd tussen de middag even thuis langs te gaan om te kijken of het pakket van het adoptiebureau er was, dus toen hij tijdens mijn orkestrepetitie langskwam, gooide ik mijn muziekstandaard bijna omver in mijn haast om bij de deur te komen. Wij waren net terug van onze lunchpauze en Don Chelsea, onze dirigent, stond met de fagottist te kletsen die links van mij zat. Hij ving mijn standaard op en zette hem met een buiging overeind.

'Dank je, Don.'

'Altijd bereid een dame in nood te helpen,' zei hij en hij blies me een kushand toe. Ik glimlachte. Zo was Chelsea nu eenmaal, daar kon hij niets aan doen. De meeste vrouwen vonden het aandoenlijk. De meeste mannen irritant.

'Is er iets?' vroeg mijn vriendin Li Shu, met wie ik de muziekstandaard deelde, met een frons in Lewis' richting.

'Iets geweldigs! Ben zo terug.' Ik baande me een weg tegen de stroom musici in die de zaal binnenkwamen en pakte Lewis bij de arm. 'Was het er?'

Hij stak grijnzend een bruine envelop omhoog. Ik slaakte een kreet en maakte een sprongetje van vreugde. Ik sleurde hem naar een paar plastic stoelen aan de andere kant van de zaal zodat we het pakket samen konden openen.

De envelop, die een enorme schat herbergde, schitterde met een gouden glans. Hij rook naar inkt, plakband, papier en het postkantoor. Hij rook naar belangrijk nieuws. Het geluid van het openscheuren van de flap zond een trilling door mijn lichaam. In mijn hart werd een gedenkteken opgericht.

We staken tegelijkertijd een hand in de envelop en trokken er een stapel papieren uit. We sloegen de begeleidende brief over. We wilden vooral de foto zien.

Daar. Er zat een klein fotootje aan een formulier vastgeniet. Het was een andere dan die op de website. Dit was onze foto. Alleen van ons. Het was maar een pasfootje en ook niet zo'n scherpe, maar toen ik opkeek zag ik tranen in Lewis' ooghoek die op het punt stonden langs zijn neus te biggelen.

'Ik word vader.'

'Een heel goede vader.'

Hij trok me tegen zich aan, de documenten tussen ons in geklemd.

Het duurde even tot we eraan dachten de stukken te bekijken.

Lewis las de brief snel door. Zijn opgetogen blik verdween.

'Eh, Meg? Hier staat dat de reis in februari valt.'

Ik keek naar het vel papier dat hij in zijn hand hield. 'Is dat een probleem?' Toen drong het tot me door. 'De bruiloft van Beth en Adam. En jouw experiment!'

Hij knikte. 'Als we naar China moeten wanneer het experiment wordt uitgevoerd, kan ik niet met je mee.'

'En de adoptie van je dochter missen? Voor je werk?'

'Het is niet zomaar werk, we staan op het punt een wetenschappelijke doorbraak te bereiken.'

'Kan een van je studenten het niet begeleiden?'

'Zou jij je plaats in het orkest door een invaller van de middelbare school laten innemen? We verwachten echt historische resultaten. Ik vergeef het me nooit als ik daar niet bij ben. Dit is enorm belangrijk voor me, Meg.'

Volgens mij was er niets belangrijkers dan vader worden. Maar ik wilde geen ruziemaken op mijn werk. 'Kunnen ze het niet verzetten?'

'Er doen vijf universiteiten en meer dan vijftig wetenschappers uit allerlei landen aan dit project mee, en uiteraard de mensen die bij Fermilab werken. Nee, dit experiment kan echt niet worden uitgesteld.'

'Misschien moeten we het hier later over hebben.'

Hij pakte me bij mijn armen beet. 'Luister, Meg. Ik weet wat je denkt; dat ik een grote egoïst ben. Dat is misschien ook zo. Ik weet alleen dat dit net zoveel voor mij betekent als die adoptie voor jou. Ik verwacht niet van je dat je dat begrijpt, maar oordeel alsjeblieft niet te hard. Geef me een kans; ik wil net zo graag een goede vader zijn als jij een goede moeder. En dat kan ik ook wanneer ik nu niet met je meega.' Ik las in zijn ogen dat hij aan zichzelf twijfelde. 'Je moet me geloven. Heb alsjeblieft een beetje vertrouwen.'

Ik zakte onderuit in mijn stoel. Ik kon zijn verzoek niet weigeren. Als ik niet in hem geloofde, hem niet vertrouwde, kon hij dat zelf ook niet. Ik had er alleen nooit bij stilgestaan dat ik weleens alleen naar China zou moeten. Een eerste tegenvaller op de reis.

'Hé,' zei Lewis terwijl hij mijn rug streelde en een kus op mijn kruin drukte. 'Maak je niet al te veel zorgen. Die reis is niet zomaar geregeld, zo vlak voor het Chinese Nieuwjaar. Waarschijnlijk kunnen we pas in maart vertrekken. Het komt wel goed. Laten we pas in paniek raken wanneer het echt moet, oké?'

'Altijd even nuchter.' Ik stond op en gaf hem een kus. 'Ze is hoe dan ook voor ons. Waar moeten we tekenen?'

Ik ging weer terug naar het orkest en liet de foto rondgaan. Al mijn collega's bewonderden de foto en feliciteerden me. Behalve Li Shu. Ze keek beleefd naar de foto, glimlachte krampachtig naar me en begon te bladeren in haar gehavende map met muziekstukken. Het logo van de Nouveau Chicago Symphony op de voorkant werd ontsierd door een koffiekring. Ik zag dat ze een foto op de linkerflap geplakt had. Die zat daar al zo lang ik me kon herinneren, maar ik had hem nooit echt gezien.

'Ik ga mijn foto ook op mijn map plakken, net als jij. Goed idee.'

Ze glimlachte flauwtjes naar me, maar zei niets. Vreemd. We deelden al drie jaar een muziekstandaard met elkaar, en waren bevriend geraakt. Ze was van nature hartelijk en extravert. Deze terughoudendheid was niets voor haar.

Het moest vanwege dat adopteren zijn. Kon niet anders. Ze was veel te beleefd om haar afkeuring direct te uiten, maar ze gedroeg zich al afstandelijk sinds ik twee weken geleden tegen mijn collega's had verteld dat we een kind gingen adopteren. Er was een muur tussen ons opgetrokken. Ik wist niet wat er aan de hand was, en ook niet hoe ik daarachter moest komen. Ze kwam uit China, en was dus geen Amerikaanse van Chinese komaf, en soms deden de cultuurverschillen tussen ons zich sterk voelen.

Ik boog me voorover om haar foto beter te kunnen bekijken. Hij was flets en oud. De randen waren beschadigd doordat hij telkens weer opnieuw was vastgeplakt. Het was een kiekje van een peuter die tegen een met bloesem overladen pruimenboom zat, omringd door perken vol roze, rode en gele bloemen. Het jochie droeg een winterjas en een muts, al moest het warm weer zijn geweest. Hij keek met een brede grijns in de camera en had kuiltjes in zijn wangen. Een paar strengen dik, zwart haar piekten onder zijn muts vandaan, vastbesloten een beetje zon te vangen. Hij klemde vrolijk een blauw speelgoeddier in zijn handen, een olifant. Ik hield mijn adem verschrikt in.

'Wie is dat?' Ik wees naar de foto, zonder hem aan te raken.

Li Shu haalde net haar bladmuziek uit de map. Ze staakte haar beweging, de papieren nog in haar handen, en keek me zijdelings aan voordat ze fronsend naar de foto keek. Ze legde de stapel bladmuziek op schoot. 'Dat is het zoontje van een goede vriendin.'

Dat moest dan wel een heel goede vriendin zijn. 'Hoe heet hij?'

Ze rommelde in haar bladmuziek alsof ze iets zocht. Meestal kon ze haar gevoelens goed verbergen; had ik haar misschien kwaad gemaakt? Of was het taboe in China om naar familiefoto's te vragen? Na een poosje keek ze me aan en haalde glimlachend haar schouders op. 'Dat weet ik niet meer.'

Ze griste de map van de muziekstandaard en legde hem onder haar stoel. Vervolgens pakte ze haar altviool uit de koffer en begon die zo geconcentreerd te stemmen dat ik niet verder durfde te vragen.

14

Wen Ming, januari 2006

Tante Yang vertelde het me, over Zhen An. Oom Zhou ging met Zhen An naar het park en tante Yang zette thee. Ze maakte mijn thee klaar zoals haar Engelse collega in het weeshuis dat deed, met suiker en melk erin, omdat ze wist dat ik dat lekker vond. Ze kwam naast me aan tafel zitten en zei dat ik mijn thee moest opdrinken.

Het was duidelijk dat ze iets moeilijks moest zeggen, het hing zwaar om haar heen, alsof ze enorme boodschappentassen door een drukke winkelstraat moest sjouwen. Ik had niet het idee dat er iets leuks voor mij in die tassen zat. Anders zou ze niet zo aarzelen.

Ik nam een slokje thee, maar nu vond ik het niet zo lekker als anders. Het kolkte in mijn buik als een kever die probeert te ontsnappen uit een glazen pot. Ik zette mijn kopje neer en wachtte tot ze ging praten.

Ze zweeg. Ik bewoog mijn hoofd alle kanten op zodat ik alle verschillende delen van haar gezicht kon zien – in één keer lukte niet meer –, en toen wist ik zeker dat ze me niet aan wilde kijken. Had ik iets verkeerds gedaan? Misschien wilde ze me niet meer in huis hebben omdat ik te lastig was. Zouden oom Zhou en zij Zhen An houden en mij terugsturen naar het weeshuis?

Plotseling was er geen lucht meer in de kamer. Mijn botten deden zeer alsof ik griep had, het werd nog zwarter voor mijn ogen en mijn hart begon te bonken. Het dreunde in mijn oren als tromgeroffel onder een stapel dekens. Als ze niet snel iets zei, ontplofte ik.

Ze pakte mijn hand, streelde die en streek toen met haar vingers over mijn wang. 'Wen Ming, jij bent zo'n grote meid. Je moet nu even dapper zijn.'

'Ik moet weer terug naar het weeshuis, hè.' Het voelde alsof er een bus op mijn borstkas geparkeerd stond.

'Nee! Nee, lieverd. We willen dat je bij ons blijft. Het gaat...' Ze liet haar hoofd hangen en gaf een kneepje in mijn hand. 'Het gaat om Zhen An.'

Ik weet niet precies hoe ze het vertelde. Ik heb de woorden uit mijn hoofd en mijn hart gebannen. Ik weet alleen nog dat ik begon te rillen, alsof er golven door mijn lichaam gingen, en ik voelde iets van alle kanten tegen mijn hoofd duwen als een ei dat kapotgedrukt wordt.

Ik zag de schaduw van die akelige roofvogel boven me cirkelen en triomfantelijk klapperen met zijn vleugels. 'Maar ze heeft het me beloofd,' steunde ik. Ik kreeg geen adem meer binnen. 'Ze heeft me beloofd dat ze niet...' Ik kon het gehate woord niet zeggen.

De druk nam toe. Het moest ophouden, anders ging ik dood. Iets binnen in me wilde naar buiten, maar ik duwde het terug. Ditmaal was het geen wijze draak. Wat het precies was wist ik niet, maar ik mocht het niet laten ontsnappen. Het zou me nog kapotmaken.

Het was sterker dan ikzelf. Ik hoorde een verscheurend geluid en krijsend vloog er een schitterende vogel uit mijn keel tevoorschijn. Hij had twee pupillen in beide vurige ogen en een lange pluimstaart als van een haan. Maar zelfs deze ongeluksvogel lukte het niet om de schaduw van de enorme roofvogel te verdrijven die zich schuilhield tot hij de enige die ik werkelijk had leren liefhebben, kon wegnemen.

Jammerkreten deden de vogel beven; kreten afkomstig uit mijn hart. Zijn kreten, dus mijn hart, vulde de kamer met een vloedgolf van verdriet.

Ik kon mijn eigen lichaam niet meer voelen; alleen dat van die prachtige vogel. Het was vol van een enorme droefenis, angstaanjagend, want wie daarin wegzinkt komt nooit meer boven, die droefheid laat geen ruimte voor andere gevoelens. Al het andere verdwijnt en alleen het verdriet blijft over.

'Adopteren jullie haar dan!' smeekte ik.

Er viel een druppel op mijn hand. Tante Yang huilde. 'Dat kan niet. Ze moet geopereerd worden en daar hebben wij geen geld voor.'

'Kan ik dan met haar meegaan?'

Ze hoefde me niet te zeggen dat dat niet zou gebeuren. Tante Yang nam me in haar armen, maar ik voelde haar niet meer, ik voelde enkel de leegte van mijn verlies. Uiteindelijk schudde de schitterende vogel met de dubbele pupillen zijn witte doodsveren af en vloog met naakte vleugels weg. Waar hij zich een weg uit mijn keel had gebaand met zijn klauwen was het schor en rauw. De schaduw hield zich verborgen, maar ik voelde zijn aanwezigheid.

'Ik heb zo mijn best gedaan.' Langzaam begon ik tante Yangs armen weer om me heen te voelen. De huid in haar nek was glad en zacht. 'Ik begreep wel dat ze haar wilden, maar ik dacht dat ze hier zou blijven als ze in een pleeggezin zat.'

'Het spijt me, kleintje.'

'Ze had het beloofd.'

'Dat was geen belofte die zij na kon komen. Dacht je echt dat een klein meisje de toekomst tegen kon houden? Ze was juist overgeplaatst van haar vorige weeshuis zodat ze geadopteerd kon worden. Het duurde wat langer dan iedereen had verwacht, maar dat het zou gebeuren was zeker.'

'Was dat de bedoeling? En waarom ik niet?'

Tante Yang zuchtte diep. 'Jij ook! Het was de bedoeling dat jij ook geadopteerd werd. Dat mocht je niet weten; dus niet verder vertellen dat ik het tegen je gezegd heb. Jouw gegevens waren ook naar Amerika gestuurd.' Ze zweeg.

'En toen?'

Ze gaf me een zoen op mijn voorhoofd. 'Mijn liefste vogeltje. Je gegevens… zijn weer teruggestuurd. Het aanbod geldt maar voor een tijdje.'

De waarheid kwam als een schok en de tranen sprongen in mijn ogen. 'Ze wilden me niet.'

'Dat hoeft niet waar te zijn. We weten niet wat er is gebeurd.'

Ik wiste de tranen uit mijn ogen en stak mijn kin naar voren. 'Ik wil trouwens toch niet geadopteerd worden.'

'Toch is het voor Zhen An het beste. Ze moet echt geopereerd worden.'

En niemand kon iets aan mijn ogen doen.

Ze had natuurlijk gelijk, maar toch werd ik boos. 'Is het voor haar het beste dat ze haar familie achter moet laten?'

Tante Yang duwde me van zich af zodat ik haar wel aan moest kijken. 'Wij zijn haar familie niet, Wen Ming! Ze laat geen familie achter, ze krijgt er juist een. Het is egoïstisch om haar voor jou alleen te willen. Ze heeft dit nodig.'

Ik trok me los uit haar greep. 'Die mensen zijn haar familie niet. Nooit! Dat ben ik. Ik!' Ik kreeg weer geen lucht. 'Ik!'

'Jij bent haar vriendin, dat blijft altijd zo. Ze heeft alleen meer nodig dan wat jij of ik of oom Zhou haar kunnen geven. Je moet blij zijn voor haar en wensen dat ze gelukkig wordt bij haar nieuwe vader en moeder. Ik zei toch dat je dapper moest zijn.'

O ja, ik zou dapper zijn. Ik zou wel een manier verzinnen om haar weer terug te krijgen. Ik was dan wel niet zo rijk als die Amerikanen. Ik kon geen operatie voor haar betalen. Maar ik hield van haar, meer dan zij ooit van haar zouden houden, en dat gaf me kracht. Ooit, ooit zou ik het van ze winnen en dan...

Dan haalde ik *mei mei* weer naar huis en dan liet ik haar nooit meer gaan.

15

Meg Lindsay, februari 2006

Probeer nooit iemand gerust te stellen door te zeggen dat je je ergens waarschijnlijk geen zorgen over hoeft te maken. Dan kun je er zeker van zijn dat het in ieder geval gebeurt. De weken na de toewijzing door het adoptiebureau werden we verliefd op onze aanstaande dochter. Ik staarde naar haar foto, liet het licht er van verschillende kanten op vallen en streek erover tot ik haar in mijn gedachten kon uittekenen.

Onze reis naar China werd goedgekeurd, en het bleek dat ik inderdaad alleen zou moeten gaan. In mijn eentje Eva adopteren, haar ouder worden. Lewis' experiment zou precies plaatsvinden op de dag die de Chinese overheid had aangewezen voor onze adoptie van Eva. Niets aan te doen. We zaten klem tussen de schema's van twee overheden. Geen van beide zou de planning bijstellen omdat wij logistieke problemen hadden. We moesten volmachten tekenen en andere formaliteiten afhandelen, maar de reis maakte ik alleen.

Ik vond het niet erg om dingen alleen te doen, maar niet op deze manier, niet onder zulke omstandigheden. Telkens als ik eraan dacht, kreeg ik het benauwd. Maar ik zou het doen, voor Eva. Voor haar wilde ik sterk zijn.

Het huwelijk van Beth en Adam stond ook gepland, wanneer ik zes dagen onderweg was. Ik zou al twee dagen moeder zijn wanneer mijn zus met mijn ex-verloofde trouwde. Ze had het lef gehad mij als bruidsmeisje te vragen. Ik had het lef niet gehad om nee te zeggen.

Had ik maanden geleden maar tegen mijn familie gezegd dat we een kind gingen adopteren. Nu moest ik ze vertellen dat ik niet bij de bruiloft kon zijn. Beth en mijn moeder zouden razend zijn.

Hoe zou ik het nieuws moeten brengen? Ik liep te tobben over de juiste aanpak, oefende voor de spiegel als een tiener voor een eerste afspraakje. Ik besprak diverse strategieën met Lewis totdat hij zijn toevlucht zocht in de studeerkamer met de smoes dat hij aan zijn experiment moest werken.

Ten slotte gooide ik het er in één keer uit, onhandig en ontactisch, tijdens een etentje op zondagavond, de eerste keer sinds Nieuwjaar dat we bij mijn ouders thuis waren.

'Ik moet jullie wat vertellen!' riep ik tijdens het natafelen boven het geroezemoes uit.

'Je bent zwanger!' grijnsde mijn moeder triomfantelijk.

'Nee...'

'O. Dan ben je zeker wat aangekomen. Komt vast van de feestdagen; te veel gefuifd? Alcohol bevat heel veel calorieën, wist je dat?'

'Begin nou niet weer, mam.' Een jaar geleden zou ik zwijgend in mijn schulp zijn gekropen en de hele rit naar huis terug hebben gefulmineerd. Tegenwoordig kroop ik niet zomaar in mijn schulp en wilde ik direct aan het fulmineren slaan, maar ik kon me nog net inhouden. Ik ging rechtop zitten en dacht aan Eva, mijn dochter, degene die een eind aan dit familieleed ging maken en nieuwe vreugde zou brengen. Voor haar zou ik sterk zijn. Moedig.

'Ik begin helemaal niet. Ik wou alleen maar dat...'

Ik viel haar in de rede voordat ze aan een preek over mijn drankgebruik kon beginnen. 'We gaan een meisje uit China adopteren. Ze is net zes jaar geworden en heeft een hazenlip. We noemen haar Eva.'

Niemand zei iets. Ik geloof niet dat iemand ademhaalde. Mijn blik kruiste die van Adam, die een wenkbrauw optrok in wat bijna een respectvol gebaar leek. Het zou mooi zijn wanneer hij daarmee bedoelde dat het goed was dat ik eens voor mezelf koos, maar ik vermoedde dat hij instemde met mijn keus voor een 'normaal' gezin en een kind, al was het dan niet op de traditionele manier.

De stilte werd verbroken door een kakofonie van kreten en vragen. Heel even was ik opgetogen door het enthousiasme van mijn familie. Totdat ik geïrriteerd weer op aarde belandde. Ik wilde helemaal niet blij zijn met hun instemming. Ik wou dat het me niets kon schelen. Dat was veel makkelijker.

'En wanneer gaat dat allemaal gebeuren?' vroeg mijn moeder ten slotte. Ik keek naar Lewis, die mijn hand vastpakte. Ik wendde me tot mijn moeder en probeerde mijn stem in bedwang te houden. Eva. Denk aan Eva. 'We vertrekken op 19 februari.'

'Hè? Dan al? Ik dacht dat zoiets maanden duurde,' zei Beth fronsend. Het liet nu niet lang meer op zich wachten. Waar was die natuurramp als je hem nodig had? Een tornado, wervelstorm, aardbeving, orkaan. Een onverklaarbare explosie. Een kudde op hol geslagen buffels. Een sprinkhanenplaag, ook goed.

Ik stelde me de gekwelde blik in de ogen van mijn dochter voor; die ogen waarin ik wilde verdrinken. 'Dat, eh, is ook zo. Het duurt even, inderdaad.' Ik joeg mijn nagels in Lewis' hand. Hij kromp ineen en ik wierp hem een verontschuldigende blik toe. 'We zijn vorig jaar april begonnen.'

'En nu vertel je ons pas iets?' Mijn moeder wierp me die blik toe die 'er zwaait wat, jongedame' zei, en me altijd het gevoel gaf dat ik pas veertien was. 'Gelukkig ben je op tijd terug voor de bruiloft.'

'Ah, het zit zo…' Ik dwong mezelf rustig te blijven ademen en maande mijn hart tot kalmte.

Beth leunde over tafel. 'Je bent er toch wel, hè? Neem jullie kind gerust mee. Misschien wil ze ook wel bloemenmeisje zijn. Ik zal een jurkje voor haar regelen.'

Wat aardig van haar. Naïef, maar heel lief. Verdraaid, waarom had ik er niet eerder iets over gezegd? 'Ik ben pas op 4 maart terug. Het spijt me, maar wij hebben de datum niet gekozen.'

Beths ogen werden groot en ze liet zich met een jammerkreet in haar stoel zakken. 'Je komt niet op mijn bruiloft? En wat moet ik nu? Waarom heb je dat niet eerder gezegd?'

'We hebben gisteren pas toestemming voor de reis gekregen. Ik heb geen enkele invloed op de planning, dat bepaalt de Chinese overheid. Het is niet anders.'

Mijn moeder verkilde. IJspegels bungelden in haar haar. 'Echt weer iets voor jou, Meg. Ik hoopte zo dat je veranderd was, maar helaas. Je bent nog even egoïstisch als altijd.'

'Hoezo? Alsof ik expres Beths trouwdag wil bederven.' Normaal gesproken bevror ik wanneer ze zo ijzig deed en kon ik niet meer denken. Maar nu voelde ik juist kracht in me stromen. Ik stond op. 'Dit keer pik ik het niet, mam. Ik ben niet de egoïst hier. Waarom ben je boos omdat ik niet naar de bruiloft kan? Als ik zwanger was en de dag voor het trouwfeest zou bevallen, zou je dan ook boos zijn? Ik kan hier net zomin iets aan doen als wanneer ik zelf een kind zou krijgen. Waag het eens mij egoïstisch te noemen!'

Mijn zus sloeg op tafel. 'Dit is precies wat je Adam ook geflikt hebt.'

Ik draaide me naar haar toe. 'Ja, ik weet dat het ook Adams bruiloft is. Het spijt me echt.'

'Nee, zo bedoel ik het niet. Je doet precies hetzelfde als toen je het met hem uitmaakte. Je hebt hem niet eens een kans gegeven. Je hebt niet gezegd dat je verliefd geworden was op iemand anders. Je heb niet geprobeerd er samen uit te komen. Je wachtte tot het al te laat was en toen heb je hem gewoon aan de kant gezet.'

Adam had een bleek blosje gekregen, net een tomaat tussen rijp en groen in. 'Beth, zo kan-ie wel weer.'

Het begon te zoemen in mijn hoofd en mijn hart bonkte hevig. Beth was altijd de enige geweest die mijn kant koos.

'Nee, ik houd mijn mond niet. Iemand moet haar toch eens duidelijk maken waarom iedereen hier boos op haar is?' Ze keek me kwaad aan. 'Je speelt zo graag voor martelaar, maar wij zijn de boosdoeners niet.'

Zelfs de gedachte aan Eva hielp me niet meer om kalm te

blijven. Zwarte en witte vlekjes dansten voor mijn ogen en mijn hart bonkte zo luid dat ik niet meer kon horen wat er gezegd werd.

Lewis loodste me naar mijn stoel en pakte mijn hand vast. 'Jullie zijn geen goede reclame voor het christendom.' Zijn stem klonk kalm, zakelijk, alsof hij een wiskundige formule uitlegde.

'Houd jij je erbuiten!' zei mijn moeder fel.

'Ik ken jullie nog maar een jaartje echt, maar ik zie hoe jullie met elkaar omgaan en wat dat voor gevolgen heeft. Jullie veroordelen mij omdat ik niet in God geloof... dat merk ik heus wel. Maar ik veroordeel jullie. Jullie zeggen wel dat jullie in God geloven, maar jullie handelen er niet naar.'

'Je hebt het recht niet om...'

Lewis viel mijn vader in de rede. 'Ik wil heus niet beweren dat het begin van onze relatie een schoonheidsprijs verdient. Maar het was toen tussen Adam en haar allang voorbij, dát weet ik wel. Jullie zouden eindelijk eens moeten ophouden haar daarvoor te laten boeten. Ze is ten minste eerlijk geweest toen ze er een eind aan maakte.'

'Wie geeft jou het recht ons te vertellen wat we moeten doen?' vroeg mijn moeder op ijzige toon.

'Helaas hoor ik bij de familie. Ik heb straks een dochtertje, jullie kleindochter. Ik wil niet dat zij net zo veel kritiek en afkeuring van jullie te verduren krijgt als jullie dochter heeft moeten doorstaan. De verhouding tussen Meg en jullie zal een stuk beter moeten worden, anders krijgen jullie Eva niet te zien.'

'Je kunt ons de omgang met onze kleindochter toch niet verbieden?' zei mijn moeder, bleek van woede. Beth huilde en pap zag eruit of hij ons het liefst allebei over de knie wilde leggen. Het leek wel of Adam moest overgeven.

Lewis keek vastberaden naar mij en vervolgens weer naar mijn moeder. 'We zullen zien.'

Niemand zei iets. Ik liet mijn hoofd hangen en probeerde rustig adem te halen. Mijn handen trilden.

Ten slotte schepte Beth nog wat salade op haar bord en zette de schaal met klap terug op tafel. 'En waar haal ik nu nog een ander bruidsmeisje vandaan?'

Ik probeerde medelijden voor haar te voelen. Als iemand begreep hoeveel spanning een bruiloft met zich meebracht, zeker wanneer familieleden niet konden, of in mijn geval wilden komen, was ik het wel. Maar haar eerdere beschuldigingen hadden me te zeer gekwetst.

Ik probeerde evenveel moed op te brengen als Lewis daarstraks. Mijn stem klonk hoog en beefde, maar ik dwong mezelf haar aan te kijken. 'Dat weet ik niet, Beth. Ik had meteen nee moeten zeggen. Ik voelde me er onprettig bij, en het spijt me dat ik dat niet heb gezegd toen je me vroeg. Ik ga naar China en we gaan een schattig meisje adopteren. Jullie bruiloft wordt vast geweldig, en je vindt heus wel iemand die mij kan vervangen.'

Lewis knikte naar me en glimlachte instemmend.

Het was gebeurd. Het was gelukt. We hadden ze getrotseerd. Voor Eva.

Voor Eva deed ik alles.

16

Meg Lindsay, februari 2006

Mijn bed leek wel een landschap: bergen en dalen van kleding, heuvels van papier, een woestijn vol schoenen, een meer van sokken en koffers als grotten. Het was een woeste, vijandige en verwarrende omgeving.

'Volgens mij neem je te veel mee.' Lewis laveerde tussen stapels spullen naar mij toe. Hij masseerde mijn schouders.

'Ik heb een paklijst van ze gekregen. Ik hoef gelukkig geen luiers en flesvoeding mee te nemen, maar ik moet wel kleren voor haar inpakken, een verbanddoos en iets om haar te vermaken in het vliegtuig.' Ik liet me achteroverzakken in een berg ondergoed en panty's. 'Ik weet niet eens wat ze graag doet. Hoe kan ik haar ooit rustig houden tijdens een vlucht van vierentwintig uur?'

Hij liet zich op zijn buik naast mij vallen. Twee bh's rolden over zijn rug. Hij probeerde ze weg te halen, maar ze bleven aan zijn arm hangen. Hij schudde ze van zich af. 'Die staan me niet, geloof ik. Vertelde je niet dat heel veel ouders pas kinderkleren kopen als ze in China zijn en die dan aan het weeshuis geven als ze vertrekken, zodat ze niet zo veel bagage hoeven mee te nemen?'

'Ja, maar dan nog zou ik haar kleren graag mee terug nemen. Ze zijn toch van haar?'

'Het zijn maar kleren. Je wilt toch niet alles bewaren wat ze ooit zal dragen? Dan moeten we verhuizen.'

'Achter elk kledingstuk zit een verhaal,' zei ik en ik pakte een zachtroze velours truitje en een spijkerbroek die ik bij Gap Kids had gekocht. 'Als ik later hiernaar kijk, moet ik er bijvoorbeeld aan denken dat ze dit droeg in het Hard Rock Café van Guangzhou. Ons reisgezelschap heeft dat al gepland namelijk.' Ik streek over een paars pyjamaatje, bedrukt met zilveren sterretjes. 'Deze draagt ze de eerste nacht in het hotel.' Ik pakte een rood feestjurkje voor Valentijn en drapeerde het over mijn schoot. 'Dit draagt ze als ze haar vader voor het eerst ontmoet.'

Lewis liet zich op zijn rug rollen, waardoor hij bedolven werd onder een stapel spijkerbroeken.

Ik hoorde hem lachen vanonder de laag denim. 'We moeten echt groter gaan wonen! Waarom koop je jouw kleren niet in China en laat je die daar achter?'

'Ik neem niet veel mee. Gewoon, een beetje slim combineren.'

Hij schoof de kleren van zich af en keek om zich heen. 'Niet veel?'

'Ik moet nog selecteren.'

Hij trok een wenkbrauw op. 'Heb je hulp nodig?'

Ik liet me weer terugzakken in de berg kleding. 'Graag.'

Hij reikte naar de paklijst en bestudeerde die nauwgezet. Wat vulden we elkaar toch goed aan; hij realistisch, ik idealistisch, hij praktisch, ik wispelturig. Hoe moest ik het redden, twee weken lang zonder hem? Moeder worden, zonder hem? Sterk zijn, zonder hem? Ik beet op mijn tong in een poging mezelf het zwijgen op te leggen. Ik had al genoeg lopen jammeren. Nu moest ik flink zijn.

Hij legde de lijst weg en keek me met zijn donkerbruine ogen aan. 'Ik wou dat ik met je mee kon.'

'Ik ook.' Hij zei het het eerst, dus dan was het geen teken van zwakte.

'Of dat er tenminste iemand met je meeging.'

Geen van mijn familieleden kon mee, vanwege de bruiloft van Beth en Adam, zelfs al hadden ze dat gewild. Cinnamon kon haar restaurant zolang niet sluiten en Audra moest lesgeven. Verder had ik geen vrienden met wie ik twee weken lang op reis wilde en met wie ik zo'n intieme ervaring als de adoptie van Eva zou willen delen. Een nichtje van Lewis had zich aangeboden, maar ik kende haar amper. Bovendien vermoedde ik dat ik wel wat privacy kon gebruiken tijdens de reis.

137

Ik gaf Lewis een kus. 'Ik red me wel. Ik reis in gezelschap en iemand van het adoptiebureau is er de hele tijd bij. Zelfs in het hotel. Ik hoef me niet alleen te voelen.'

'Toch vind ik het vervelend dat ik thuisblijf.'

Ik gaf hem een knuffel. 'Weet ik. Geeft niet.'

Hij pakte het Chinees-Engelse bijbeltje van mijn kussen. 'Dit neem je toch niet mee?'

'Jawel, die is voor Eva. Natuurlijk kan ze nog niet goed lezen, maar ik wil vragen of ze er haar voetafdruk in willen zetten, je weet wel, waarmee ze de adoptie bekrachtigen. Waarschijnlijk gaat ze straks naar een Chinese school, dus ik hoop dat ze later beide talen kan lezen.'

De hand waarmee hij het boek vasthield verstrakte, evenals zijn gezicht. 'Is het niet illegaal om bijbels China binnen te brengen?'

'Niet als het je eigen exemplaar is. Een hele koffer vol zou misschien problemen opleveren.'

Ik begreep dat hier meer op zou volgen, en wist niet zeker of ik dat wel zo graag wilde.

'Maar deze bijbel is voor Eva, klopt dat?'

'Ja...'

Hij legde hem neer en ging op de rand van het bed zitten.

'Wat is er?' Ik kwam naast hem zitten en masseerde zijn nek.

'Daar hebben we het nog niet echt over gehad. Over het geloof.'

Aha. Mijn hand lag stil in zijn nek. 'Moet dat dan?' Ik masseerde weer verder.

'Ja, maar misschien is de avond voor je vertrek niet het juiste moment.'

Ik pakte zijn hand vast. 'Het is wel goed.'

Hij wreef met zijn duim over de rug van mijn hand. 'Ik respecteer jouw geloof, maar ik wil niet dat Eva wordt gehersenspoeld.'

'Gehersenspoeld? Dat klinkt niet alsof je mijn geloof erg respecteert.'

'Sorry.' Hij sloot even zijn ogen. 'Wat ik bedoel, is dat jij bent opgeroeid met een bepaald geloof en daarbij had je het niet echt voor het kiezen. En toen je volwassen werd en andere levens-

138

keuzes maakte, werd dat door je familie afgestraft. Ik wil niet dat Eva zo onder druk wordt gezet. Niet door mij en niet door jou. Ik wil dat ze zelf kan kiezen wat ze gelooft en hoe ze wil leven. Als ze uiteindelijk voor jouw geloof kiest, is dat prima. Maar als ze een andere keus maakt, wil ik dat jij dat ook kunt accepteren.'

Ik zuchtte zachtjes. Hoe kon het dat ik dit niet had zien aankomen? Ik hoorde het mijn moeder bijna zeggen: 'Dat heb je ervan wanneer je trouwt met iemand die niet gelooft. Een atheïst. Zo iemand bederft je kinderen en zet ze aan tot ongeloof.'

Maar mijn geloof was toch niet zo zwak? Als mijn band met God echt was, dan zou mijn geloof toch wel tegen een stootje kunnen? Tegen twijfel ook? Bovendien had Lewis gelijk; in veel christelijke gezinnen kregen de kinderen geen kans om zelf te kiezen of ze wel of niet wilden geloven. Ze konden óf het geloof van hun ouders aannemen óf in opstand komen. Ik wilde Eva niet zo voor het blok zetten.

Ik moest op mijn tellen passen. Een ruzie met Lewis aan de vooravond van zo'n grote verandering in ons leven kon ik niet aan. 'Hoe zie jij het dan voor je?'

Hij was even behoedzaam. 'Ik zou willen dat ze niet met jou mee naar de kerk gaat.'

'En geen Bijbel? Geen Bijbelverhalen? Helemaal niets wat christelijk is?'

'Nou...'

Ik haalde diep adem om mezelf te kalmeren. 'Ik wil niet voor mijn dochter hoeven verbergen dat ik geloof.'

'En ik wil mijn overtuiging ook niet voor haar verbergen.'

'En ik wil niet dat we met elkaar gaan wedijveren, in een poging haar over te halen.'

Hij huiverde. 'Zeker niet.'

Ik zuchtte nog eens. 'Waarom heeft die maatschappelijk werker dit niet aangekaart?'

'Hoezo, dacht je dat zij het wel even voor ons kon oplossen?'

Ik glimlachte. En kuste hem; hij leek het nodig te hebben. En ik ook. Ik hield mezelf voor dat we één waren, verbonden door vertrouwen en liefde, ook al waren de verschillen tussen ons groot.

Hij kuste me teder op mijn voorhoofd. 'Het spijt me. Ik wil alleen niet dat ze gedwongen wordt om naar de kerk te gaan, of uit de Bijbel te lezen.'

'Denk je dat het bij mij zo is gegaan? Dat ik gedwongen werd?'

'Ja.'

'We hadden wel allemaal regels, over kerkgang, dansen, alcohol en zo, waar ik als kind niet zelf in mocht kiezen. Maar dat heeft niets met geloof te maken. Mijn geloof is echt; het is mijn eigen keus. Ik heb een boel van die regels overboord gegooid toen ik jou leerde kennen, maar mijn geloof niet.'

'Ik zie het verschil niet zo. Volgens mij heb je je geloof gewoon aangepast aan je nieuwe levensstijl.'

Was dat zo? Even twijfelde ik. Ik keek om me heen en zag ineens een glazen bokaal vol bloedrode wijn staan en een schaal brood, net een focaccia. Ik nam een slok, de wijn verwarmde me met vertrouwen en liefde. Ik bood Lewis het glas aan, maar hij maakte een afwerend gebaar en schudde zijn hoofd.

'Er is meer dan wat je kunt zien of proeven.' Ik walste de wijn in het glas en hield het tegen het licht. Door de breking van het licht in de wijn ontstonden allerlei beelden en kleuren. Ik zag beelden van Lewis, van mij, van Eva. Afbeeldingen van wat nog niet gebeurd was. Dingen die alleen God kon weten; ik kon slechts hopen en bidden dat Hij ze zou bewerkstelligen. 'Volgens mij betekent geloof dat je bereid bent om verder te kijken dan wat je zintuigen je vertellen, naar een waarheid die daarachter ligt.' Even keek ik naar een afbeelding van Lewis. 'Hoe heet het ook alweer wat je op je werk wilt ontdekken?'

'Het Higgs-boson?'

'Ja, dat.' Ik bewoog het glas, waardoor de afbeelding van Lewis even struikelde en me verontwaardigd aankeek. Ik glimlachte verontschuldigend. 'Ik geloof dat je dat zult vinden. Het bestaat, ergens.'

'Dat zeg je alleen maar omdat je weet dat ik dat zo graag wil.'

'Maar jij gelooft dat het bestaat, toch?'

'Ja. Op basis van betrouwbare berekeningen.'

'Geloof je dat jij het kunt vinden?'

'Ik hoop van harte dat ik in het team zit dat de ontdekking doet. Maar dat hoop ik alleen maar.'

'Nee.' Ik zag in het glas hoe Lewis een podium opklom om honderden wetenschappers toe te spreken. 'Geloof doet hopen. Als je er niet in geloofde, had je ook geen hoop. Je had de kans niet laten schieten om naar China te gaan als je niet heel sterk geloofde dat dit mogelijk was; dat je dit moest doen. Daar leef je voor; dat geeft jou je bestaansrecht.'

'Ik geloof niet in geloof. Ik vind dat maar niks. Ik vertrouw op wat je kunt bewijzen. Wat je kunt zien.'

Ik klemde het glas in mijn handen, staarde ernaar en bad God dat ik mijn geduld niet zou verliezen. Hij liet me nog meer afbeeldingen zien. 'Geloof kun je ook zien. Ik zie Eva een Chinees meisje omhelzen, misschien een vriendin van de middelbare school. Ik zie dat ze een gewoon leven zal leiden, vol liefde en plezier.'

Dat zou mooi zijn, leek Lewis' toegeeflijke glimlach te zeggen. Hij was niet boos, dus ik vertelde hem wat ik nog meer aan beelden in mijn hart zag; gebeurtenissen waar alleen God voor kon zorgen. Weeshuizen die opeens vol liefde, vrolijkheid en zonlicht waren, Eva met een gaaf en ongeschonden gezicht, gezinnen waarin geen onenigheid meer heerste. Genezing voor pijnlijke, oude wonden.

Mijn moeder en vader die me omhelsden, glimlachend.

Mijn stem begaf het en ik kon niet verder praten.

Lewis legde een arm om me heen en pakte het glas uit mijn hand. Hij bekeek het nadenkend, kalm en walste het rond. 'Ik zou bijna willen dat ik ook geloofde. Maar voor mij is het denk ik te laat.'

Ik wilde hem tegenspreken, maar streek in plaats daarvan een verdwaalde traan van mijn wang. 'Daarom wil ik dat Eva meegaat naar de kerk. Ik wil haar de kans bieden om te geloven. Te hopen.'

'Denk je dat je dat alleen in de kerk leert?'

'Nee, maar het is wel een heel goede plek om te leren hopen.' Hij zette het glas op de tafel bij het bed, naast het focacciabrood. 'En als je haar nu eens naar verschillende kerken laat gaan? En haar kennis laat maken met verschillende religies?'

Ik pakte een blouse van een hangertje en begon hem driftig op te vouwen. 'Denk je dat religies inwisselbaar zijn?'

'Je bent bevooroordeeld. Ik wil niet dat ze alleen jouw geloof leert kennen. Je weet toch hoeveel haat er wordt gezaaid door mensen die denken dat sommige religies beter zijn dan alle andere?'

Ik haalde langzaam adem en dwong mezelf mijn ergernis niet te tonen.

'Denk je niet dat dat te verwarrend is voor een kind van zes? Wat vind je ervan als ik haar voorlopig mijn geloof meegeef en je beloof dat ik later, bijvoorbeeld als ze naar de middelbare school gaat, met haar naar andere religieuze bijeenkomsten ga zodat we erover kunnen praten?'

'Denk je dat je dat kunt zonder op die godsdiensten af te geven?'

'Lewis! Geef ik ooit op iemand af vanwege zijn geloof?'

'Al goed, sorry, ik bedoel alleen…' Hij nam de blouse die ik had zitten verfrommelen uit mijn handen en streek hem glad op de hoek van het bed. 'Als je maar belooft dat je je niet zo gaat gedragen als je ouders, oké? Beloof me dat je haar niets probeert in te prenten.'

Hij wist niet wat hij van me vroeg. Ik keek opnieuw naar het glas en ditmaal toonde de fonkelende rode wijn mij generaties mannen en vrouwen en kinderen die van elkaar hielden onder onmogelijke omstandigheden, die moedig de dood in de ogen zagen, vredig te midden van chaos, liefdevol en opofferingsgezind, met ogen waarin geduld, wijsheid en kracht te lezen viel. 'Ik beloof je dat ik haar alleen het allerbeste van mijn geloof zal bijbrengen. Vriendelijkheid en zachtmoedigheid, respect en vrede. Ik zal alles doen wat in mijn vermogen ligt om haar te laten zien wat het inhoudt om onbaatzuchtig lief te hebben, vrijgevig te dienen en te geven om mensen die in nood verkeren zijn of verdriet hebben, ongeacht hun geloof of daden. En als je dat indoctrinatie vindt, dan is dat maar zo.'

Lewis haalde diep adem en ik wachtte bewegingloos zijn reactie af. Dat duurde een hele poos. 'Zou je in ieder geval een andere kerk willen zoeken? Ik vind het een akelige gedachte dat ze in haar jeugd dezelfde kerk bezoekt als je ouders. Ik realiseer me dat je er vrienden hebt en dat je ouders kwaad zullen zijn als je weggaat, maar we willen nu eenmaal een nieuw begin maken. Mag Eva dan ook een nieuw begin in de kerk?'

Ik sloeg mijn armen om Lewis heen, vol dankbaarheid. Mijn ouders zouden inderdaad heel boos zijn en ik zou mijn vrienden zeker missen. Maar sinds Adam er op de kansel stond, voelde ik me in mijn oude kerk toch niet meer zo thuis. Het was tijd. Tijd om Lewis wat vertrouwen te schenken. Hem te laten zien dat geloof iets goeds kon zijn. Hoog tijd dat ik ons gezin verkoos boven het gezin waarin ik opgegroeid was. Tijd voor een nieuw begin.

'Jij bent niet snel tevreden, zeg,' mompelde ik.

Hij kustte me. 'Dank je.'

Wat dom van me dat ik had gedacht dat ons verschil in levensovertuiging altijd wel op de achtergrond zou blijven. Ik keek nog eens naar het glas wijn, in de hoop een beeld te zien van ons drieën terwijl we samen naar de kerk gingen. Zo'n plaatje zag ik niet, maar ik zag wel Lewis en mijzelf hand in hand over een slapende Eva gebogen staan.

Dat was voldoende. Het hoefde niet helemaal uitonderhandeld te worden. Als we maar bereid waren er samen uit te komen en altijd van elkaar te blijven houden, wat er ook gebeurde. Wanneer ik afging op wat ik in de wijn weerspiegeld had gezien, mocht ik geloven dat dat wel zou lukken.

17

Op een koude, regenachtige donderdag in februari namen ze haar bij me weg. Ik had die nacht amper geslapen, dicht tegen haar aan, terwijl ik haar vorm en hoe ze voelde in mijn geheugen prentte. Hoe ze rook en klonk ook. Weer werd er een *mei mei* van me gestolen, ditmaal de allerdierbaarste. Een echte zus, mijn enige echte vriendin.

Sinds tante Yang me verteld had dat ze wegging, was er een onontwarbare kluwen van boosheid in me ontstaan. Ik was nog niet eens acht, maar mijn emoties waren duister en sterk. Zo hevig dat ik ze niet kon bedwingen. Tante Yang had gezegd dat ik moedig moest zijn, maar ik was bang dat als ze wist hoe boos en bang ik me voelde, ze me zou wegsturen. Dat zou ze niet doen, had ze gezegd, maar inmiddels wist ik niet meer of grote mensen zich wel aan hun woord hielden.

Mijn *mei mei* droeg haar haar in staartjes en tante Yang had haar een warme trui en een schattige spijkerbroek aangetrokken. Ze zag er heel lief uit. Mijn hart en maag deden pijn als ik naar haar keek. Zelfs al zou ik haar ooit weerzien, dan zou ik haar misschien niet echt meer kunnen zien.

Ik kreeg geen hap door mijn keel tijdens het ontbijt. Ik kon niets zeggen. Ik liep achter haar aan door het huis en raakte haar zo veel mogelijk aan, tot ze erover ging klagen bij tante. Daarna volgde ik haar zo goed en kwaad als het ging met mijn ogen. Ik kneep ze tot spleetjes om zo veel mogelijk herinneringen aan haar op te slaan.

Ademhalen deed pijn.

Ik voelde dat tante Yang me in de gaten hield. Haar bezorgdheid en verdriet om mij omgaf me als warm badwater. Ik wilde niet dat ze zorgen om mij had, maar ik kon daar ook weer niet te veel over nadenken. Ik kon maar een seconde vooruitdenken. Denken deed pijn.

Ik geloof niet dat Zhen An besefte wat er gebeurde. Ze wist het, zei dat ze dit wilde, maar de scheiding van mij leek haar niet veel verdriet te doen. Ze kletste aan één stuk door, vroeg tante Yang van alles over Amerika, haar nieuwe ouders, de reis met het vliegtuig.

Waarom was ze niet verdrietig? Ik wilde dat ze net zo veel pijn had als ik. Ik wilde dat ze zich aan me vastklampte en wanhopig zou gillen dat ze niet zonder haar *jie jie* wegging. In plaats daarvan leek ze opgetogen.

Het deed pijn. Overal.

Tante Yang zou mij bij school afzetten en dan met haar naar een overheidsgebouw gaan waar… Ik kon de gedachte niet verdragen. Terwijl tante Yang zich klaarmaakte voor het vertrek ging ik met Zhen An op ons bed zitten. Ik pakte haar hand vast en trapte met mijn voet tegen de ombouw.

'Ben je verdrietig, *jie jie*?'

'Ik zal je heel, heel erg missen.'

Ze nam mijn gezicht tussen haar handen en boog zich zo dicht naar me toe dat ik haar kon zien. 'Niet verdrietig zijn.'

Ik beet op mijn tong om de tranen terug te dringen. Ik kon geen woord uitbrengen. Ik klemde haar stevig in mijn armen. Eventjes klopten onze harten in hetzelfde ritme, als één, en spraken we van ziel tot ziel.

Je moet niet van ze gaan houden, mei mei. *Alleen van mij. Voor altijd in je hart,* mei mei. *Alleen ik.*

Jij alleen, jie jie.

Mijn armen beefden, mijn keel werd dichtgeknepen.

Zul je me niet vergeten, mei mei?

Nooit, jie jie.

Tante Yang riep ons. Ik maakte me los en wiste mijn tranen af. Het was tijd om te gaan.

Veel te snel waren we bij mijn school. Vandaag zou ik vast niets opsteken, maar tante Yang zei dat ik niet met haar en Zhen An mee mocht. Hier, voor de school, scheidden onze wegen zich. Ik kon me niet voorstellen dat ik ooit weer met plezier naar school zou gaan, omdat deze plek mij er altijd aan zou herinneren dat ik haar hier was kwijtgeraakt.

'Alsjeblieft,' zei ik terwijl ik het kokertje met de kraanvogel-veer afdeed. Ik deed het koordje om haar nek. 'Deze mag jij.'

'Maar het is jouw veer.'

'Jij hebt hem toch gevonden? Hij brengt geluk; voor je nieuwe leven en je operatie.'

Ze knikte; plotseling was ze heel vormelijk tegen me. 'Dank je.'

Tante Yang gaf me een klopje op de schouder. Ik moest opschieten.

Het was zover. Ik drukte Zhen An tegen me aan zodat haar staartjes in mijn gezicht sloegen. Ik huiverde, maar niet van de kou.

'Wen Ming, lieverd…' Tante Yang huilde, dat kon ik horen. 'We moeten gaan.'

'Ik kan niet. Dat wil ik niet.' Ik had graag gewild dat ik sterker was, want Zhen An schrok van mijn paniek. Ze hijgde en probeerde zich uit mijn omhelzing los te maken. 'Ik wil niet loslaten.' Ik liet mijn hoofd op haar schouder zakken en snikte het uit.

Tante Yang hurkte naast ons en legde haar armen om ons beiden heen. Ik kon niet verstaan wat ze mompelde. Daarna keek ze op en zei iets tegen iemand die achter ons stond.

Een van mijn onderwijzers. Die pakte me bij mijn schouders en trok me zachtjes van Zhen An los. Mijn handen gleden langs Zhen Ans armen naar haar handen.

'*Wo ai ni, mei mei.*' Ik houd van je, zusje.

'*Wo ai ni, jie jie.*' Haar gezicht was ook nat, van de regen, de tranen of allebei.

De lerares pakte me bij een hand en trok die met een langzaam, vriendelijk gebaar los.

Onze handpalmen streken over elkaar. Mijn vingers hielden haar vingers vast, warm, klam, glad, zacht. Ik probeerde die laatste aanraking voor eeuwig te laten duren, maar uiteindelijk werd het contact verbroken door een koude luchtstroom. We werden van elkaar gescheiden. Ik hield mijn adem in om niet te gaan schreeuwen.

Ze glimlachte even en zwaaide naar me. De lerares trok me een stukje achteruit. En nog een stukje. En nog een. Al na een paar passen kon ik haar niet meer zien. Het laatste wat ik van haar zag was een glimlach.

Ik herinner me niets meer van de rest van die schooldag. Ik herinner me alleen een onstelpbaar verdriet.

Zo raakte ik mijn kleine zusje kwijt.

18

Meg Lindsay, februari 2006

Het regende de dag dat ik mijn dochter kreeg, alsof de lucht rouwde om iemand anders. Dat moest ook wel, want al was het een gelukkige dag voor mij, ergens waren er ook mensen gestorven. Er waren huwelijken stukgegaan, dromen in rook opgegaan. Daarom huilde de lucht, als om me eraan te herinneren dat niet alles draaide om mij en mijn geluk.

Terwijl ik me aankleedde, voor het laatst alleen in mijn hotelkamer in Sjanghai, kon ik me maar moeilijk voorstellen dat niet iedereen even opgetogen was als ik. Ik keek uit het raam en zag de exotische hoogbouw van de skyline, omfloerst door een muur van grijze regen. De geluiden van de stad leken een ritmisch lied te zingen: 'Eindelijk. Eindelijk. Eindelijk.'

Ik was al vier dagen in China en het leek nog altijd alsof ik in een fantasieland terechtgekomen was. De reis was begonnen met een vierentwintig uur durende vlucht van Chicago naar Beijing. Alles wat vertrouwd was, werd me ontnomen, tot aan mijn eigen taal. Alle gezichten om me heen waren donkerder dan het mijne. Ik herinner me nog hoe we de zon najoegen, die urenlang weerkaatste op bevroren vlakten tot de tijd leek stil te staan. Ten slotte kregen we de zon te pakken en slingerden we hem over de horizon zodat hij plaats kon maken voor een weidse nachtelijke sterrenpracht.

Ergens boven de oceaan was mijn oude leventje weggevallen. Ik verrees na die vlucht als een feniks: herboren, zonder naam, stem of gezicht in een land waar ik zo hulpeloos was als een kind. Ik werd opgenomen in de mensenstroom, heen en weer geduwd tussen vreemdelingen, een vreemdeling voor mijzelf, ontdaan van mijn identiteit, als vee van de ene douanepost naar de andere gedreven. Ik hoopte maar dat de stroom mensen op weg was naar de bagageafhaalruimte.

Toen ik een knappe man zag zwaaien met een vlag waar het logo van het adoptiebureau op stond, had ik me bijna snikkend in zijn armen geworpen. Hij zei me dat ik de laatste was van ons reisgezelschap die was aangekomen. Hij reed me snel naar het hotel; een chic gebouw dat veel luxer was dan ik ooit had meegemaakt. Een piccolo in een mooi uniform bracht me naar mijn kamer. Ik had nog net puf om Lewis te bellen om hem te zeggen dat ik veilig aangekomen was voordat ik in een van de krappe bedden dook.

Ik bracht twee hectische dagen door in een somber, koud Beijing, fietsen en scooters ontwijkend en altijd alert op voetgangers of voertuigen die je probeerden onderuit te halen. Het adoptiebureau stuurde ons daar eerst naartoe om bij te komen van de reis en kennis te nemen van de hoofdstad van het geboorteland van ons kind. Huiverend in mijn dunne jas op de Chinese Muur en in de Verboden Stad, terwijl mijn adem wolkjes voor mijn mond vormde, voelde ik hoe de aanwezigheid van zoveel duizenden jaren en miljoenen mensen door de eeuwen heen tegen me aandrukte, me vormde en mijn hart binnensloop, een stukje ervan buitmaakte. Maar ondanks mijn verwondering klopte mijn hart ongeduldig. Deze historische pracht zou er altijd zijn en kon nog wel even op me wachten. Ik wilde naar mijn meisje.

Sinds gisteren was ik in Sjanghai, waar de lucht helder was; in ieder geval zuiverder dan de smog boven Beijing. Ditmaal vloog ik samen met mijn reisgezelschap en maakte ik kennis met de gezinnen met wie ik de komende anderhalve week zou doorbrengen. In hun gezelschap was het minder lastig om het vervreemdende gevoel van me af te zetten; mezelf ook minder vreemd te voelen… Tot een groep giechelende Chinese meisjes op het vliegveld van Sjanghai op me af kwam rennen om foto's van me te maken. Onze reisbegeleider zei dat het kwam omdat ik blond en lang was. Ik probeerde niet te moeilijk te doen en erom te lachen, maar ik trilde vanbinnen en mijn vingers waren gevoelloos toen ik ze uiteindelijk gedag zei. Had ik maar een hoed bij me, of mijn haar geverfd. Ik hield er niet van om de aandacht te trekken.

Die avond at ik samen met twee andere gezinnen uit mijn gezelschap in een van de vier restaurants van ons hotel. In het midden van de zaal was een vijver aangelegd, waar drie kleine jonken waren aangemeerd aan wat een plankier moest voorstellen. We aten duif en eend in een van de bootjes. De obers bespiedden spottend onze pogingen om het vlees met eetstokjes in hapklare stukken te snijden. Ik vroeg me af of ze ook hadden gelachen als ze wisten dat een van mijn tafelgenoten een slablad over de kop van de eend had gelegd, zodat die ons niet zo aankeek tijdens het eten.

Ik wilde niets liever dan Sjanghai ontdekken, het hart van de stad opzoeken, dat inprenten, indrinken. Ik wilde er zo veel mogelijk van opnemen en in mijn hart bewaren zodat ik later, als Eva zich weinig meer kon herinneren van haar moederland, haar geheugen kon zijn, Sjanghai aan haar terug kon geven. Dat lukte natuurlijk niet allemaal in één week, maar ik zou mijn uiterste best doen.

Maar vandaag was er geen tijd om Sjanghai in te drinken. Vandaag draaide alles om Eva.

Ik had geen trek. Het hotel deed naar mijn smaak toch al te veel moeite om een 'westers' ontbijt te serveren. Het resultaat: kleine potjes waterige yoghurt, bruine, hardgekookte eieren (alvast gepeld), havermout vol klontjes, spek en worst en een enorm assortiment broodjes en koek. Het fruit zag er schitterend uit, glanzend, aanlokkelijk. Maar we waren gewaarschuwd voor vers fruit, omdat je nooit kon weten met welk water het gewassen was. Ik keek even verlangend naar het enige wat ik naar binnen zou kunnen krijgen, en besloot het ontbijt maar over te slaan. Een kopje thee was genoeg.

Ik was niet de enige die zenuwachtig was. Er waren meer reisgenoten die het ontbijt hadden overgeslagen. We stonden in groepjes bij elkaar in de hotellobby te wachten tot een bus ons naar het overheidsgebouw zou brengen waar de adoptie plaatsvond. Rusteloze, springerige gesprekken werden afgewisseld met gespannen, ongemakkelijke stiltes. De hevige, intieme emoties die wij met elkaar deelden zweefden als mistflarden door de lobby. Een paar stellen hadden medelijden met mij omdat ik deze reis in mijn eentje moest doen. Ze boden hun hulp aan, maar aarzelend, bang dat ik werkelijk een beroep op hen zou doen. We waren allemaal bang. Vreselijk benauwd voor het grote onbekende dat met elke seconde dichterbij kwam.

Zelfs het levensgevaarlijke verkeer in Sjanghai was niet in staat me wakker te schudden uit die caleidoscopische werveling van angst en verwachting, spijt omdat Lewis er niet was en trots dat ik het vier dagen zonder hem in China had uitgehouden. Elke seconde bracht me dichter bij haar, bij mijn toekomst, bij het moederschap, bij de liefde voor een kind en de grootste verantwoordelijkheid die ik ooit zou dragen.

Het grijze overheidsgebouw torende boven ons uit toen we ons door de regen naar binnen haastten. Er werd niet veel meer gezegd. We hadden ons allemaal in onszelf teruggetrokken voor een paar laatste ogenblikken van introspectie; onze gevoelens één zware, bevende kluwen in ons binnenste.

Ik probeerde niet jaloers te zijn op de stellen die hand in hand kracht uit elkaars aanwezigheid putten. We werden een troosteloze wachtkamer in geloodst met een houten vloer, versleten karpet en een paar verschoten stoelen. Ik ging naast Dee zitten, een alleenstaande vrouw die ik in Beijing ontmoet had. Ze reisde met haar moeder, die bij haar was komen zitten. Ze rommelden in een tot de rand gevulde luiertas. Ik had ook een tasje bij me, met een paar spulletjes om Zhen An voor me in te nemen. Ik haalde mijn teddybeer tevoorschijn en nam hem op schoot.

'Hoe oud is jouw kind?' vroeg ik haar.

'Dertien maanden. Wil je een foto zien?' Ze had hem uit haar tas gepakt voordat ik kon zeggen dat dat niet hoefde. Ik zou haar dochter gauw genoeg te zien krijgen.

Mijn adem stokte en mijn hart sloeg een slag over bij die gedachte. Gauw. Heel gauw.

Ik bekeek de foto. 'Mooi hoor.'

'En die van jou?'

'Die is net zes geworden. Ze stond op de wachtlijst. Hazenlip.'

Dee glimlachte naar me en ging weer verder met de inspectie van haar luiertas. 'Ben je er zenuwachtig voor dat je een ouder kind krijgt?'

'Ik ben sowieso zenuwachtig.'

Dee lachte. Te hard en te schel, zo leuk was het grapje niet. Zij was ook zenuwachtig.

Plotseling veranderde er iets in de lucht, een kanteling, een flakkering als bij een luchtspiegeling in de zomerse hitte.

Ze was er. Ik kon haar aanwezigheid voelen. Het bloed klopte in mijn hoofd, maar bracht niet genoeg zuurstof.

Een medewerkster van de adoptieafdeling stormde de wachtkamer binnen en vroeg om aandacht. Ze legde in gebrekkig Engels uit hoe alles in zijn werk ging en deelde formulieren rond die we moesten ondertekenen. Alweer.

'Zijn de kinderen er al?' vroeg iemand.

Ze knikte. 'Die komen zo. Eerst tekenen.'

Dat gaf een feestelijk tintje aan het zetten van de handtekeningen. De kinderen waren in het gebouw en ademden dezelfde lucht in, bevonden zich tussen dezelfde muren. Binnen bereik. Bijna van ons.

De medewerker ging langs om bij iedereen de verplichte 'donatie' van drieduizend dollar op te halen, bestemd voor de zorg voor de weeskinderen die in het opvanghuis achterbleven. Ik vergat bijna dat je die envelop met twee handen moest aanbieden; met één hand getuigde niet van respect. Toen ik het merkte, trok ik de envelop weer terug en bood hem alsnog met beide handen aan. Haar ogen werden groot en ze keek me aan met een blik waaruit bleek dat ze Amerikanen maar vreemd vond. Toch glimlachte ze, knikte me toe en gaf me nog een paar formulieren die ik moest ondertekenen. Er leek geen einde aan die papierwinkel te komen.

Uiteindelijk werd het stil om ons heen. Ze stelde ons op in wat in China blijkbaar een rij moest voorstellen: een opeengepakt, verwachtingsvol samenraapsel. We verdrongen ons om haar heen toen we naar een andere zaal liepen. Daar waren de kinderen.

Ik had in een van de rondzendmails over adoptie gelezen dat er meestal iets officieels geregeld werd; een soort overdrachtsceremonie. Mocht dit weeshuis al zoiets geregeld hebben, dan ging er blijkbaar iets mis, want voor we het wisten werden de namen van de kinderen omgeroepen en drongen de ouders naar voren, naar de weeshuistante met hun kind.

De aanwezigen vormden een voor een een groepje van drie of twee terwijl videocamera's zoemden en fototoestellen klikten. Er klonken gedempte uitroepen en lieve woordjes. Er waren tranen. Vingertjes werden voorzichtig aangeraakt. Neusjes, wangen, haren gestreeld.

De geur van ontluikend moederschap en vaderschap vulde de lucht: een zilte, met tranen doortrokken parfum; onuitsprekelijk zoet en kruidig.

Maar waar was zij?

Uiteindelijk werd haar naam omgeroepen. Ik laveerde tussen de pas gevormde gezinnen door die zich niet bewust waren van mijn laatste worsteling om mijn liefste te bereiken. Het was fijn geweest als er iemand was die dit moment voor me vast had gelegd op een video of foto, maar het zou sowieso voor eeuwig in heldere kleuren in mijn geheugen verankerd blijven.

Ten slotte bereikte ik de tante die de naam van mijn dochter had genoemd. Ze was een stuk kleiner dan ik en had een vriendelijk, rond gezicht. Haar blik was vermoeid, gereserveerd, alsof ze er een zware morgen op had zitten. Ze keek me vorsend aan. Ik probeerde haar blik te trotseren. Het leek alsof dit onderzoekje belangrijk voor haar was. Ze knikte en glimlachte het spleetje tussen haar tanden bloot.

Ze hurkte naast een klein figuurtje. 'Dit is Zhen An,' zei ze en ze keek naar me op. Haar woorden klonken helder, maar haar stem beefde.

Dit was het moment. Ik haalde even snel adem om rustig te

worden en knielde naast het kind neer. Ik keek in de ogen die al maandenlang mijn dromen bezochten. Ik zag het arme, misvormde mondje, dat ik helemaal niet afschrikwekkend vond. Ik had nog nooit zo'n mooi kind gezien. Mijn keel werd dichtgeknepen en ik hoorde opnieuw die tere melodie die me oorspronkelijk naar China gelokt had.

Ik knipperde de tranen weg. Ik wilde niet dat haar eerste blik een huilende moeder gold.

Ik gaf haar mijn teddybeer. Ze keek ernaar, maar pakte hem niet aan. 'Hallo,' zei ik hees. '*Ni hao.*' Het Chinese zinnetje klonk vreemd uit mijn mond. We hadden zo veel mogelijk Chinees geleerd zodat we in ieder geval over een basisvocabulaire beschikten tot ze Engels kon spreken.

Ze keek me alleen maar aan met een sombere blik. Blanco. Ze klemde de hand van haar tante steviger vast, dat was haar enige beweging. Ik keek naar de tante. Die grijnsde naar me en zei iets tegen Zhen An in het Chinees.

Zhen Ans ogen werden groot en ze deinsde hoofdschuddend terug. Ze verborg haar gezicht in de armen van haar tante. De vrouw sloot haar ogen, het gezicht strak van verdriet. Daarna keek ze weer naar mij.

'Neem haar nu maar.'

Er ging iets mis, dat voelde ik. Ik wilde niets liever dan het kind in mijn armen nemen, haar lijfje tegen me aan trekken, maar dat voelde niet goed. Niet veilig. Nog niet.

Ik krulde mijn vingers om Zhen Ans vrije hand. Tegelijkertijd bevrijdde de vrouw zich uit Zhen Ans omhelzing en deed een stap achteruit. Ik hoorde een luid gekraak bij haar vandaan komen en ik wist dat deze ene stap heel veel van haar had gevraagd. Er was iets stuk nu. Iets in deze Chinese vrouw.

Ik slikte moeizaam en lachte naar Zhen An. Ik trok aan haar hand in een poging haar bij de tante vandaan te loodsen.

Ze gilde het uit.

Ik schrok er enorm van, maar bleef haar hand vasthouden. Ik rukte haar naar me toe, wat ik niet expres deed, en ze veranderde in een wervelstorm van schreeuwende ledematen en zwiepend gegil.

Ik voelde alle energie in de zaal mijn kant op stromen. Iedereen staarde naar het drama dat wij opvoerden in het kantoor. Ik voelde me koud en gevoelloos worden terwijl ik het hysterische meisje probeerde te kalmeren. 'Niet kijken! Niet naar ons staren,' had ik wel kunnen schreeuwen, maar ik had mijn handen vol aan Zhen An.

Ze maaide met haar vrije arm en stompte me tegen mijn wang. Haar hijgende gegil beukte op mijn hersens in. Ik wist niet wat ik moest doen. Loslaten? Vasthouden? Niemand had me ooit verteld hoe je een hysterisch kind moest troosten. Niemand had gezegd dat dit kon gebeuren. Niemand had me gewaarschuwd dat ze doodsbenauwd zou zijn.

Ik was ook benauwd. Ik zou wel weg willen rennen, de zaal uit. Me ergens verschuilen.

Ik wou naar huis.

De tante kwam eindelijk naast ons op haar hurken zitten en fluisterde Zhen An lieve woordjes toe. Het kind klampte zich aan haar vast, hijgend en bevend. Ik voelde een steek van jaloezie. Zhen An hield duidelijk van deze vrouw en vertrouwde haar. Precies wat ik wilde. Maar ik besefte ook wel dat zo'n relatie tijd vergde. Ik moest realistisch zijn.

Toch was ik niet voorbereid op een mislukking. Op afwijzing. Ik smoorde een snik. 'Het spijt me.'

De tante keek me over Zhen Ans hoofd aan, de tranen op haar gezicht. 'Mij ook.' Ze kwam moeizaam overeind met Zhen An in haar armen. Ze sprak even met een medewerker van de adoptie-afdeling, die naar haar knikte.

Even greep de angst me naar de keel: ze gingen Zhen An weer terugbrengen. Maar toen schonk de tante me een wrang lachje. 'Kom mee. Naar rustigere zaal.'

Ik volgde haar de zaal uit, weg van de starende blikken van de andere ouders. Ze zagen er allemaal zo gelukkig uit, idyllische tafereeltjes van blije gezinnen. Mijn mislukking smaakte zuur.

We gingen in een kantoor even verderop zitten, Zhen An bij de tante op schoot.

'Ik heet Yang Hua.'

'Ik ben Meg. Meg Lindsay. Zeg maar Meg.'

'Aangenaam, Meg.' Ze zei iets in het Chinees tegen het meisje en wees glimlachend en bemoedigend naar mij. Zhen An drukte zich alleen maar dichter tegen Yang Hua aan. De tante zuchtte. 'Dit is moeilijk voor haar.'

'Weet ik.'

'Is het voor jou ook moeilijk?'

'O, zeker.' Dromen in duigen, hart aan diggelen, zo moeilijk. 'Ik wilde haar niet laten schrikken, het spijt me.'

'Niet jouw schuld.' Yang Hua aaide Zhen An langzaam over haar rug. Ze draaide achtjes, wist duidelijk hoe ze Zhen An kon troosten, wat ze het liefst had. Het gaf me een pijnlijk en hol gevoel vanbinnen.

'Ben jij haar pleegmoeder?'

'Ja. Iets langer dan een jaar.'

Ik wist dat ze uit een pleeggezin kwam. Dat had in de documenten gestaan. Maar niemand had me gezegd dat ik haar pleegmoeder ook zou ontmoeten. Ik was er in mijn arrogantie van uitgegaan dat een pleeggezin vast geen hechte band met een kind had. Nou, hier zaten we dan: Yang Hua, de liefhebbende pleegmoeder, met Zhen An aan zich vastgeklampt in één hoek van het kantoor en ik, doodsbenauwde niet-moeder in de andere.

Daar kwamen de tranen weer. Ik streek ze weg met een gemompelde verontschuldiging. Yang Hua keek beleefd de andere kant op, naar Zhen An, die inmiddels gelijkmatiger begon te ademen.

'Meg, het is niet jouw schuld, maar de mijne.' Yang Hua schonk me een wrang glimlachje. 'Ik had haar beter moeten voorbereiden. Dit is mijn eerste keer als pleegmoeder. Ik wist niet wat ik kon verwachten.'

'Ze houdt van je.' Het deed me pijn dat te zeggen, als een handvol speldenprikken.

'Ze gaat ook van jou houden. Geef haar tijd.'

'Weet ik.' Ik zweeg even en keek hoe de liefde tussen haar en Zhen An heen en weer vloeide; een dieprode, gloeiende, sprankelende geluidloze stroom van begrip die van Yang Hua's handen op Zhen An overging en weer terug.

'Yang Hua?'

Ze keek weer naar mij.

'Jij houdt van haar.'

Haar ogen gleden weer terug naar Zhen An. 'Ja. Heel veel.'

Het ging mij misschien niets aan, maar ik moest het weten. 'Waarom geef je haar dan op? Waarom heb jij haar niet geadopteerd?'

Ze perste haar lippen op elkaar. Ik was bang dat ik haar beledigd had. Maar toen antwoordde ze. 'Ze moet geopereerd worden. Dat is te duur in China.'

Ik sloot mijn ogen. Probeerde kalm adem te halen. Ik wist wat ik moest gaan zeggen. Mijn geweten eiste dat. Mijn God vroeg het van me, net als vroeger van Abraham. Hij wilde dat ik afstand van haar deed.

'Als ik die operatie zou betalen, kun je haar dan wel adopteren?'

Yang Hua staarde me bewegingloos aan. 'Zou je dat doen?'

Ik knikte, niet in staat te spreken.

Haar vragende, verbaasde ogen maakten dat ik me schaamde. Ik was helemaal geen held. Ik vond de gedachte met lege handen naar huis te gaan verschrikkelijk. Maar ik kon geen gezin uit elkaar rukken. Ik zou mezelf niet meer onder ogen durven komen.

Na een poosje gaf ze stotterend antwoord. 'Dat is heel vriendelijk, maar…' Ze wendde haar blik weer af. 'In China kijken we anders tegen adoptie aan. Niet als in Amerika. Adopteren is… een schande. Veel ouders verzwijgen dat hun kind geadopteerd is. Ze doen alsof het van henzelf is. Daarom willen ze graag een baby, dan heeft niemand het door.'

'Maar zo denk jij toch niet?'

'Nee. Maar mijn man en ik… we willen een kind. Van onszelf. We hebben ook nog een andere pleegdochter. Die is bijna blind.

Veel kosten. We kunnen ook niet alleen Zhen An adopteren en Wen Ming niet. Ze zijn net zusjes. Dikke vriendinnen. We kunnen ze niet allebei aannemen.'

Ik zou graag willen zeggen dat ik niet gerustgesteld was toen ik dit hoorde, maar ik voelde de opluchting door mijn aderen stromen. 'Dat spijt me. Ik wist niet dat ik Zhen An scheidde van haar gezin.'

'Wen Ming is heel verdrietig. Ze wilde haar niet laten gaan vanmorgen. Een lerares moest helpen. Vandaar dat Zhen An waarschijnlijk zo van streek is. Ze snapt het niet goed.'

Nu voelde ik me helemaal beroerd. Er was nog een verdrietig meisje. Wat een monster was ik. Een hebzuchtig, rijk monster uit het buitenland dat gelukkige gezinnen kapotmaakte.

Ik wist natuurlijk ook wel dat dat niet zo was, maar zo akelig voelde ik me. De gedachte verkilde me tot op het bot.

'Zhen An is een lieve meid. Ze moet je gewoon even leren kennen. Het gaat vanzelf snel beter.'

Ik rommelde in mijn tas en haalde een schrijfblokje en een pen tevoorschijn. Deze vrouw en ik moesten in contact blijven, dat leek me correct. Ze keek blij toen ik dat voorstelde, zodat mijn hart weer ineenkromp bij de gedachte aan het verdriet dat deze scheiding haar zou doen; dat ik haar aandeed.

Ik moest Zhen Ans hart veroveren. Ik beloofde mijzelf plechtig dat ik haar weer gelukkig zou maken. Ik zou haar verlies wel compenseren. Ik zou haar bedelven met zo veel liefde dat ze niet anders kon dan van mij houden.

'Ik denk dat ze slaapt,' fluisterde Yang Hua. 'Neem haar van me over, dan ga ik weg.'

Was dat wel een goed idee? Zou ze niet juist helemaal hysterisch worden wanneer ze wakker werd en merkte dat haar pleegmoeder weg was? Maar als Yang Hua ertussenuit kneep terwijl ze wakker was, zou dat misschien erger zijn. Het verdriet was onvermijdelijk.

Zou het zo gaan, moeder worden? Altijd die vlijmscherpe zekerheid dat, hoe je ook je best deed, je je kind verdriet zou doen?

Ik haalde diep adem. 'Goed.'

Yang Hua boog haar hoofd en liet het even op Zhen Ans kruin rusten, de ogen gesloten. Haar wangen begonnen te glinsteren. Dit was het afscheid. Mijn hart ging naar haar uit. Hoe ze zich voelde, kon ik nog niet weten. De dag dat ik dat zou begrijpen, zou zeker aanbreken.

Ze keek op en knikte naar me. 'Schijf alsjeblieft. Bel me wanneer je maar wilt. Ik wil graag helpen. Ik houd van haar.'

'Dank je.' Ik liep zachtjes naar haar toe. 'Ik ben blij dat we elkaar hebben ontmoet.'

'Ik ook.'

Ik ging naast haar zitten en ze schoof langzaam mijn kant op.

We keken elkaar een moment lang aan terwijl de tijd leek stil te staan. Diep in haar zwarte ogen las ik vertrouwen en aanvaarding. Even flitste de rest van haar dag door me heen. Ik zag haar weer aan het werk in het weeshuis, haar verdriet weggestopt, waarna ze dat andere meisje van school zou afhalen en in stilte naar huis gaan. Een bedrukte maaltijd. Zacht gesnik, later die avond, in de armen van haar man. Dat zag ik allemaal en mijn hart ging naar haar uit. Ik overtrad vast een miljoen culturele regels toen ik me naar haar over boog en een kus op haar voorhoofd drukte.

'Hier,' mompelde ze zonder me aan te kijken. 'Neem haar nu. Ik ga snel weg.'

De overdracht verliep soepel. Zhen An bewoog amper. Yang Hua kwam overeind, de schouders recht, legde haar hand nog één keer op Zhen Ans kruin en rende het kantoor uit.

Een paar minuten lang zat ik met mijn slapende dochter op schoot totdat een medewerker van de adoptieafdeling binnenkwam en zei dat ik iets moest ondertekenen.

Er kwam geen einde aan die papierwinkel.

De rest van de dag gilde en huilde Zhen An aan één stuk door, slechts af en toe onderbroken door een paar minuutjes waarin ze bevend en snikkend in stilte verkeerde, in zichzelf gekeerd, de rolluiken naar beneden, de deuren dicht... alleen met haar verdriet.

19

Meg Lindsay, februari 2006

Zhen An, mijn kleine Eva, was eindelijk ingeslapen op het bed dat het dichtst bij het raam stond. Haar huilbuien hadden een blos en sporen van tranen achtergelaten op haar gezicht. Om de twee of drie ademhalingen trok er een rilling door haar heen; de naschokken van de aardbeving die deze morgen haar wereld op z'n kop hadden gezet.

Ik koesterde haar kleine hand in mijn handpalm. Ik boog me voorover en streek met mijn lippen over de zachte huid. Het voelde als een inbreuk, en toch was ze mijn dochter.

'Het spijt me,' fluisterde ik. Het bureau had ons gewaarschuwd dat de aanpassing niet makkelijk zou verlopen. Ik had alleen niet verwacht dat het verdriet zo snel zou komen.

Wat had ik dan gedacht? Dat ze zich in mijn armen zou werpen en huilend van vreugde 'mama' zou zeggen?

Mama... ik was helemaal geen moeder. Ik was een beroepsmusicus van tweeëndertig die in haar eentje in een hotelkamer in Sjanghai zat, naast een bed met een vreemd kind erin. Een kind dat me leek te haten. Ik voelde me een legale kidnapper, geen ouder.

Wat verlangde ik naar die tranen van vreugde.

Ik keek op de klok. Elf uur 's avonds, dat was negen uur 's morgens in Chicago. Lewis zou al op Fermilab zijn, bezig met wat hij ook doet in zijn pogingen om het heelal z'n geheimen te ontfutselen.

Hij had hier moeten zijn, bij mij. Samen, dicht op elkaar in dat belachelijk smalle eenpersoonsbed met uitzicht op de skyline van Sjanghai die door het raam naar me knipoogde. Hij zou hier moeten zijn om samen met me alle vingertjes, haar neusje en haar schitterende oortjes te bewonderen. Maar ik was alleen. Alleen met een angstig, intens verdrietig kind. Ik haatte het heelal en zijn geheimzinnige gedoe. Ik haatte hoe het mijn man in zijn greep hield. Zo zou je niet moeder moeten worden. Ik begon me hoe langer hoe rustelozer te voelen. Ik was uitgeput, maar mijn bed zag er niet veelbelovend uit; uren liggen piekeren over mijn vragen en twijfels was geen aanlokkelijk vooruitzicht.

Ik draaide een van de leunstoelen naar het raam, zodat ik naar buiten kon kijken. Ik ging zitten en liet mijn voorhoofd tegen de koele ruit rusten.

Lieve help, wat had ik gedaan? Ik was hier absoluut niet klaar voor, voor het moederschap. Te laat. De adoptie was betaald, de stukken waren ondertekend, er was geen weg terug meer.

Haar voetafdruk was gestempeld met bloedrode inkt.

Allemaal niet voldoende om mij werkelijk tot haar moeder te maken. Wat dat wel zou doen, wist ik niet. Dat kwam niet aan de orde tijdens de voorbereiding op de adoptie. Niemand had me ooit uitgelegd hoe je het hart van twee volslagen vreemdelingen kon verenigen.

Moeder. Kind.

Wat had ik dan gedacht? Wat naïef.

Ik keek naar nachtelijk Sjanghai. De lucht was donker. De koperkleurige glans van de stad onttrok de sterren aan mijn blik; mens en natuur spanden samen om nog meer geheimen voor mij verborgen te houden. Kon ik die gloed maar wegnemen, dan zou ik de duisternis oppoetsen tot de sterren blonken als metalen spijkers op een zwart leren jack. Ik zou de lucht dwingen zijn geheimen prijs te geven.

Een zwak lichtpuntje. En nog eentje.

Steeds meer sterren verschenen, groter, feller, tot zich een heel pad uitstrekte in de lucht, zuiverder en helderder dan de doffe lampen van menselijke makelij.

Een voor een ontvouwden de sterren zich tot menselijke vormen, als een overbelichte foto van een roos. Vrouwen, prachtige Chinese vrouwen schreden door de lucht. Hun gezichten, fel verlicht door de sterren, waren als gekalligrafeerde boekrollen die spraken van armoede en worsteling en van het vuur van hoop en waardigheid dat door geen enkele tegenslag uitgeblust kan worden.

De vrouwen vormden een keten, hand in hand, en terwijl ik naar ze keek kwamen ze me hoe langer hoe vertrouwder voor. De boog van een wenkbrauw, de welving van een mond, de glans in een oog.

Ik herkende deze gelaatstrekken, zelfs na een dag kende ik ze al. Een felle, begerige vreugde maakte zich van mij meester.

Mijn dochter. Die van mij. Zij had zulke handen, die kin, dat haar met precies die glans en structuur. Mijn kind. Mijn kleine meid.

De ononderbroken rij voorouders strekte zich uit van de ene horizon tot de andere; vanaf de bakermat van de beschaving in het Oosten tot het hier en nu in het Westen als een boog boven mijn raam, zo dichtbij dat de stadsduiven op hun schouders konden landen. Sommigen waren in boerendracht, anderen gekleed in adellijke pracht, maar ze zagen er allemaal sterk, gracieus en wijs uit.

En allemaal waren ze Chinees.

Ze keken me aan met ogen waarin talloze emoties kolkten: ongerustheid, nieuwsgierigheid, zelfs afgunst. Ze wendden hun hoofd naar het Westen, en ik volgde hun blik. Vlak bij mij, waar het verleden het heden raakte, was een lege plaats. De plek waar de moeder zou moeten zijn. Het was een plaats die ergens op wachtte. Op iemand.

Op mij?

Ze keken weer naar mij en nu begreep ik de vragen in hun ogen. Hoe zou ik die plaats kunnen opvullen? Was ik de schakel die de gebroken keten zou kunnen verenigen? Waar haalde ik het lef vandaan?

Ze tartten mij met hun vragen, hun ogen vol twijfel en afkeuring. Ik voelde het verzet in me groeien. Was ik niet net zo sterk, hoopvol, vindingrijk en waardig? Moest ik per se Chinees zijn voor een plaats in hun keten? Moest hun bloed daarvoor door mijn aderen stromen?

'Ik houd van haar,' zei ik tegen hen, en ergens wist ik dat ik de waarheid sprak. Ze was niet langer een vreemde voor me. Ik legde mijn hand op mijn hart. 'Ik beloof jullie plechtig, op mijn leven, dat ik haar nooit zal bekritiseren. Ik zal haar accepteren zoals ze is. Ik schenk haar mijn vertrouwen, mijn geduld, mijn vergiffenis. Ik zal altijd voor haar klaarstaan, ze komt altijd op de eerste plaats. Zo is liefde. En ik zal haar leren jullie lief te hebben, te respecteren en in ere te houden. Maar ze is nu ook van mij.'

Knarsend opende mijn hart zich, als een schatkist met verroeste scharnieren. Vanbinnen was het rauw, ontveld en vreselijk gevoelig. Ik tilde Eva op en droeg haar naar binnen, waar ze zich opkrulde als een katje op een kussen bij een warm vuur. Ik strekte mijn armen om de rij voorouders ook uit te nodigen. Het deed pijn om die stoet binnen te laten, als het aanraken van een open blaar, maar tegelijk voelde ik me compleet en zorgzaam nu ik voortaan deze last in mijn hart zou dragen.

Langzaam verdween de afkeuring uit hun ogen. Een voor een glimlachten ze naar mij, terwijl acceptatie, trots en zelfs opluchting op hun gezichten te lezen viel.

Ze reikten me de hand en ik stak de mijne uit, en zonder ze echt aan te raken, voelde ik hoe we met elkaar verbonden werden. Het was als een vloed die de slapende Eva en mij omspoelde en ons naar de rij toe trok, die niet langer een lijn vormde maar een kring waarin verleden en heden elkaar in een dans ontmoetten. Ik was deel van hen en zij van mij. Allemaal bevonden we ons in Eva, in haar hart, haar bloed; het was wij, ons. Een verbintenis die tijd en afstand oversteeg.

Zwijgend beloofde ik dat degene wier plaats ik innam niet vergeten zou worden. Zij hoorde in deze kring opgenomen te worden, hoe dan ook. Misschien niet nu, dan in de eeuwigheid. Ik had haar lief, want ze hoorde bij Eva en nu ook bij mij.

Ze begrepen het, deze vrouwen. Ik voelde hoe vredig en opgetogen ze waren; ze omarmden me, maar lieten me ook los; zonden mij weg, maar hielden me tegelijk vast.

De tijd stond stil en ik bleef naar hen kijken, totdat ze flakkerden als stompjes kaarsen om daarna te tanen en door de lichten van Sjanghai te worden opgeslokt.

20

Meg Lindsay, februari 2006

Ik begrijp nu dat ik nooit echt moe ben geweest, totdat ik moeder werd. Ik was uitgeput tot op het bot, niet alleen vanwege slaapgebrek, maar ook doordat al mijn zintuigen op scherp stonden. Voortaan was ik verantwoordelijk voor het leven van een onschuldig kind dat volledig van mij afhankelijk was. Hoe zou ik ooit kunnen slapen? Ik lag in mijn duistere hotelkamer in Sjanghai nachten achtereen half wakend, half slapend te woelen in mijn smalle bed en vroeg me af of het goed met haar ging, of ze er de volgende dag nog zou zijn, of ze me ooit zou accepteren.

Na die eerste dag had ze geen hysterische buien meer. Geen gegil, geen tranen, niet stompen of slaan.

Helemaal niets.

Geen lachje, geen woord, geen enkele poging tot communicatie. Geen oogcontact.

Alleen geloken blikken en passieve inschikkelijkheid; een pop die zich voorbeeldig gedroeg. Nooit eerder had ik zoiets griezeligs meegemaakt.

Mijn telefoonrekening zou vast torenhoog worden, maar toch belde ik het adoptiebureau in Amerika. En de kinderarts. Mijn therapeut. Ze zeiden allemaal dat het bij het rouwproces hoorde dat ze doormaakte, dit kwam nu eenmaal soms voor. Het zou vanzelf overgaan, als ze daaraan toe was.

Ik wilde er maar niet aan. Ergens wist ik wel dat ze gelijk hadden, dat dit geen afwijzing van mij persoonlijk was. Ik had er iets over gelezen en Lewis en ik hadden ook wel rekening gehouden met de mogelijkheid dat ze zo zou reageren. Ik was hier niet onwetend ingedoken.

Maar je kunt je nog zo goed voorbereiden, de werkelijkheid is een ander verhaal.

Ik nam haar mee op alle uitjes die ons adoptiebureau geregeld had terwijl we in Sjanghai op de paspoorten van de kinderen moesten wachten. Ik zag voor het eerst in mijn leven een panda in het echt; kleiner dan ik had verwacht, traag en goedaardig, een echte knuffelbeer. Ik probeerde in mijn geheugen op te slaan hoe het was om tussen zo'n menigte door de straten te lopen: zo veel mensen; zo anoniem, zo dichtbij. Mensen die tegen me op botsten, veel dichterbij kwamen dan wij Amerikanen gewend zijn. En dan de vrouwen! Of ze nu een zwart mantelpakje met hoge hakken droegen of een slobberjack met slippers, of ze nu liepen, fietsten of op een bus stapten... ik kon niet anders dan ze volgen met mijn ogen en me afvragen: was dit misschien de moeder van mijn kind?

We aten in een restaurantje op een straathoek, echt zo'n druk Chinees lunchtentje waar kantoorpersoneel tussen de middag wat at. Dee en ik waren op de heerlijke geuren af gekomen, samen met twee andere stellen, en bestudeerden buiten een menu met fotootjes van de gerechten. We wisten nog steeds niet wat we moesten bestellen toen een van de medewerkers het restaurant uit kwam om ons, arme Amerikanen, te helpen.

De hele tijd volgde mijn kleine Eva mij als een schim van vlees en bloed. Ze sjokte gedwee mee door tuinen en parken, musea en dierentuinen. Alleen aan haar ogen, die heel af en toe oplichtten als ze iets interessants opmerkten, kon je zien dat ze zich toch wel bewust was van haar omgeving. Ze at rijst wanneer iemand een kom voor haar neerzette, naar ander voedsel keek ze niet om. Wanneer ze naar de wc moest, ging ze zwijgend staan, benen samengeperst, en wachtte tot ik met haar meeging.

Een paar andere gezinnen hadden ook problemen met hun kind, maar de meeste waren al vrolijk op weg om een band met hun nieuwe kind te kweken. Ze wierpen me vriendelijke, meelevende blikken toe, maar richtten zich dan weer tot hun eigen kind om het een lachje te ontlokken. Telkens als dat lukte kreeg ik het gevoel of mijn hart in azijn werd gedoopt.

Ik probeerde constant vrolijk te babbelen en zo veel mogelijk Chinese zinnetjes te gebruiken.

'*Ni zhen piao lian.*' Je bent heel mooi.

'*Dao shang dian guang yi guang.*' Zullen we gaan winkelen?

'*Wo hen gao xing zuo ni ma ma.*' Ik ben zo blij dat ik nu je mama ben.

'*Rang wo gei ni shu tou.*' Laat me je haar kammen.

'*Gai chi fan le.*' Etenstijd.

Haar gezicht bleef neutraal. Slechts heel af en toe trok ze een wenkbrauw op in verwarring, wat ik toeschreef aan mijn slechte uitspraak of mijn afgrijselijke accent.

Wanneer mijn gebrekkige Chinees me helemaal in de steek liet, schakelde ik over op mijn moedertaal. 'Wacht maar tot je straks je papa ziet. Hij vindt je vast geweldig. Trouwens, wie niet? Gisteren, toen jij al sliep, heb ik met hem gebeld. Ik mis hem vreselijk. Maar het lijkt de goede kant op te gaan met zijn experiment! Ik ben zo trots op jouw papa, jij niet? Dat dacht ik wel. Goed. Zullen we eens kijken wat we vandaag gaan doen? Hé, kijk eens, Eva, we gaan vandaag je paspoort halen. Dat betekent dat we morgen naar Guangzhou vertrekken. Vind je dat niet leuk?'

Wanneer mijn drukke geratel ten slotte uitstierf, bedacht ik verder al die dingen die ik niet hardop kon zeggen, in welke taal dan ook.

Alsjeblieft, lieve Eva. Ga alsjeblieft van me houden, meisje. Mag ik je moeder zijn? Wil je me toelaten in jouw wereldje? Je bent zo in jezelf gekeerd, zo verdrietig. Alsjeblieft? Ik kan de gedachte niet verdragen dat ik je gekwetst heb. Ik wil juist het beste voor je. Help je me? Ik wil je zo graag gelukkig maken, snap je.

Dat moet.

Uiteindelijk losten mijn gedachten op in flarden van een gebed en losse smeekbeden die alleen God begreep.

Toen de paspoorten van de kinderen klaar waren, reisden we naar Guangzhou. Daar zouden we de laatste week van onze reis doorbrengen en de visa's van onze kinderen bij het Amerikaanse consulaat ophalen. Eva onderging de vlucht stoïcijns. Ik probeerde haar tegen me aan te trekken om haar gerust te stellen, maar ze reageerde niet. Ik zag haar gezicht vertrekken van angst toen het vliegtuig last kreeg van turbulentie, maar ook toen wilde ze niet door mij getroost worden. Ze klemde de stoelleuning vast tot haar knokkels wit zagen. Ik probeerde haar hand vast te pakken, maar ze trok hem terug en greep de leuning weer vast terwijl ze onafgebroken voor zich uit bleef staren.

Ik legde mijn teddybeer op haar schoot. Die had ik haar een paar maal geprobeerd te geven, maar ze had er niet naar willen kijken. Ditmaal pakte ze de gerafelde knuffel en klemde hem tussen haar vingers.

In ieder geval beter dan niks.

De overgang van Sjanghai naar Guangzhou deed denken aan een reis van New York City naar het diepe Zuiden van de VS. De lucht was er een stuk warmer en klammer dan in Sjanghai, vochtiger ook. Een bus bracht ons door de smalle kronkelstraatjes van Guangzhou naar het eiland Shamian, waar ons hotel stond. Vroeger was het Amerikaanse consulaat hier ook, maar sinds een paar maanden bevond dat zich in een ander deel van de stad. Het eiland bezat rust en waardigheid en een eeuwenoude chic waar het hippe, moderne Sjanghai nooit aan zou kunnen tippen. Ook zonder de mensenmassa's, het verkeer en de vele gebouwen zou ik daar nooit kunnen wonen.

We verbleven in het legendarische White Swan Hotel, waar Amerikanen die een kind adopteerden al bijna tien jaar logeerden. Ik had er zo veel foto's van gezien dat het me onwerkelijk voorkwam toen ik er uiteindelijk zelf een voet in zette.

'Kijk eens!' zei ik tegen Eva, die niet onder de indruk was. 'Daar, de fontein met de pagode! En daar is die boot van jade!'

Ik was nog even uitgeput en verdrietig omdat Eva mij niet wilde accepteren, maar voor het eerst sinds ze bij me was voelde ik een sprankje hoop. Duizenden gezinnen hadden deze hal betreden, bij de fontein gezeten en de winkeltjes bekeken. Het hotel bood extra voorzieningen aan adoptieouders. Ik was niet alleen, en ook niet de eerste die met problemen te kampen had als met Eva. Al die andere kinderen hadden ook moeilijkheden gehad, en die hadden ze overwonnen. De wonden waren genezen. Er waren gezinnen ontstaan. Dat ging voor ons vast ook op.

Ik wierp nog een laatste blik op de fontein en duwde het karretje met onze bagage in de richting van de lift. 'Kom, Eva,' zei ik. Ik verwachtte geen antwoord, maar stak wel mijn hand naar haar uit.

Ik greep in het niets.

Ze was weg.

Een emmer ijswater werd over mijn hoofd uitgestort. De schok sneed me de adem af en bevroor mijn gedachten.

Ik hapte naar adem en dwong mezelf tot actie. 'Eva! Zhen An!' Mijn reisgenoten hielpen me haar te zoeken. De begeleider van het adoptiebureau ging naar de receptie en het duurde niet lang voor het hele hotel werd afgesloten en hotelpersoneel de uitgangen bewaakte.

Het begon me te duizelen, licht, stemmen en bewegingen wervelden om me heen. Een woordeloze, stemloze schreeuw om mijn dochter welde op in mijn binnenste. Mijn hart bonkte zo hevig dat elke slag een rilling door mijn lijf joeg totdat het een moment lang stopte en alles stil werd.

De enige beweging kwam van de fontein, het scherm van water stroomde geluidloos in de vijver. Achter dat scherm stond een vrouw. Een Chinese vrouw met een sigaret in haar hand en een vertrouwd moedervlekje, links op haar kin. Onze blikken kruisten elkaar. Ze knikte langzaam, gracieus.

Alles kwam weer in beweging. Mijn hart bonkte in mijn borst en er stroomde lucht mijn longen binnen. Geluiden klonken. Ik duwde de mensen opzij en rende het pad af, achter de fontein langs.

Daar zat Eva, gehurkt in een donker hoekje. Een onbekende, wilde bezitterigheid maakte zich van mij meester. Nooit geweten dat boosheid en vreugde samengingen. Ik greep mijn meisje en drukte haar aan mijn borst. Ik laafde me aan de warmte van haar zachte lijfje. 'Je mag nooit meer weglopen, hoor je me? Dat was stout van je. Heel erg stout! Mama is enorm geschrokken!'

Ze maakte zich los uit mijn greep en rende naar het eind van het pad. 'Wen Ming!' gilde ze, in paniek om zich heen kijkend.

Heette het andere pleegkind zo? Haar vriendinnetje? Ze scheen haar te zoeken. Had ze een meisje gezien dat op haar leek en rende ze daar nu op af?

Ik wilde haar weer beetpakken, maar aarzelde. Ik wachtte af, oplettend, tot ze na een poosje stilstond en teleurgesteld en verdrietig naar mij omkeek.

'Arme schat. Ze is er niet, hè?' Ik hurkte en stak mijn armen uit.

Ze kwam naar me toe. Langzaam sloeg ze haar armen om mijn nek. Ze trilde. Maar toch, ze omarmde me.

Ik aaide over haar rug en haalde diep adem. 'Het spijt me. Ik had niet tegen je moeten schreeuwen, maar ik was zo ongerust. Ik wil je niet kwijtraken, lieverd.' Ik wiegde haar even, tilde haar vervolgens op en haastte me naar de anderen om te vertellen dat ik haar gevonden had.

Op de een of andere manier lukte het ons onze hotelkamer zonder problemen te bereiken. Eenmaal daar aangekomen zweefde Eva als een schim naar het raam waar ze uitkeek over de Parelrivier.

Ik liet onze bagage midden in de kamer staan en liet me op het dichtstbijzijnde, keiharde bed vallen. Ik sloeg mijn handen voor mijn gezicht en kreunde zachtjes.

De spanning en de eenzaamheid van de afgelopen anderhalve week drukten plotseling zwaar op me; de angst en het verdriet ook. Ik had zo mijn best gedaan al die gevoelens te negeren, maar dat lukte me nu niet meer. Ik liet me op mijn zij rollen, trok mijn knieën op naar mijn borst en barstte in snikken uit.

Ik voelde een warm handje op mijn wang. Ik snoof en opende mijn ogen. Eva stond voor me, met grote ogen en tranen op haar wangen.

'*Dui bu qi*,' zei ze. De zachtjes uitgesproken woorden kwamen lispelend uit haar gehavende mond.

Ik liep in gedachten de Chinese zinnetjes die ik kende langs, op zoek naar de betekenis. Het spijt me. Dat had ze gezegd. Een verontschuldiging.

Ik snikte weer, ging rechtop zitten en trok haar in mijn armen. Nu kroop ze uit eigen beweging bij me op schoot en sloeg haar armen om me heen. Het kon me niet schelen wat ze precies had gezegd; ze had eindelijk tegen me gesproken.

We huilden een paar minuten allebei om ons te bevrijden van het verdriet en de angst. Er werd op de deur geklopt, en ik wiste mijn tranen af en stommelde overeind om open te doen.

Het was Dee. Ze glimlachte meelevend naar me en hield een zak omhoog, afkomstig van een fastfoodketen volgens Amerikaanse formule. 'Ik weet het, erg gezond is het niet. Ik vermoedde dat je wel wat troosteten kon gebruiken.'

Normaal gesproken had ik een hekel aan fastfood. Maar de vette frituurlucht rook naar thuis, en dat was precies wat ik nodig had. Ik liet haar binnen en pakte een kaasburger uit de zak.

'Eva, wil je patat?' Ik hield een lang frietje met saus onder haar neus.

Haar ogen begonnen te glanzen zoals ik dat nog niet meegemaakt had. *'Mai dang lao!'*

Ik keek toe hoe ze erop kauwde. 'Geniet ervan, meisje. Thuis wacht je alleen fruit, groente en gezond volkoren.'

Ik nam een hap van mijn kaasburger en voelde me lekker schuldig. 'Dit heb ik niet verdiend, Dee. Ik heb het heel fout aangepakt, daarstraks in de hotellobby. Ik raakte in paniek.'

'Wie zou niet in paniek geraakt zijn?'

'En toen ik haar gevonden had, heb ik tegen haar geschreeuwd. Geschreeuwd!'

'Inderdaad. Je klonk net als een moeder. Een bezorgde, opgeluchte moeder.'

'Echt waar?'

'Absoluut.'

Hoe was dat opeens gekomen? Maar ze had gelijk, er was iets in mij ontwaakt: moedergevoel.

'En wanneer wordt het nou leuk?'

Dee glimlachte naar me en schudde haar hoofd. 'Geen idee. Dit was de langste en moeilijkste week van mijn hele leven.'

'Vertel mij wat.' Ik voelde wat gewetenswroeging. Ik was zo opgegaan in mijn eigen problemen met Eva dat ik niet echt op Dee had gelet. Terwijl ik at liet ik haar vertellen.

Toen we onze cholesterolbommen op hadden, strekte Dee zich uit op mijn bed. 'Zullen we gaan winkelen? Mijn moeder en Callie doen een dutje, en volgens mij moeten jullie er nodig uit. Ik verheug me al een poos op een bezoekje aan het winkeltje op de trap en Jennifer's boetiek en al die andere toeristengevallen in de buurt.'

'Wat vind je ervan, Eva? *Dao shang dian guang yi guang.*' Ik stak mijn hand naar haar uit.

Ditmaal nam ze hem aan.

Mijn verblijf in China was een ervaring die ik mijn leven lang niet zou vergeten. Flarden van herinneringen schieten me te binnen wanneer ik die het minst verwacht; collages van kleur en emotie. Een geur kan me terugvoeren naar de straten van Sjanghai, een uitdrukking op iemands gezicht naar Guangzhou.

Ik herinner me het winkeltje op de trap; een heel toepasselijke naam, want de winkelierster heeft de smalle trap tussen twee gebouwen omgevormd tot een winkel vol snuisterijen en souvenirs. Een Chinese vrouw met de Engels klinkende naam Sheri staat in de winkel. Ze zorgt ook als pleegmoeder voor Chinese weeskinderen.

Eén blik op Eva en haar ogen lichtten begrijpend op. Ze boog zich voorover om het beschilderde kokertje te bekijken dat Eva aan een koordje om haar nek had en liet mij het rode veertje zien dat erin zat.

'Dat is bijzonder,' zei ik. 'Ik heb net zo'n veer.' Ik viste het kleine tasje tevoorschijn waarin ik de mijne bewaarde. 'Kraanvogelveer. Brengt veel geluk,' zei Sheri. 'Wil je hem om je hals dragen, net als je dochter?'

'Graag.'

Ik kon niet wachten tot ik Eva zelf zou kunnen vragen waar ze die vogel en dat kokertje vandaan had. Ik had het aan Sheri kunnen vragen, maar ik wilde het verhaal zelf horen, uit de eerste hand en niet via een vertaler. Ik wachtte wel. Sheri vond een kokertje met een kraanvogel aan de binnenkant geschilderd. Er zat een kurk op en een klein haakje. We stopten mijn veertje erin en regen een lint door het haakje.

'Nu hebben we er allebei een.'

Eva lachte bijna, maar werd al snel weer ernstig.

Ik wierp een blik op Sheri en schudde mijn hoofd. 'Ze heeft het erg moeilijk.'

Sheri ging een paar treden hoger zitten dan waar Eva zat, zodat ze elkaar in de ogen konden kijken. Ze zei iets in het Chinees tegen haar, en Eva antwoordde met een woordenvloed waar ik jaloers op werd.

'Ze is verdrietig dat ze uit China weggaat en ook een beetje bang,' zei Sheri.

'Dat geloof ik graag. Zou ik ook zijn.'

'Kom eens mee?' vroeg ze met een gebaar naar ons allebei. We liepen achter haar aan naar een deurtje boven aan de trap. Aan de andere kant van de deur voerde een zoldertrap verder naar boven. Uiteindelijk bereikten we een opslagruimte. Sheri liep naar een van de hoeken en schoof een paar dozen opzij. Ze haalde een stoffige, bewerkte doos tevoorschijn en opende het deksel. Er lagen twee klankballen in.

'Weet je wat klankballen uit Baoding zijn?' vroeg ze. Ik knikte instemmend. 'Maar zoals deze heb je vast nooit gezien. Kijk maar.' Ze pakte er een uit de doos. Hij had een cloissonnépatroon van een draak in een bamboebosje. Op de andere was een vrouw geschilderd die naast een prachtige vaas onder de kersenbloesem zat. Sheri liet de ballen door haar vingers glijden tot ze het bekende galmende geluid produceerden. Toen ze haar hand stilhield, bleef de klank voortduren, totdat die aanzwol en veranderde in het geluid van een vrouw die een Chinees wiegeliedje zong. Ze liet de ballen weer rollen, en ditmaal hoorden we spelende en lachende kinderen. Na een derde handbeweging veranderde de klank in een branding en een melodie, gespeeld op een Chinese fluit. Eva keek gretig naar de ballen. Sheri deed ze weer in de doos en gaf die aan mij. 'Voor wanneer ze even naar China moet luisteren. Vind je dat goed?'

'Ja,' fluisterde ik. '*Xie xie.*'

Een andere herinnering die mijn gedachten vervult met de zachte gloed van een uitdovend haardvuur is aan de laatste avond van de reis. We sloten onze laatste dag in Guangzhou feestelijk af in het Hard Rock Café, de hele groep met de kinderen. We vierden Eva's verjaardag en ik gaf haar de bewerkte armband van jade die ik in Chicago voor haar had gezocht.

'Dit is voor jou. Gefeliciteerd. *Sheng ri quai le.*' Ik gaf haar het cadeau met beide handen en een formeel buiginkje. Ze zette grote ogen op en liet haar vinger bewonderend over het snijwerk gaan.

'*Xie xie,*' zei ze en ze schoof de armband om haar pols. Hij was natuurlijk te groot. Ze nam het koord met het kokertje van haar hals, peuterde de knoop los en hing de armband eraan. Daarna reikte ze hem aan mij om het koord weer vast te knopen. Ik legde er een stevige knoop in en deed de ketting weer om. Ze glimlachte naar me, voor het eerst.

Daarna dansten we, de kersverse ouders en hun kinderen, eindelijk ontspannen. Dit deel van de reis zat er bijna op, we stonden met één been in het Oosten en staken het andere al uit naar het Westen. We hadden veel meegemaakt samen, en er was een band tussen ons ontstaan. Of die zou beklijven wist ik niet, maar die avond voelden we ons een met elkaar. Het lukte me zelfs Eva over te halen om met me te dansen, en het duurde niet lang of ze zweefde in haar eentje over de dansvloer. Algauw maakte ze rare sprongen, samen met de andere kinderen. Er ging dus wel degelijk een onschuldig kind in haar schuil. Ik tilde haar op, nam haar op mijn heup en danste samen met haar; hoe moe we ook waren, hoe vreemd we nog voor elkaar waren, op dat moment durfde ik voor het eerst de hoop toe te laten dat we het zouden redden als gezin.

De terugvlucht was slopend. Terwijl Azië uit het zicht verdween, voelde ik een golf van opwinding: ik ging naar huis. Naar huis, naar Lewis. Eva staarde echter uren in gedachten uit het raampje. Ik kon me een beetje in haar verplaatsen. Twee weken geleden was het mij ongeveer ook zo vergaan, alleen wist ik dat ik weer terug zou gaan naar mijn vertrouwde omgeving. Zij moest aan een nieuwe omgeving wennen. Hopelijk konden wij haar daarbij helpen.

Toen we in San Francisco landden, omhelsde ik Eva en zei 'Ni shi Meiguoren' tegen haar: nu ben je Amerikaanse. Omdat de adoptie in China afgerond was, hoefde ze alleen maar voet op Amerikaanse bodem te zetten om automatisch het staatsburgerschap te krijgen. Ze zou alleen nog met een Chinees paspoort door de douane gaan, haar laatste daad als Chinese. Die gedachte maakte me vrolijk en verdrietig tegelijk. Ze moest veel van zichzelf prijsgeven om bij ons te zijn. Ik hoopte maar dat haar nieuwe leventje een beetje compenseerde wat ze was kwijtgeraakt.

De welkomstjurk die ik speciaal voor Eva had gekocht, heeft ze niet gedragen. Daar waren we veel te moe voor. We strompelden het vliegtuig uit, en omdat we in San Francisco al door de douane waren gegaan, konden we direct onze bagage afhalen. Ik verlangde naar mijn man, mijn bed en mijn douche; overigens niet per se in die volgorde.

We laveerden tussen de groepjes reizigers en geliefden die elkaar in de armen vielen door. Daar was hij dan. Hij zag er zo moe uit als ik me voelde. Geen wonder, hij had vrijwel onafgebroken aan het experiment gewerkt. Maar toen hij ons zag, begon hij te glimmen. Hij kwam op me af en een seconde later lag ik in zijn armen. Ik was te moe om te huilen, ontving zijn kus en genoot van de druk van zijn zachte lippen. Wat had ik hem gemist.

We weken uiteen en ik keek Eva aan. 'Zhe shi ni baba.' Dit is je papa. Ik had wekenlang op dat zinnetje geoefend. Maar nu was ik zo moe en zo gespannen dat ik erover struikelde. Gaf niet, ze begreep toch wel wie hij was.

Hij hurkte voor haar neer, een verwachtingsvolle blik in zijn ogen. Ze keek hem even aan, ging toen naar hem toe en vlijde haar hoofd tegen zijn schouder. Hij keek me met grote ogen aan. Een steek van jaloezie schoot door me heen. Tien afmattende dagen lang had ik geploeterd en gevochten en gebeden voor iets wat hem zo in de schoot geworpen werd. Wat had ik verkeerd gedaan?

Hij zat daar maar en keek een beetje geschrokken. Ik knikte naar hem en gebaarde dat hij haar omhelzen moest. Onhandig gaf hij haar een schouderklopje en wendde zijn gezicht zo dat hij op haar neer kon kijken. Ik zag dat hij haar geur opsnoof.

Ze sliep al bijna. Hij tilde haar op en ze liet zich slap tegen hem aan zakken. Ik pinkte een traan weg. Ik wilde dit moment niet bederven met mijn kinderachtige jaloezie. Toch deed het meer pijn dan ik had verwacht om hen zo samen te zien. Alsof de afgelopen weken niets betekend hadden.

Ik wist wel beter. Ook al zag ik de dingen niet helder meer na de lange reis, ik begreep heus wel dat Eva mij beschouwde als de Grote Gemene Buitenlander die haar ontvoerd had. Ze was boos op me, al kon ze dat niet onder woorden brengen. Die gedachte kon mijn tranen echter niet tegenhouden. Ik snikte. Lewis keek van het slapende kind in zijn armen naar mij. Voor het eerst sinds wij elkaar kenden was hij niet in staat me te troosten. Hij had zijn handen vol.

'Het spijt me,' fluisterde hij.

'Het is jouw schuld niet.' Ik wiste een paar tranen af.

Hij verplaatste haar naar één arm en trok me met de andere naar zich toe. Zoals we daar stonden zagen we eruit als een gezinnetje van drie personen. Een eenheid.

Niets was minder waar.

21

Meg Lindsay, april 2006

Gedurende de weken die volgden op onze aankomst uit China daalde Eva over mijn wereldje neer om alles met een stille pracht te bedekken, als een sneeuwbui die de vertrouwde omgeving onherkenbaar verandert. Het alledaagse dat automatisch aan me voorbijging en waar ik doorgaans nooit bij stilstond, maakte zij tot iets wonderlijks. De eerste keer dat ze met een vork at, haar ranke vingertjes, het zachte roze van haar onderlip: alles vond ik even adembenemend. De eerste keer dat ze enchilada's met zwarte bonen en kaas at, een recept van Lewis: slierten gesmolten kaas slingerden tussen haar bord en haar vork als kabels van een hangbrug tot ze ze giechelend rond haar vingers wikkelde en in haar mond stopte. Haar knuffels die ze allemaal op een rij op haar bed zette en vervolgens langzaam telde – *yi, ar, san, su, wu, liu, che, ba, jie, shi* – helemaal tot aan drieëntwintig, om zich daarna op haar hielen om te draaien, zich er middenin te laten vallen en ze allemaal in haar armen te nemen. En daarna zette ze ze weer op een rij, alsof ze niet kon geloven dat ze allemaal van haar waren.

Ze vond het heerlijk als ik altviool speelde. Als ik oefende, sleepte ze een kussen en deken uit mijn kamer en krulde zich op de grond op, haar duim in haar mond. Ik voelde me nooit geremd als ik naar haar keek en voor haar speelde. De muziek golfde op haar af, streek over haar haar, streelde haar wangen en kietelde haar in haar buik tot haar ogen begonnen te glimmen en haar lichaam baadde in een gouden glans. Eens, toen ik op een middag mijn vioolkist opendeed, kwam ze op me afgerend, met opgetogen gezicht.

'Muziek!' zei ze en ze klapte in haar handen. 'Muziek!'

Ze sprak met een zwaar accent en de klank werd verwrongen door haar hazenlip, maar ik verstond het toch. Ze mocht dan nog steeds verstarren wanneer ik haar wilde omhelzen, maar het eerste wat ze in het Engels zei gold iets wat ik deed. Mijn kunst, die haar plezier deed. Haar eerste woordjes in een nieuwe taal, voor mij.

Op die eerste woordjes volgden er meer. Elke dag vormde ze nieuwe zinnen, leerde ze nieuwe woorden. Maar die groei bracht ook een soort sterven met zich mee. We speelden vaak een spelletje: 'Wat is dat in het Chinees?' Na een maand wees ik daarbij op haar schoen.

'Wat is dat in het Chinees?'

Ze deed haar mond open om antwoord te geven, aarzelde, keek naar haar schoen en fronste haar wenkbrauwen. Ze stak haar voet omhoog, bewoog hem heen en weer en keek me ten slotte hoofdschuddend aan. 'Ik weet het niet.'

Ik wendde mijn gezicht af om mijn tranen te verbergen. Waarom kon ze alleen echt aarden in haar nieuwe leven als haar oude leventje daarvoor moest afsterven? Langzaam ontglipte haar iets bijzonder kostbaars. Zou ze ons dat ooit kwalijk nemen? Wat had ik op dat moment graag vloeiend Chinees gesproken. Ik nam me voor haar zo snel mogelijk naar een school te sturen waar ze ook Chinees spraken.

Het was niet allemaal geweldig. Ze had nog steeds last van hysterische buien en nachtmerries en was vaak onzeker en bang. Maar gedurende die weken drong haar energieke aanwezigheid in ons midden de schaduwen naar de achtergrond. We waren bijna constant samen, zij en ik. We lazen boeken, zongen liedjes, deden spelletjes. En we winkelden, snoepten, maakten tekeningen en vertelden verhalen.

Op een dag mocht ik zelfs haar hand vasthouden.

Een paar dagen later gaf ik haar een knuffel. Ze trok zich niet terug.

Ook al wilde ze me nog niet 'mama' noemen, ik kon merken dat ze langzaam haar hart voor ons opende en dat ze Lewis en mij daar binnenkort zou toelaten.

Uiteindelijk zou het 'gewone leven' weer aanbreken, toch? Aan de wittebroodsweken komt een eind. Het blijft geen Kerst. Maandag volgt altijd weer op zondag. Tijdens elke vakantie breekt het moment aan dat alle foto's genomen zijn, alle souvenirs gekocht, alle bezienswaardigheden bezocht. Dan is het tijd om naar huis te gaan. Zo gaat dat nu eenmaal.

We probeerden Eva voor te bereiden op haar eerste schooldag. We waren zelfs even samen naar het klaslokaal geweest en hadden de kleuterleidster ontmoet, een aardige, jonge zwarte vrouw met een glimlach, zo stralend als die van Venus als ze met de maan danst. Ik had gedacht dat Eva graag naar school wilde, maar ik bleek nog veel niet van mijn dochter te weten. Wat dat betreft was ik zelf nog een kleuter.

We waren vroeg bij de school. Eva zag er schattig uit in haar glanzende bruine broek en roze trui. Ik had hoge staartjes in haar haar gemaakt met oranje en roze linten erin. Het kostte me moeite om met mijn mond en handen uit haar buurt te blijven, zo graag had ik haar gezoend en geknuffeld. Ik hield nu al zo veel van haar dat ik er bijna bang van werd.

De kleuterleidster loodste ons het klaslokaal binnen en liet Eva zien waar ze haar jas kon ophangen en het lunchpakketje zolang kon opbergen dat ik de vorige avond met zo veel zorg had klaargemaakt. Haar naam stond op een van de tafeltjes. 'Eva Lindsay.' Ik voelde me even schuldig toen ik besefte dat haar Chinese naam er niet bij stond. Die hadden we als tweede naam aangehouden; ik had me voorgenomen om haar Zhen An te noemen. Maar ik dacht al zo lang aan haar als Eva, en telkens wanneer ik haar Chinese naam gebruikte, kwam er iets verdrietigs in haar ogen. Dus kozen we voor de weg van de minste weerstand en noemden haar alleen maar Eva. Ze leek dat aanvaard te hebben, maar toch voelde het niet goed; ik wílde gewoon ook graag dat ze Eva was. Ik wilde dat ze bij mij hoorde, wilde het voorrecht van een moeder die haar kind een naam geeft en blij is als het kind daarop reageert.

Het moment brak aan dat ik weg moest gaan, weglopen; het

was tijd om te beginnen met opgroeien, met loslaten. Nu al? Ik wilde nog even tijd rekken. Tenslotte had ik haar nog maar een paar weken voor mezelf gehad. Zou deze leerkracht, hoe vriendelijk ze ook leek, werkelijk begrijpen hoe bijzonder mijn dochter was? Zou ze al die minieme maar enorme vorderingen die Eva elke dag maakte, wel zien? Dat leek me onmogelijk. Nooit zou ze beseffen hoe kostbaar mijn uitzonderlijke meisje was.

En ik zou het allemaal missen.

Ik speelde met de gedachte het op te geven, Eva in mijn armen te nemen, terug te rennen naar onze flat en haar helemaal voor mezelf te houden. Maar dat zou niet goed zijn, voor ons allebei niet. Ik mocht haar niet in de weg staan, en ik wilde ook niet dat zij mij in de weg stond.

Stond zij me in de weg? Zo mocht ik niet deken. Dat was niet goed. Had moederschap niet met zelfopoffering te maken? Als ik mijn baan opgaf, kon ik haar bij me houden. Thuisonderwijs geven, zoiets. Maar de gedachte dat ik de muziek zou moeten opgeven was onverdraaglijk. Voor zo veel martelaarschap ontbrak mij de moed.

Vandaar dat ik haar een afscheidskus gaf en zei dat ik haar na schooltijd zou opwachten. Ik draaide me om, vastbesloten mijn tranen binnen te houden tot ik het gebouw uit was.

'Niet weggaan!' jammerde een klein stemmetje fluisterend. Daarna zwol het aan tot een smeekbede. 'Mamaaaaa! Niet weggaan.'

Ik draaide me abrupt om. Had ze dat echt gezegd? Een grote vreugde overspoelde me en benam me de adem. Ik rende naar haar toe, hurkte naast haar en trok haar in mijn armen. Ze wierp haar armen om mij heen en klemde zich aan me vast.

'Rustig maar. Mama is zo weer terug. Straks, na schooltijd.'

Ze had 'mama' tegen me gezegd! Ik gaf haar nog een kus en duwde mezelf overeind. Ze greep mijn jas vast.

'Nee! Niet weggaan. Ik wil niet hier blijven.'

'Eva, liefje, ik moet wel. Mama moet naar haar werk. Het komt wel goed, juf Jacobs is hier. Het wordt vast een leuke dag. Vanmiddag moet je me er alles over vertellen, goed?'

Ik deed een stap achteruit, maar een kolkende woede en enorme angst leken haar te verzengen. Ze gilde en klemde haar armen om mijn benen. Ze smeekte me in een mengeling van Engels en Chinees om niet weg te gaan.

Ik tilde haar op en omhelsde haar. Door een waas van tranen zag ik haar onderwijzer ons medelijdend aankijken. Ondertussen kwamen er andere kinderen aan. Geluiden van afwachtend geroezemoes en het gebrul van mijn dochter vulden het klaslokaal.

De juf pakte Eva bij de hand. 'Hé, Eva, wil jij misschien ons konijn voeren? Hij heet Langoor en hij is heel zacht.' Eva trok zich los, schudde haar hoofd en begon nog harder te huilen. De juf keek bezorgd. 'Mevrouw Lindsay, u kunt haar beter neerzetten en snel weggaan. Zodra u weg bent, kalmeert ze wel.'

Even zag ik Yang Hua in gedachten haastig het pand in Sjanghai verlaten. Mijn maag draaide zich om. 'Dat lijkt me geen goed idee. De vorige keer dat iemand er snel vandoor ging, was toen haar pleegmoeder haar overdroeg. Het duurde weken voor ze dat had verwerkt en ik haar vertrouwen gewonnen had. Ik kan haar beter weer meenemen en het morgen nog eens proberen.'

Ze was het er duidelijk niet mee eens. Ze haalde aarzelend haar schouders op en zei dat dat goed was. Ze haalde Eva's jas en lunchpakketje en groette haar gemaakt vrolijk. 'Tot morgen, hè, Eva?'

Eva weigerde haar aan te kijken. Ze drukte zich tegen me aan en sjokte naar de deur. Totdat we onze flat bereikten bleven de snikken door haar lijfje schokken.

Ik zou te laat komen op de orkestrepetitie, de eerste dag na mijn verlof. En wat moest ik met Eva beginnen? Ik zag haar weer voor me zoals ze vaak op de grond lag te luisteren als ik oefende.

'Eva, ga je kussen en deken maar halen, lieverd.'

Er zat niets anders op, ik moest haar wel meenemen. Alleen vandaag. Voor één keertje. Morgen regelden we dat wel met de kleuterschool.

'En, hoe was je eerste werkdag?' vroeg Lewis zodra hij die avond thuiskwam en me een zoen gaf.

'Dat wil je niet weten.' Ik wierp een blik in de richting van Eva's slaapkamer. De deur was dicht en het was er stil. Ze zou wel slapen. In ieder geval was een van ons niet de hele avond moe en chagrijnig. Ik liep de keuken in, smeet een pan op het fornuis en goot er wat olijfolie in.

'Ging het zo lekker? Maak je geen zorgen, je zit zo weer in het ritme, zeker weten.'

'Nou, als je daar zo zeker van bent, waarom breng jij haar morgen dan niet naar de kleuterschool? Dan zullen we wel eens zien. Of nog beter: als ze weer zo'n stennis trapt als in Sjanghai en begint met gillen en schoppen, neem jij haar dan maar mee naar jouw werk, eens kijken of jij ook zo snel weer in je ritme zit.'

Hij staarde me met open mond aan. 'Heeft ze dat gedaan?'

'Ja!' Ik mikte twee courgettes op een snijplank en joeg er vervolgens zo snel een mes doorheen dat Lewis achteruit deinsde. 'Dus ik heb haar maar meegenomen naar de repetitie. Iedereen vond het leuk haar te zien, tot er één onafgebroken reeks van vragen begon: "Ik moet plassen", "Ik verveel me" en "Wat is dat?" Ik had een tas met speelgoed meegenomen, maar daar was ze met een kwartier al op uitgekeken! De dirigent heeft me uiteindelijk vroeger naar huis gestuurd omdat ze voor te veel afleiding zorgde.'

'Wat naar.'

Ik gooide de stukjes courgette in de pan. 'Vond ik ook. Een blamage zelfs, heel onprofessioneel. Volgens mij ergerde Li Shu zich behoorlijk. Ze zei amper gedag tegen Eva en heeft de hele dag vrijwel niets tegen mij gezegd. Volgens mij vinden Chinezen het ongepast als je een kind meeneemt naar je werk. Ze denkt vast dat ik over de schreef ging.'

'Maar wat had je dan moeten doen? Ik denk dat je er goed aan hebt gedaan dat je haar niet hebt gedwongen op school te blijven. Wie weet hoe traumatisch dat voor haar moet zijn.'

Ik griste een tomaat naar me toe en hakte hem fijn. 'Dank

je. Als ik straks ontslagen word omdat ik te laat op de repetities verschijn en mijn kind meeneem, is het een hele troost dat jij het met me eens bent.'

'Hé, waarom doe je zo sarcastisch? Heb ik iets verkeerd gedaan?'

Ik draaide me naar hem om, het mes opgeheven. 'Je hebt helemaal niks gedaan. Dat is het nou juist! Ik moest alles alleen regelen.'

'Wat had ik dan kunnen doen? Mijn les onderbreken? Haar meenemen? Ik ben niet zo flexibel als jij.'

'Dus jij vindt dat ik flexibeler ben omdat het maar een baan bij het orkest is? Of omdat het "maar" een repetitie is? Of omdat het geen baan van veertig uur per week is? En als ik vandaag nou een uitvoering had gehad, wat had ik dan moeten doen?' Ik hakte een teen knoflook en een paar wortels fijn en smeet ze in de pan.

'Je had geen uitvoering. En dit is gewoon de eerste dag. Ik begrijp niet waarom je nou boos op mij bent.'

Ik sloeg met mijn handen op het aanrecht en liet mijn volle gewicht erop leunen. 'Ik sta er alleen voor. Je hebt één week vrij genomen toen we uit China aankwamen, maar sindsdien bekommer ik me alleen om Eva. Zelfs als je thuis bent. Ik kleed haar aan, ik word wakker als ze een nachtmerrie heeft, ik geef haar eten en lees een verhaaltje voor het slapengaan. Het lijkt wel alsof ik een alleenstaande moeder ben, behalve dat ze toch telkens alleen naar jou wil. En meestal ben je er dan niet eens.'

Hij keek me zwijgend aan en ik schaamde me. Dat was niet eerlijk.

'Ik zei toch dat het zo zou gaan. Ik heb je gewaarschuwd. Het is niet zo dat ik me expres afzijdig houd.'

Hij streek met beide handen door zijn haar en zag er plotseling tegelijkertijd jong en oud uit. Voordat ik antwoord kon geven, ging zijn mobieltje.

Terwijl hij in de woonkamer het telefoongesprek aannam, probeerde ik te bedenken wat ik eigenlijk aan het koken was. Het leek een behoorlijk roerbakgerecht te worden, ook al was ik aan het hakken geslagen om me af te reageren en niet om een maaltijd te bereiden.

Dit gesprek met Lewis was nog niet klaar. Hij moest en zou inzien dat we hem nodig hadden.

Ik hield op met snijden.

Wie hield ik voor de gek? Lewis was het probleem niet, maar ik.

Ik was gewoon boos omdat Eva en Lewis zo'n fijne band hadden terwijl ik alleen de moederplichten kreeg zonder er genegenheid voor terug te krijgen.

Waarom beantwoordde Eva mijn liefde voor haar niet? Waarom wilde ze alleen maar Lewis? Waarom wilde ze mij niet?

Ik hakte een stronk broccoli in tweeën. Het mes maakte een prettig geluid op het hakblok.

Ze deinsde niet meer terug. En ze had me vandaag 'mama' genoemd. Was dat geen begin? Was ik niet te egoïstisch? Te ongeduldig? Ik moest haar de tijd gunnen.

Wat ik wilde en nodig had, was niet het belangrijkste. Dat was zo bij mijn moeder. Ik zou het toch anders doen?

Ik las mezelf nog een poosje de les tot ik tot bezinning was gekomen. Lewis was nog steeds aan het bellen. Ik legde mijn hakmes neer, pakte een handdoek en veegde mijn handen af terwijl ik naar hem toe ging.

Hij zat op de bank in de woonkamer, voorovergebogen, ellebogen op de knieën. Hij draaide met een hand krulletjes in zijn haar. Zijn stem klonk vlak, gespannen, beheerst. 'Ja. Oké. Nee, dat is geen probleem. Ik krijg wel rouwverlof van de universiteit.'

Rouw? 'Lewis?'

Hij keek naar me op; zijn gezicht stond strak. '*Pa,*' zei hij geluidloos.

Ik sloot mijn ogen en haalde diep adem. De band tussen Lewis en zijn vader was nooit hecht geweest, maar ik wist uit eigen ervaring dat het verlangen daarnaar nooit ophoudt. De wetenschap dat die wens niet meer in vervulling gaat, dat er definitief geen kans meer bestaat dat de verhouding goed wordt, hoe ijdel die hoop ook is, is extra verdrietig.

Lewis mompelde nog wat en klapte toen zijn mobieltje dicht. Hij kwam niet overeind maar bleef voorovergebogen zitten spelen met zijn mobieltje. Ik ging naast hem zitten, sloeg mijn arm om zijn schouder en wachtte af.

'Pa is overleden…' zei hij ten slotte. 'Hartaanval, vanmiddag. Hij was al weg voor ze hem naar het ziekenhuis konden brengen.'

'Wat erg.' Ik kuste zijn schouder door zijn overhemd heen en liet me tegen hem aan zakken.

'Hij was er nooit voor mij. En nu was ik er niet voor hem.'

Nooit eerder had ik hem zo monotoon horen praten. Natuurlijk kwam dat door de schok, maar toch vond ik het eng.

Ik boog me naar hem over en begon langzaam troostend zijn armen te strelen. 'Daar kon je niets aan doen. Ik vind het heel erg voor je, lieverd, heel erg.'

'Wat is er met papa? Papa verdrietig?' Eva stond achter ons, met een slaperige en bezorgde blik in haar ogen.

Ik strekte mijn armen naar haar uit. 'Ja, je papa is heel verdrietig vandaag. Zijn papa is doodgegaan.'

Ze ging in de ruimte tussen Lewis en mij staan en nam Lewis' gezicht in haar handen.

'Waar is je mama?'

Het gezicht van Lewis stond zo strak dat ik vreesde dat het zou barsten.

'De mama van papa is er ook niet.' Ik sloeg mijn arm om haar middel.

'Nu ben ik eigenlijk een weeskind. Net als jij, Eva-meisje.'

Ze tilde zijn gezicht op zodat hij haar aan moest kijken. 'Wij geen weeskind, papa. Wij hebben elkaar.'

'En mama,' voegde Lewis eraan toe.

Hij trok haar dicht tegen zich aan, en weer was ik jaloers op de band tussen hen die elke dag hechter werd. Tegelijkertijd was ik er deze avond blij om. Hij had het zo nodig. Hij droeg haar naar haar kamer en fluisterde haar iets in het oor waar ze om moest giechelen.

Die nacht, toen we al uren in bed lagen, werd ik wakker van onderdrukte, schorre snikken. Het is akelig een man te horen huilen. Rauw, ongemakkelijk en altijd heel hevig; wanneer het eindelijk losbarst na jaren wegstoppen is het naar en hartverscheurend.

Ik bood hem mijn hele lichaam aan in een omhelzing. Hij nam het aanbod aan, klampte zich aan me vast, haalde zijn handen door mijn haar en brandde gaten in mijn T-shirt met zijn tranen.

'Het spijt me,' kreunde hij. 'Het spijt me dat ik je in de steek heb gelaten vandaag. Jullie allebei.'

Ik omstrengelde hem en probeerde zijn verdriet in mijn lichaam op te nemen. 'Dat was verkeerd van me, vanavond. Ik had dat allemaal niet moeten zeggen. Jij bent hier. En wij zijn hier. We zijn er voor elkaar, en wij gaan het anders doen. We laten elkaar niet los, wat er ook gebeurt, dat beloof ik je.'

22

Soms hoorde ik haar huilen, midden op de dag. Mijn *mei mei*. Tranen van angst in de nacht om te ontsnappen aan het duister in haar hoofd. Ik voelde haar tranen op mijn huid en haar rillingen in mijn borst. Dat ik dergelijke dingen voelde, verbaasde me niet. Ik was toch haar *jie jie?*

Haar nieuwe 'moeder' zou nooit kunnen voelen wat er in Zhen Ans hart en hoofd omging. Haar nieuwe 'moeder' zou er niet in slagen haar te troosten. Haar nieuwe 'moeder' zou op een dag beseffen dat Zhen An alleen van mij hield omdat haar hart in het mijne besloten zat, zodat zelfs de sterkste Amerikaan ons niet van elkaar zou kunnen scheiden.

Trouwens, wat wist een moeder van angst in de nacht, van het verlangen die weg te nemen en van de woede die je overvalt wanneer je een stap opzij moet zetten en niets mag doen voor een geliefd kind?

Een moeder? Wat een onzin. Had een moeder Zhen An ge-wiegd wanneer ze verdrietig of bang was? Had een moeder de andere kinderen gezegd dat ze Zhen An niet mochten plagen met haar mond? Had een moeder Zhen An in haar hart opgeslo-ten en alle pijn en alle vreugde met haar gedeeld?

Nee, dat was ik geweest; Wen Ming, haar *jie jie*. Degene die geen moeder nodig had. Die' een betere moeder was dan die van ons allebei. Ik was niet weggegaan. Ik had mijn kind niet verstoten.

En nu waren mijn armen leeg en voelde mijn ziel aan als een dreigende regenbui.

Niemand begreep het. Ze vonden dat ik maar gewoon moest

lachen en vrolijk zijn. Ze zeiden dat ik dankbaar moest zijn omdat ik pleegouders had. Dat ik naar school kon, ondanks mijn slechte ogen. Omdat ik zo slim was.

Maar ik wilde helemaal niet slim zijn. Of vrolijk. Of dankbaar. Ik wilde dreunen als het onweer en beuken als een stortbui. Ik wilde de aarde openrijten met een bliksemschicht en alle moeders van heel Amerika verzwelgen in een groene stortvloed.

'Wen Ming,' zei oom Zhou op een keer na het eten. De regen kletterde tegen de ramen zodat de ruiten trilden. De hoge flat waarin we woonden leek heen en weer te zwaaien in de wind. 'We moeten het eens over je schoolprestaties hebben.'

Ik plukte een droge rijstkorrel van tafel. 'Dat wil ik niet.'

'Wen Ming!' zei tante Yang verwijtend. Ik schaamde me. Je moest je ouders respecteren, ook al waren het maar pleegouders.

Maar schaamte kon het onweer vanbinnen niet het zwijgen opleggen.

'Je cijfers voor rekenen zijn niet best. Je bent zo'n goede leerling; is er iets aan de hand?' Oom Zhou vroeg het op geduldige en vriendelijke toon, ook al was ik onbeleefd geweest.

'Ik houd niet van rekenen.'

'Dat is toch geen reden?' zei tante Yang. Ze klonk al net zo geduldig.

Ik wilde geen geduld. Ik wilde geen vriendelijkheid. Ik wilde storm en lawaai en geraas en geschreeuw, net als de chaos binnen in mij. 'Ik wil niet met jullie over rekenen praten. Jullie zijn mijn ouders niet.'

Een enorme stilte volgde. Oom Zhou sprak als eerste. 'Wij zijn je pleegouders.'

Het onweer barstte los. Ik sprong overeind en schoof mijn stoel naar achteren. 'Niet mijn echte ouders! Ik hoef niet naar jullie te luisteren. En ook niet met jullie over rekenen te praten.'

'Zo praat je toch niet tegen ons, zo onbeleefd?' Tante Yang was ook opgestaan.

Ik rende luid grommend naar mijn kamer en sloeg de deur achter me dicht. Ik liet mijn hoofd tegen het raam rusten zodat mijn gezicht kon afkoelen tegen het vochtige, koele glas.

Na een paar minuten ging de deur open. 'Wil je dat ze je adopteren? Ben je daarom zo boos en zo verdrietig?' Tante Yang klonk vriendelijk, maar koel. Het bed kraakte en ik begreep dat ze was gaan zitten.

Ik keek in de richting van haar stem. De mijne voelde scherp aan, als een regenvlaag. 'Nee. Als ik groot ben, word ik directrice van het kindertehuis. En dan mogen alle weeskinderen ter wereld er komen wonen en dan houd ik van hen allemaal. En niemand wordt ooit geadopteerd. Ik houd ze allemaal bij me en ik stuur nooit iemand weg.'

'Mijn vogeltje toch.'

Het medelijden en de droefheid in haar stem maakten me razend. 'Ik ben je vogeltje niet. Ik ben niemands vogeltje.'

Ze zuchtte. Het bed kraakte weer en ik hoorde haar door de kamer lopen. 'Goed dan. Welterusten, Wen Ming.' Ze deed de deur zachtjes dicht.

Ik wierp mezelf op mijn bed en beukte op het kussen met mijn vuisten. Toen ik daar te moe voor was, krulde ik mij zo klein mogelijk op en deed alsof mijn kussen mijn kleine zusje was die naast me sliep. Ik vroeg me af of zij ook kon voelen hoe zeer mijn hart deed. Of zou ik dat helemaal alleen voelen?

23

Meg Lindsay, juli 2006

Ik had niet werkelijk verwacht dat Yang Hua contact op zou nemen. Ik had haar mijn telefoonnummer gegeven vanuit een plotseling schuldgevoel omdat ik het kind adopteerde waar zij zo veel om gaf. Gedurende de maanden nadat Eva bij ons was gekomen, had ik eerlijk gezegd nauwelijks meer gedacht aan die vrouw met haar vriendelijke gezicht die een jaar lang zo vol toewijding voor haar had gezorgd. Ik hield mezelf voor dat zij de draad wel had opgepakt, de zorg voor andere pleegkinderen op zich had genomen of eindelijk een eigen kind zou krijgen.

Ze belde op een zondagmorgen toen we op het punt stonden te gaan picknicken. 'Mevrouw Lindsay? Yang Hua hier, de pleegmoeder van uw dochter uit China.'

Ik hakkelde een groet, waarop een ongemakkelijke stilte volgde. Eva zat in de woonkamer naar een film te kijken. Ik glipte de studeerkamer in en sloot zachtjes de deur.

'Hoe gaat het met Zhen An?'

Haar mistroostige toon ontging me niet. 'Het gaat prima met Eva. Goed. Geweldig.' En ze was van mij, had ik eraan toe willen voegen, ook al wist ik dat dat niet nodig was.

'En haar mond?'

'Prima. Ze heeft een maand geleden een schisisoperatie gehad.'

'Ik begrijp het niet.'

'Operatie. Van haar bovenlip.'

'O! Dan zal ik niet storen.'

'Nee hoor, dat was al een maand geleden. Het gaat goed met haar.'

'Fijn. Het spijt me dat ik het moet vragen, maar ik bel voor mijn andere pleegkind. Wen Ming.'

Ach, ja, haar beste vriendin. Ik wachtte tot ze verderging.

'Wen Ming mist Zhen An heel erg.'

Eva. Ze heette tegenwoordig Eva. 'Eva heeft het weleens over Wen Ming. Ze gaf veel om haar.' Waarom koos ik voor de verleden tijd?

'Wen Ming heeft het moeilijk. Het gaat niet goed op school. Het spijt me jullie lastig te vallen, maar ik wilde vragen of het goed is als Wen Ming en Zhen... E-va mogen schrijven. Bellen is heel duur, maar misschien af en toe. E-mail kan ook.'

Had ik dit niet zien aankomen toen ik haar mijn gegevens gaf? Niet dat ik er ernstige bezwaren tegen had, maar Eva leek net een beetje aan haar nieuwe leventje gewend te raken. Ik wilde op dit moment liever niet te veel contact met vroeger.

'Eva is al veel Chinese woorden vergeten. En ze kan natuurlijk geen Chinees schrijven. Hoe zou dat met e-mail moeten?'

'Mijn man spreekt goed Engels. Hij zal voor Wen Ming schrijven en de e-mails van E-va voor haar vertalen. Alsjeblieft? Wen Ming... ze heeft haar *mei mei* nodig.'

Ik wilde haar liever voor mezelf houden. Zou dit geen kwaad kunnen voor Eva's band met mij? Als ze telkens weer bij haar pleeggezin kon aankloppen, hoe kreeg ik haar dan ooit zo ver dat ze ons als haar echte familie ging zien?

Juist toen ik nee wilde zeggen, duwde Eva de deur open, de klankballen in haar handen. 'Mama, hoor eens?'

Ze liet de ballen tussen haar vingers rollen en ik hoorde een kind huilen. Ik had het idee dat ik haar eerder had gehoord.

'Dit is Wen Ming. Ze heeft mij nodig. Mag ik haar een brief schrijven?'

Ik liet mijn schouders hangen. Was het erg egoïstisch van me om te wensen dat Eva zich om mijn behoeften bekommerde? Die vraag durfde ik niet te beantwoorden. Ik gebaarde dat Eva de kamer uit moest, want ik wilde niet dat ze wist wie ik aan de lijn had. Ik had tijd nodig om aan het idee te wennen. 'Yang Hua? Ja.

Ze mogen wat ons betreft wel e-mailen en bellen.'

'Hartelijk dank, mevrouw Lindsay.'

Het was wat ongewoon om niet naar de kerk te gaan, maar anderhalf uur in de auto te zitten, op weg naar de jaarlijkse picknick op Onafhankelijkheidsdag die georganiseerd werd door de Vereniging voor ouders met Chinese kinderen. Ik had mijn belofte aan Lewis gehouden en had een andere kerk gezocht waar Eva en ik ons thuis voelden. Ik miste de mensen uit mijn oude gemeente niet zo erg als ik had verwacht. In ieder geval hoefde ik nu Adam en Beth niet elke week te zien, en de onaangename kilte van mijn ouders miste ik ook niet. Ze waren boos op me dat ik overgestapt was, maar ik had in het verleden al zo veel verwijten moeten incasseren dat hun afwijzingen me steeds minder deden. Wat maakte het ook uit, hield ik mezelf voor. Ik had nu Eva.

'Zijn er echt andere Chinese kinderen?' We hadden Eva in haar kinderzitje vastgegespt, maar ze had zich losgemaakt en wipte nu op de rand van de achterbank en stak haar hoofd tussen Lewis en mij naar voren als een poppenkastpop die over de rand kwam kijken.

'Als ik het goed heb,' zei ik, 'dan zijn er meer kinderen dan jij ooit bij elkaar hebt gezien. Meer dan in het weeshuis.' Er zouden ook meer ouders zijn, meer mensen die begrepen wat wij meemaakten, die hetzelfde hadden doorgemaakt als wij en dat nu achter zich hadden. We waren alle drie aan zulke contacten toe. Niet dat onze vrienden ons niet begrepen en steunden, maar zij voelden nu eenmaal niet alles aan wat bij een adoptie kwam kijken, hoe ze ook hun best deden.

Eva's vrolijke bui ebde weg en ik schrok. Zou ze van streek zijn omdat ik over het weeshuis begonnen was?

'Mijn litteken is heel lelijk.' Ze streek langs haar mond waar een glimmend roze litteken de plaats aangaf waar ze vorige maand geopereerd was.

Haar opmerking was een hele opluchting. Als ze onzeker was over haar uiterlijk, dan kon ik haar wel helpen. 'Je litteken is al een heel stuk lichter geworden, en je lip ziet er veel mooier uit dan vroeger. Je praat ook al veel beter.'

'Maar straks pesten ze me. Misschien noemen ze me wel...' Ze fronste haar wenkbrauwen. 'Noemen ze me... hoe heet het ook alweer. In China zeg je "monster", maar ik ben het vergeten.'

'Werd je in China door kinderen geplaagd?' Lewis kneep zijn ogen tot messcherpe spleetjes.

'Niet in het weeshuis. Op een feest met de familie van mijn pleegouders.'

Ik draaide me om en wilde naar haar glimlachen, maar de tranen sijpelden uit mijn ogen als door een afvoerpijp. Niemand mag een kind ooit een monster noemen. 'Luister eens goed naar me, juffrouw Eva Zhen An Lindsay. Jij bent een heel mooi meisje, litteken of niet. Trouwens, er zijn straks vast wel meer kinderen bij wie een hazenlip is geopereerd. Je bent niet de enige.'

Ze begon weer te wippen en er verscheen een glimlach op haar gezicht. Ik grijnsde naar Lewis. Ik begon goed te worden in dat moedergedoe.

Toen we bij het park aankwamen, stapte Eva uit de auto en keek bezorgd naar de donkere lucht. 'Straks gaat het nog regenen. Net als ik voor het eerst ga picknicken.'

'Vast niet. Dat durft het weer niet. Ik wilde een arm om haar schouders leggen, maar ze ontweek mijn greep. 'Als het toch gaat regenen, zeggen we gewoon: *Regen, regen, ga toch weg, kom maar terug als ik het zeg.*'

Ik moest het rijmpje herhalen en daarna zong ze het huppelend rond de auto terwijl Lewis en ik de picknickspullen uitlaadden.

Zo zou je kindertijd moeten zijn. Gekke liedjes zingen, huppelen, je enige zorg of het zal regenen tijdens de picknick. Hiernaar had ik verlangd; dat ik haar zo'n onbezorgde, onschuldige jeugd kon geven. En dat deed ik ook. Precies zoals ik dat altijd zelf gewild had. Niemand die haar zei dat ze niet goed huppelde, dat ze de r niet goed uitsprak, dat er wat zou zwaaien wanneer ze met modder aan haar schoenen aankwam.

Alleen Lewis en ik, die toegeeflijk, geduldig en begripvol naar

193

haar keken en van haar genoten, zoals het hoorde.

In de lucht pakten donkere wolken zich samen. *Regen, regen, ga toch weg.*

We sjokten met onze picknickspullen naar het prieel waar de leden van de vereniging elkaar zouden treffen. Een bruisende, roezemoezende menigte spreidde zich voor ons oog uit. Overal rennende kinderen. Hun ouders stonden in groepjes bij elkaar als koeien bij een beek in de namiddag of ze waren druk bezig als een soort herdershonden hun kroost te verzamelen.

Ergens in deze vrij chaotische massa was er plaats voor mij. Ik wist het zeker. Ik keek in het rond, zonder werkelijk te weten waar ik naar zocht.

Op dat moment zoemde een libel met vleugels van feeënstof langs mijn oor. Hij vloog rond mijn hoofd en ging toen op de mensenmenigte af. Ik volgde zijn grillige vlucht, hoe hij glanzend als kristallen zeeschuim zijn weg zocht om plotseling boven een van de gezinnetjes te blijven zweven. Ze hadden met een rood-oranje plastic tafelkleed en een paarse deken een plek afgebakend onder een overhangende eikenboom. Ik bestudeerde de moeder. Ze had kort, zwart stekelhaar en droeg een strakke spijkerbroek en T-shirt, wat ze goed kon hebben. Een gulle lach. Ze bewoog zich losjes en zorgeloos, als op het ritme van een jazznummer dat met zijn jachtige cadans toch verkoeling brengt tijdens een klamme namiddag. De libel cirkelde drie keer om het gezin heen en schoot toen als een pijl uit een boog terug naar mij om vervolgens te verdwijnen in de richting van het wolkendek.

Ik wees naar de mensen onder de eik. 'Laten we ernaartoe gaan.'

Daarop volgden de plichtplegingen. Hebben jullie er bezwaar tegen als we bij jullie komen zitten? Natuurlijk niet! Wij zijn Lewis en Meg Lindsay en dit is onze dochter Eva. En toen zeiden zij dat ze Bree en Jordan Cayhill heetten. Aangenaam.

Naam en beroep, uit welke stad, hoe ging het met de adoptie? Al die kleine poortjes waar je doorheen moet en al die bruggetjes die je moet oversteken om als volwassene kennis te maken. Ik sprong zonder aarzelen over elke horde in het besef dat ik zou terugdeinzen en niet verder zou durven wanneer ik te lang stilstond om na te denken.

Ondertussen hadden Eva en de kinderen van Bree en Jordan, twee geadopteerde Chinese meisjes en hun twee zoons, de formaliteiten overgeslagen, zoals kinderen dat nu eenmaal doen, en waren aan het voetballen. Wanneer was het moeilijk geworden om contact te maken met anderen? Waarom kon ik niet net als die kinderen gewoon een vriendschap aanknopen, als kinderspel?

Een beetje geduld, zei ik tegen mezelf. Niet zo krampachtig.

Lewis ging de rest van onze picknickspullen uit de auto halen en Jordan liep met een van zijn zoons naar de wc. Bree haalde een fles tevoorschijn waar een troebele, rode drank in zat en schroefde de dop eraf. 'Wil je ook wat? Dit is *komboecha*, gefermenteerde thee. Absoluut vers en biologisch. Supergezond.'

Ik vond gezonde voeding best belangrijk, maar had nog nooit van gefermenteerde thee gehoord. Natuurlijk kon ik zo'n vriendelijk gebaar niet afwijzen, dus ik nam de fles van haar aan en rook aan het vreemde drankje.

'Probeer het maar. Er zit bosbessen- en açaisap in. Gezonder kan niet.'

Ik nam een slokje. Het smaakte friszuur en schuimde als een champagnecocktail. 'Dank je.'

'Ze lijken het goed met elkaar te vinden, kijk nou toch.' Bree gebaarde met haar flesje naar de kinderen. Onze kinderen. Ze leunde op een elleboog en walste de *komboecha* met haar andere hand rond.

'Als je naar hen kijkt, lijkt het zo eenvoudig.'

'Wat?'

'Vriendschap sluiten.'

Onze blikken kruisten elkaar en we wisselden een blik van verstandhouding. Ik trok mijn onderlip in en beet er even op. Daarna glimlachte ik naar haar.

Eva en het oudste dochtertje van Bree, Jolie, kwamen naar onze picknickplek toe, de armen om elkaars schouders geslagen. 'Wij zijn even oud!' gilde Eva, terwijl ze toch al vlak bij me was.

'En we zijn net prinsessen!' Jolie, net iets groter, nam Eva's middel beet en probeerde haar op te tillen. Ze tuimelden achterover en ik sprong overeind, maar ze hadden hun evenwicht al hervonden. Ze draaiden zich om alsof ze een Siamese tweeling waren en strompelden terug naar de andere kinderen.

Ik liet me op de grond zakken, alsof mijn gêne me naar beneden trok. Bree grijnsde me toe. Ze had zich geen millimeter verroerd. 'Wacht maar, na een poosje ben je niet meer zo schrikkerig.'

De twee meiden raceten achter elkaar aan; een spelletje tikkertje dat nog geen tien seconden duurde. Daarna lieten ze zich giechelend en fluisterend op de grond vallen. Ik voelde een vurige hoop in mijn ogen prikken. Dit was precies wat ik wilde voor Eva. En waar ik zelf naar verlangde.

Eva had een vriendin nodig. Iemand die ze graag mocht zodat ze niet meer zo aan Wen Ming gehecht was. Ze hoefde Wen Ming niet te vergeten, maar zij was nu zo belangrijk voor Eva dat het me aan haagwinde deed denken; mooi, maar een verstikkende plant die binnen een paar weken je hele tuin overwoekert. Eva had een eigen leven nodig, los van dat meisje in China. Jolie kon weleens een uitkomst zijn.

Onze mannen kwamen er weer aan en we riepen de kinderen terug voor het eten. De familie Cayhill at vegetarisch, maar was toch onder de indruk van onze luxe maar gezonde lunch. Ik vertelde hun maar niet dat onze maaltijden doorgaans heel simpel waren en dat ik ditmaal extra mijn best had gedaan zodat iedereen zou zien dat ik een goede moeder was.

Lewis en Jordan, die elektrotechnisch ingenieur was, hadden elkaar gevonden: ze voerden een onbegrijpelijk gesprek over de morele implicaties van nanomachines. Wat dat ook waren.

Bree kneep haar ogen dicht en lachte doortrapt. 'Is het niet geweldig om met een nerd getrouwd te zijn?'

'Hé, dat hoorde ik.' Jordan gooide een blad naar zijn vrouw.

'Dan heb je toch ook gehoord dat ik zei dat dat *geweldig* was?' Ze boog zich naar hem toe, sloeg haar armen om zijn nek en kuste hem.

Ik liet me tegen de boom zakken en sloeg mijn armen om mijn knieën. Wat was dit goed. Zo zou het leven moeten zijn. Misschien was dit mijn plek.

Na het eten smeekten de kinderen of ze bij het meer mochten spelen. Ik keek even naar Lewis. Hij haalde zijn schouders op. Ik pakte Eva's handen vast en keek haar strak aan. 'Je mag met de andere kinderen mee, maar blijf uit de buurt van het water, goed?'

'Goed.'

Ze schoten ervandoor en losten al snel op tussen de andere kinderen. Ergens deed het me zeer haar te zien vertrekken. Ze werd zo snel groot en ik had al zo veel gemist. Ik had zelf nooit een baby gewild, maar op dat moment had ik graag met een handbeweging de tijd willen terugdraaien tot ze een dreumes was en in mijn armen sliep. Ik was er graag bij geweest toen ze haar eerste tandje kreeg, de eerste keer naar de kapper moest, haar eerste stapjes zette en al die andere mijlpalen in de tijd die aangeven hoe geliefd en gewaardeerd dit kind is.

Twee andere stellen sloten zich bij ons aan en het gesprek kwam op adopteren. We wisselden reisverhalen uit en vertelden elkaar over al die onbeleefde, belachelijke en bizarre opmerkingen die we over onze kinderen te horen kregen.

'Mijn grootmoeder zei dat we pas een kind van een ander hadden moeten adopteren nadat we zelf kinderen hadden,' zei Lewis.

Ik had net iets tegen Bree willen fluisteren, maar Lewis' woorden trokken onmiddellijk mijn aandacht.

'Wanneer zei ze dat? Dat heb je nooit verteld.'

'Op pa's begrafenis.'

Er daalde een pijnlijke stilte over ons neer tot Jordan Lewis een klap op de schouder gaf. 'Dat is niet niks, zeg. Wat naar.'

Bree bood hem een stuk biologische chocoladecake aan. 'Misschien heeft ze problemen met een kleinkind van een ander ras.'

Lewis grinnikte. 'Mijn oma is Chinese, op haar negentiende naar Californië gekomen. Ze vindt niets belangrijkers dan de stamboom. Volgens haar ben je niet echt familie tenzij je een bloedverwant of aangetrouwd bent. En zelfs dan nog niet altijd.'

'Minder leuke opmerkingen zijn het ergst van je eigen familie,' zei een van de mannen die bij ons was komen zitten. Zijn vrouw deelde snoepjes rond. 'Is er nog nieuws over die kinderhandel in Hunan?'

Bree haalde haar schouders op. 'Ik heb gehoord dat ze een hele groep mensen hebben gearresteerd en dat het onderzoek gestart is. Er wordt beweerd dat geen van de baby's aan het buitenland zijn verkocht. Het waren vooral jongetjes die naar Chinese gezinnen werden gebracht. Toch vraag ik me af… weet je het ooit zeker?'

'Wat?' vroeg de andere vrouw, ik geloof dat ze Leslie heette.

'Hoe weten we zeker dat onze kinderen echt te vondeling zijn gelegd of zijn afgestaan door hun ouders?'

Jordan sloeg zijn armen over elkaar en liet zich weer op de deken rollen. 'Daar heb je het nu al wekenlang over, Bree. De Chinese adoptieprogramma's kennen vrijwel geen corruptie en zijn heel betrouwbaar. Dat in Hunan is een uitzondering. Jolie en Julianne zijn echt niet verhandeld!'

'Hebben jullie de berichten op het Chinees adoptieforum bijgehouden?' Leslie griste nog een hand snoepjes van de deken. 'Over die langere wachttijden? Ik ben zo blij dat onze adoptie vorig jaar rond was. Ze denken nu dat het wel anderhalf jaar kan gaan duren.'

'Die heb ik niet gelezen,' zei Bree, 'maar ik heb wel gezien dat er een hele discussie wordt gevoerd over de reden voor de langere wachttijden. Een blogger schrijft dat het komt omdat er minder baby's afgestaan worden en dat zelfs Chinese stellen die een kind willen adopteren, worden afgewezen omdat de weeshuizen al hun kinderen opgeven voor buitenlandse adoptie. Hij zegt dat Chinezen geen kinderen kunnen adopteren omdat zo'n weeshuis meer geld kan krijgen door een buitenlandse adoptie.'

'Dat is belachelijk.' Leslies man trok een takje tussen onze dekens vandaan en gooide het weg. 'China wil gewoon niet de indruk wekken dat ze kinderen naar Amerika exporteren. Het komt doordat ze er slecht opstaan vanwege dat schandaal in Hunan. Negatieve publiciteit.'

Lewis rustte met zijn kin op een vinger. 'Mogelijk. Van wat ik van de Chinese cultuur heb geleerd, worden ze niet graag in verlegenheid gebracht. Ik heb overigens die blog van die andere man ook gelezen, en ik vind het best aannemelijk.'

'Dat kan toch niet? Er zijn duizenden weeskinderen in China. Amper een derde van de weeshuizen neemt deel aan het Internationale Adoptieprogramma. Waar zijn de kinderen van de rest dan gebleven?'

Het gesprek wervelde om me heen, even verwarrend als mijn eigen gedachten. Wat zou waar zijn? Zette China een rem op de adoptieprocedures, alleen om gezichtsverlies te voorkomen? Of lag het aan onze vraag naar kinderen dat Chinese gezinnen hun droom moesten opgeven ooit een kind te adopteren?

Ik keek naar de bladeren van de eik en zag daar Yang Hua voor me zoals ze had gekeken vlak voordat ze me met Eva alleen had gelaten in het overheidskantoor. Ze had gezegd dat ze haar niet hadden willen adopteren. Stel dat ook zij alleen maar gezichtsverlies wilde voorkomen?

'Hij doet alsof hij zich schuldig voelt omdat hij een kind uit China haalt. Hij praat maar over het verliezen van je cultuur en zielige Chinezen die op een kind wachten.' Leslies man prikte met een vinger in zijn handpalm om zijn woorden kracht bij te zetten. 'De cultuur van je geboorteland is belangrijk, en wij zijn er ook een groot voorstander van dat onze dochter haar Chinese afkomst en cultuur leert kennen, maar ik vind niet dat we ons schuldig hoeven te voelen dat we haar hiernaartoe hebben gehaald. Ze heeft een mooi leven en ouders die van haar houden.'

Ik schoof wat verder achteruit, naar de boom. Dat schuldgevoel was mij bekend, en het leek me inderdaad niet gepast. Maar de houding van Leslies man was ook niet goed.

Yang Hua belichaamde dit dilemma. Ik had Eva weggenomen uit een liefhebbend pleeggezin, maar had haar daarvoor een liefhebbend permanent gezin in de plaats gegeven. We hadden haar uit China weggehaald en daar Amerika voor teruggegeven. Was dat een eerlijke ruil? Was dat gerechtvaardigd? Plotseling wist ik dat niet meer. In het begin leek het allemaal zo duidelijk, maar hoe langer we onderweg waren, hoe meer ik besefte dat het allemaal niet zo eenvoudig was.

Gegil van kinderen en een huilend kind verstoorden de discussie en mijn eigen twijfels. Bree's zoons kwamen op ons af gerend. Ze droegen een met modder besmeurde, snikkende Eva.

'Ze is in het meer gevallen!' De oudste jongen zette haar neer en ze wankelde op mij af.

Ik zag voor me hoe Eva verdronk. Ik beefde en greep haar bij haar schouders. 'Je mocht helemaal niet bij het water komen! Dat wist je toch!'

'Het ging per ongeluk.' Ze keek bedremmeld en eventjes ebde mijn boosheid weg.

Maar toen laaide het beeld van wat er gebeurd had kunnen zijn weer op. 'Het gaat altijd per ongeluk bij jou. Waarom doe je niet gewoon wat ik zeg? Waarom luister je nooit? Zo moeilijk is dat niet.'

Mijn woorden bestierven op mijn lippen. Haar gesnik werd luider en bleef hangen in de vochtige lucht.

Ik voelde een felle pijnscheut in mijn hoofd.

Ik klonk net als mijn moeder.

Ongeduldig. Verwijtend. Smalend.

Zou zij hetzelfde gevoeld hebben als ik nu: woede die voortkwam uit paniek?

Ik wilde niet op zo'n manier aan haar denken; ik wilde geen medelijden met haar krijgen. Ook niet met mezelf, trouwens. Ik had me zojuist gedragen als een monster. Net zoals mijn moeder, en dat was onvergeeflijk.

Het beeld van Eva die verdronk kwam weer boven. Ik reikte erlangs om haar vieze gezicht in mijn handen te kunnen nemen. 'Het spijt me, lieverd. Ik was alleen zo bang... alweer. Doet het pijn?'

Ze schudde haar hoofd, nog steeds rillend. Ik trok haar tegen me aan. Ze ontspande zich niet, maar liet mijn omhelzing alleen maar toe. Ik ademde onregelmatig.

De hele groep keek naar ons. Ik voelde een bekende druk op mijn borst en hoorde een zacht zoemen in mijn oren. Ik keek op naar Lewis en smeekte met mijn ogen om hulp.

Hij knikte en pakte Eva bij de hand. 'Ik denk dat er twee mensen nodig zijn om jou schoon te krijgen, schat.'

Hij legde een hand onder mijn arm en hielp me overeind. 'Het komt wel goed,' mompelde hij in mijn oor.

Ik waste haar zo goed en zo kwaad als het ging bij een fonteintje in de wc's. Ze huppelde vrolijk terug naar haar vrienden, blijkbaar was het vervelende incident weer vergeten. Lewis liep met me naar de auto zodat ik mijzelf in afzondering een uitbrander kon geven.

'Wat ben ik voor moeder dat ik niet eens vraag of er niets met mijn kind aan de hand is voordat ik haar een standje geef?' Ik frommelde een papieren zakdoekje tot een bal en wreef verwoed in mijn ogen.

'Je was bang. Dat is niet erg.'

'Ik moet meer geduld voor haar opbrengen. In plaats daarvan lijk ik mijn moeder wel.'

Hij gaf me een ander zakdoekje. 'Dat is niet alleen maar slecht, weet je. Je moeder heeft haar fouten, maar ze is niet kwaadaardig. Ze heeft ook dingen goed gedaan. Kijk maar naar jezelf.'

'Het is beslist geen verdienste van mijn moeder dat ik goed terechtgekomen ben! Dat heb ik zelf gedaan. Jij hebt het niet meegemaakt, je weet niet hoe het was. Altijd kritiek, altijd verwijten, altijd afkeuring. En dat heb ik Eva aangedaan! Waar iedereen bij was. Ik beschadig mijn dochter en verknal ook nog eens elke kans om nieuwe vrienden te maken.'

Lewis hield me dicht tegen zich aan. Hij legde een arm om mijn schouder en vlijde mijn gezicht met zijn andere hand tegen zijn borst. 'Stil maar. Dat is niet waar. Helemaal niet. Je schoot even uit je slof. Eerlijk gezegd verdiende Eva het ook wel een beetje. Ze had niet naar ons geluisterd.'

'Dit had ze niet verdiend. Ik verdien haar niet.'

'Doe dat nou niet, Meg. Niet nu. Ik geloof niet dat iemand van ons verdient wat we aan goede dingen krijgen. Eva hoort bij ons en jij bent een geweldige moeder. Jij bent het goede dat zij heeft gekregen.'

'Zo voelt het niet. Het voelt eerder alsof ik giftig ben.'

Hij kuste me op mijn voorhoofd. 'Weet ik. Toch zou ik heel wat over hebben gehad voor een moeder die zo veel van me hield dat ze in paniek raakte en boos werd wanneer ik iets doms uithaalde. Dat is juist liefde. Misschien stelt ze dat de komende jaren nog niet zo op prijs, maar neem maar van mij aan dat dat wel komt.'

'Ik geloof niet dat ik het leuk vind om zo moeder te zijn. Ik had een nieuw begin willen maken. Alles anders aanpakken.'

'Dat doe je toch?'

'Hoe dan?'

'Het kan je wat schelen. Je denkt na over het effect van jouw woorden op Eva. Dat is al een wereld van verschil tussen jou en je moeder. Het kan jou wat schelen.'

Misschien had hij wel gelijk, maar terwijl het zachtjes begon te regenen en de lucht steeds grijzer werd, begon ik daaraan te twijfelen. Ik had altijd gedacht dat ik heel anders was dan mijn moeder.

Ik wilde ook anders zijn; zo anders als maar mogelijk was, wat temperament en gedrag betrof. Ik had gedacht dat ik het ook anders, beter zou kunnen doen wanneer ik een kind adopteerde. Dat ik alle restjes gif van mijn moeder zo uit mijn systeem kon krijgen. Maar ze was er nog steeds, binnen in mij, als onkruid dat onuitroeibaar diep wortelde in mijn verstand en mijn geest.

Daar was ze. En ik had geen idee hoe ik haar uit kon rukken en weggooien.

24

Meg Lindsay, september 2006

De empanada's van restaurant annex tangodanszaal El Bailongo hadden me gemist. Dat merkte ik direct toen er een schaal op ons tafeltje werd gezet en de geurige stoom op me af kwam zweven alsof ze me een pittige handkus toebliezen. Ik snoof hun aroma op. 'Ik heb jullie ook gemist.'

'Praat je nu ook al tegen het eten?' grijnsde Lewis. 'Het werd tijd dat je eens het huis uit kwam, maar dat het zo hard nodig was, wist ik niet.'

'Zal ik Krista nog even bellen? Even vragen of het goed gaat met Eva.' Voor hij kon antwoorden had ik mijn mobieltje al gepakt.

Hij legde een hand op de mijne. 'Je hebt al gebeld toen we hier aankwamen... na een wandelingetje van tien minuten. En dat was twintig minuten geleden. Het gaat prima, ze ligt nu in bed en slaapt waarschijnlijk al.'

'Maar we hebben haar nog nooit alleen gelaten met een oppas.'

Hij pakte een empanada en hield die onder mijn neus. 'Eet. Maak je niet ongerust.'

'Natuurlijk maak ik me zorgen. Krista is nog maar vijftien. Wat weet iemand van vijftien nou van kinderen?' Ik nam een hapje en even weken mijn zorgen voor de smaak van vlees en bladerdeeg.

'Jij hebt toch ook opgepast toen je zo oud was?'

'Ja! Daarom maak ik me ook zorgen.'

Hij moest lachen. 'Je bent echt een moedertje.'

Ik hield abrupt op met kauwen. Echt een moedertje, ik? Ik grijnsde met een mond vol empanada. 'Ja, hè.'

'Sorry dat we zo laat zijn.' Iemand achter mij gaf me een schouderklopje.

'Bree!' Ik stond op en omhelsde haar en Jordan. Lewis haastte zich achter de tafel vandaan en gaf Bree een kus op de wang en Jordan een hand. Jordan bood zijn vrouw een stoel. 'Beckham is net dertien geworden en het lukt hem als jongen bijna niet om een oppasbaantje te krijgen, vandaar dat wij hem op de andere drie laten passen. Op het laatste moment wilde hij onderhandelen over zijn honorarium.'

'Bovendien zijn we verdwaald, maar dat wil Jordan niet toegeven. Daar is hij te stoer voor, hè, schat?'

'Het lag aan die omleiding.'

Lewis en ik grinnikten naar elkaar. Bree en Jordan wisselden voortdurend plaagstootjes uit alsof ze een show voor ons opvoerden. Ik schoof de schaal naar hen toe. 'Neem een empanada; jullie zijn net op tijd. Pak er snel een, want voor mij is het al meer dan een halfjaar geleden, sinds Eva er is, dus ik ben niet in de stemming om te delen.'

'Is het jullie eerste uitje sinds je een kind hebt?' Bree prikte een empanada aan haar vork. Ik keek hem spijtig na toen hij naar haar bord verdween.

'Zo ongeveer,' zei Lewis.

'Zijn wij dan niet te veel?'

'Nee, natuurlijk niet. We hebben hier juist al weken naar uitgekeken.'

Jordan sneed zijn empanada in precies even grote stukjes voordat hij er een aan zijn vork stak. 'En, krijgen we nog een demonstratie? Bree dreigt me met tangolessen.'

Lewis glimlachte en schudde zijn hoofd. 'Dat lijkt me een kans, geen bedreiging.' Hij tikte op mijn pols. 'Wil je dansen?'

Ik legde snel een empanada op mijn bord. 'Tuurlijk. Maar let op mijn bord: daar mag niets aan veranderd zijn wanneer we terugkomen, begrepen?'

'Oei,' zei Bree. 'Je hebt die strenge-moederblik helemaal onder de knie, Meg. Ik zou niet durven.'

Lewis trok me grinnikend met zich mee. We laveerden tussen de tafeltjes door en liepen de trap af naar de dansvloer. Ik zwaaide naar Bree en Jordan, die over de balustrade hingen om naar ons te kijken. Lewis legde zijn hand in mijn rug en leidde me de dansvloer op. 'Heb je het naar je zin, een avondje onder de volwassenen? Alleen wij en onze vrienden?'

Ik vlijde me tegen hem aan; de vertrouwde uitgangspositie. 'Ja. Maar toch is ze ook bij ons, nietwaar? Ik denk dat het voortaan nooit meer "alleen wij tweeën" is.'

'Klopt.'

De muziek werd ingezet en Lewis leidde ons de stroom dansers in.

Hij verstevigde zijn greep. 'Dit heb ik gemist, met je dansen,' mompelde hij in mijn oor.

'Ik ben het verleerd.'

'Je doet het prima. Achterwaartse *ocho*, nu.'

Hij leidde me door de zwenkende danspassen van een achtje en na een paar passen herinnerden mijn spieren weer wat ze moesten doen en ik genoot van de sensuele lichaamsbewegingen.

Lewis trok me weer in zijn armen. 'Prachtig, *señora* Lindsay.'

Ik draaide mijn hoofd een klein stukje zodat ik aan zijn oorlel kon knabbelen. Ergens achter me hoorde ik de stem van mijn kleine meid. 'Bah, mama, dat is vies.'

Ik giechelde zachtjes. Dit was blijkbaar een tango voor drie personen.

'Heb je zo'n honger?' Lewis liet me een draai maken en trok me weer naar zich toe. Ik begon luider te giechelen.

'Wat is er zo leuk?'

'Niets. Alleen zijn we *echt* niet meer met z'n tweeën.'

Maar plotseling werd het zwart voor mijn ogen. Ik voelde me zo afgrijselijk eenzaam dat ik het contact met mezelf verloor. Mijn armen en benen werden van mijn lichaam gerukt en een gloeiend hete hand draaide mijn nek om en wierp mijn hoofd de duisternis in. Even zag ik een wrede grijns op mijn gezicht, alleen was het niet meer mijn eigen gezicht.

Het was dat van Eva.

'Eva!'

Mijn kreet drong het kwaadaardige duister naar de achtergrond en ik miste een danspas zodat ik struikelde. Lewis hielp me overeind.

'Gaat het wel?'

'Er is iets met Eva. We moeten weg.' Ik sleurde hem tussen de dansparen door en verstoorde hun ritme, maar dat kon me niet schelen.

'Wat doe je?' Hij strompelde achter me aan.

Bree kwam de trap af, ons tegemoet, en pakte me bij de hand. 'Je telefoon ging over en ik heb opgenomen. Het was de moeder van je oppas. Ze zei dat Eva een erge nachtmerrie had. Ze kunnen haar niet wakker krijgen en ze gilt heel hard.'

Lewis mompelde iets wat niet netjes was en duwde me opzij en liep de trap op. 'Als Jordan hier wil wachten, kun jij ons dan naar huis rijden?' vroeg hij over zijn schouder terwijl hij naar ons tafeltje vloog. Hij greep zijn jas en portemonnee en gooide mijn tas naar mij toe.

'Tuurlijk.' Bree pakte haar tas van een stoel en we gingen naar haar auto.

Het was maar een klein stukje naar ons huis, maar elke seconde leek wel een uur te duren.

'Heeft ze vaak nachtmerries?' vroeg Bree.

'Meestal één of twee keer per week.' Ik beukte mijn hoofd tegen de hoofdsteun. 'We hadden niet weg moeten gaan.'

Bree zette ons voor het appartementencomplex af en zei dat ze naar boven kwam als ze de auto had geparkeerd. We renden door de hal en sprongen de lift in. Het duurde niet lang voordat we aan haar bed zaten.

Ze was inmiddels wakker geworden, maar huilde nog steeds. Ik trok haar tegen me aan. 'Sst, lieverd. Hier is mama. Mama is er, schatje.'

Maar ik was er niet geweest. Dat was het probleem nu juist. Ik had er moeten zijn. Mijn moederliefde stelde niet veel voor.

Ze duwde me weg. 'Papa!'

Aarzelend kroop Lewis naar voren. Ze stortte zich op hem en hij sloeg zijn armen om haar heen terwijl hij me met grote, onzekere ogen aankeek. Ik gebaarde dat hij door moest gaan en schoof toen van het bed af. Ze had hem gekozen; haar vader mocht haar troosten. Ik niet.

Bree zat op de bank op me te wachten. Ik liet me naast haar ploffen en ze trok mijn hoofd op haar schouder.

'Ze hoefde me niet. Ze hoeft me nooit.' Ik wiste een traan weg. 'Dat zou me niet moeten schelen, zeker nu niet, maar toch wil ik dat ze mij nodig heeft.'

Bree streek over mijn haar. 'Het is niet erg dat je dat voelt. Het adoptiebureau zegt toch altijd dat alle kinderen uit een instelling bijzondere aandacht nodig hebben? Die kras op haar mond is niet haar enige litteken.'

'Ik wilde haar alleen maar helpen. Ik wil dat het beter gaat.'

'Daar help je ook bij. Ze gaat enorm vooruit.'

'Is dat zo? Het is net een achtbaan, Bree. Ik kan er niet meer tegen. De ene dag gaat het goed en dan koester ik weer hoop dat het goed zal gaan. Maar de volgende dag is het weer mis. Op en neer, elke dag weer; ik word er niet goed van.'

Bree maakte sussende geluidjes. 'Zo was het met onze Julianne ook. Dat was heel zwaar. Sommige kinderen kunnen zich moeilijker hechten dan andere. Maar het gaat vooruit bij jullie. Kijk maar naar het begin; jullie zijn al heel ver gekomen.'

'Als je wilt adopteren hoor je hier nooit iets over.'

Bree snoof verontwaardigd. 'Natuurlijk niet. Ze zijn niet gek.' Ze duwde me overeind zodat ze me in het gezicht kon kijken. 'Luister eens, onze kinderen hebben soms problemen die wij niet voor ze kunnen oplossen, ook al houden we nog zo veel van ze. Ook al zijn we nog zulke goede ouders. Je bent heus een goede moeder. Echt waar!'

Een doffe wanhoop nam bezit van me, alsof er een steen naar de bodem van een meer zonk. 'Maar dat is niet genoeg. Ik schiet tekort.'

Bree ging rechtop zitten en pakte me bij de schouders. 'Je schiet helemaal niet tekort! Jullie hebben haar een tweede kans gegeven op een leven vol liefde en veiligheid.' Ze keek even om zich heen. 'Heb je pen en papier?'

Ik haalde het gevraagde uit de studeerkamer. Ze klapte haar telefoon open, toetste iets in en schreef toen wat op het vel papier. Ze gaf het aan mij. 'Dat is de naam van onze psycholoog. Jolie had haar niet nodig, maar Julianne wel.'

'Denk je dat Eva in therapie moet? Kinderen hebben toch wel vaker enge dromen?'

'Dit is iets erger dan een enge droom, dat weet je zelf ook wel. Ze heeft hulp nodig. Jij bent haar moeder, het is jouw taak om haar te helpen. En soms heb je daar hulp bij nodig. Dit red je niet alleen.'

Ik hoorde Eva snikken in haar kamertje. Ik hoorde Lewis zachtjes mompelen. Ik wierp een blik op het vel in mijn hand. Ik zou zo graag in haar kamer zijn, nu, en misschien was dit de manier om dat te bereiken. Misschien kon ik op deze manier helpen; haar steunen. Ze had mij nodig, ook al besefte ze dat niet. Ik omhelsde Bree. 'Dank je. Ik zal haar bellen.'

25

Wen Ming, september 2006

Soms, als ik 's nachts in bed lig en niet probeer te denken aan Zhen An en dat ik haar zo mis, en probeer me geen zorgen te maken over hoe leeg mijn leven zal zijn als ik straks blind ben, zonder haar, hoor ik gebonk en gestamp in de slaapkamer van tante Yang en oom Zhou. Dan dreunt er iets zwaars tegen de muur en aan het regelmatige gepiep en gekraak te horen denk ik dat het hun bed is.

En ik mag nooit op mijn bed springen!

Ik vond dat helemaal niet eerlijk. Trouwens, waarom zouden volwassenen eigenlijk op hun bed springen? Het zijn toch geen kinderen. Op je bed springen is iets voor kinderen. Ze deden het niet elke nacht, maar wel zo vaak dat ik besloot er eens wat van te zeggen. Misschien mocht ik het dan voortaan weer wel.

Op een nacht kon ik ze onduidelijk horen praten.

'Je moeder vroeg weer… baby…' Tante Yang klonk verdrietig.

Baby? Waar ging dit over?

'Het spijt me. Ik zal met haar praten.'

'… altijd praten. Maar ze luistert niet.'

Ik hoorde geritsel en gekraak. Een van hen ging misschien wel op het bed zitten.

'… nu proberen?' zei tante Yang.

'Maar als het nou niet… teleurstelling.' Er klonk droefheid in oom Zhous stem door.

'Maak je geen zorgen.'

'Mij houd je niet voor de gek… heel graag.'

Even was het stil. 'Ja, inderdaad,' klonk het toen.

Oom Zhou lachte zachtjes met een diepe stem. Zo had ik

hem nooit horen lachen. Het gaf me een vreemd gevoel: nieuwsgierig, ongemakkelijk en gek genoeg ook veilig. '… bedoelde ik
niet.'

'Alsjeblieft?'

'Alsof ik zou weigeren.'

Even was het helemaal stil. En toen begon het gebonk.

We moesten het hier echt over hebben. Regels zijn regels,
tenslotte.

Twee weken lang sprongen ze bijna elke nacht op hun bed.
Op een ochtend niet lang daarna hoorde ik tante Yang huilen
terwijl ze het ontbijt klaarmaakte.

'Bent u ziek?' vroeg ik.

'Nee,' snifte ze. 'Alleen een beetje moe.' Ze zette een kom hete,
zoete sojamelk voor me neer en bracht mijn handen ernaartoe.
Ik kon nog wel een beetje zien, maar was blij dat ze me hielp.
'Oom Zhou heeft vanmorgen vroeg ook gefrituurde deegstengels gekocht. En er zijn loempia's met vlees. Eet smakelijk.'

Ik vond deegstengels heerlijk. Ik scheurde er een doormidden
en doopte hem in de sojamelk. 'Misschien zou u minder moe
zijn als u niet de hele nacht op bed sprong.'

Ze liet iets vallen. Het kletterde op de grond en ik hoorde
haar een paar woorden mompelen die ik nooit zeggen mocht.
Er stroomde water in de gootsteen en toen zag ik haar donkere
schim de vloer schoonmaken. 'Ik dacht dat je sliep. Je hoort zo
laat niet meer wakker te zijn.'

'En u hoort niet op bed te springen. Dat mag ik ook nooit. Ik
vind het niet eerlijk.'

Ze begon weer te huilen. Ik liep op de tast naar haar toe en
sloeg een arm om haar heen.

'Het spijt me. U bent geen kind, en het is uw bed. Spring maar
gerust.'

Ze gaf me een knuffel, maar het huilen hield niet op.

Ik herinnerde me opeens dat ik soms 's nachts ook verdrietige
stemmen had gehoord. 'Moet u huilen omdat u geen baby hebt?'

Ze verstijfde, zuchtte en mompelde toen iets over 'geluiddicht maken'. Geen idee wat ze daarmee bedoelde. 'Eet je ontbijt op, Wen Ming.'

'U hoeft toch helemaal geen baby. U hebt mij toch?'

Ze gaf me een klopje op de rug en een zoen op mijn kruin, maar antwoordde niet. Volgens mij huilde ze nog steeds toen ik mijn loempia opat en mijn melk opdronk. Een koude rilling liep langs mijn ruggengraat, van bezorgdheid. Ik was toch beter dan een baby?

26

Meg Lindsay, februari 2007

'Ruim je kamer op, Eva.' Het ontschoot me voor ik er erg in had. Lewis was naar de sportschool en ik maakte alvast een boodschappenlijstje voor hem. Duizenden moeders zeggen dat elke dag, en hun kinderen reageren de ene keer gehoorzaam, de andere keer niet. Ik herinner me goed dat het mij werd gezegd. Ik herinner me ook dat het bevel mijn kamer op te ruimen altijd een onredelijke boosheid en een gevoel van wanhoop in me losmaakte. Niet dat ik een puinhoop in mijn kamer wilde, ik hield van netjes en schoon, maar ik zag altijd tegen de klus op.

Ik begrijp dus best wel dat kinderen niet graag opruimen. Ik vind er zelf ook niet veel aan, al ben ik al jaren volwassen. Maar dit was nu eenmaal de gewoonte op zaterdagochtend, vooral wanneer ik 's avonds een uitvoering had. Eva was nu al een jaar bij ons en ik dacht dat ze er inmiddels wel aan gewend was.

Het duurde even voor tot me doordrong dat ze niet gehoorzaam antwoordde. Ik keek op en zag haar in de deuropening van de keuken staan, onbeweeglijk, een donkere gloed in haar ogen.

'Dat hoef ik niet te doen.'

Ze sprak zachtjes, ongelovig. Alsof de gedachte een openbaring voor haar was. Alsof haar opstandigheid haar zelf ook verraste.

Ik klikte mijn pen dicht. 'Wat zei je daar?'

'Dat hoef ik niet te doen.' Iets harder ditmaal.

'Eva…' Ik schonk haar mijn allerstrengste blik. Ze schuifelde met haar voeten en wendde haar ogen af, maar haar houding bleef onverzettelijk.

Opeens braakte ze een zwarte mist uit, als een walmende uitlaat. Ze keerde zich weer naar me toe en verslond alle licht met haar ogen. 'Je bent mijn echte moeder niet! Ik hoef helemaal niet te doen wat je zegt! Ik ga mijn kamer niet opruimen. Dat vind ik stom!'

Ik kreeg het afwisselend heet en koud en kon plotseling het tafelblad waar mijn handen op rustten niet meer voelen. Dit kon niet waar zijn. Wat had ik gedaan dat ze ineens zo boos was? Ik probeerde te denken aan wat de therapeut zou zeggen, me niet te bezeren aan haar woorden, maar dat lukte niet. Ze doorboorden me en sloegen enorme wonden waardoor de zwarte mist mijn huid kon binnendringen, mijn gedachten verstikken en mijn bloed aantasten met een deprimerende onafwendbaarheid, alsof we een toneelstuk opvoerden waarvan de tekst al sinds mensenheugenis vaststond.

'Zo'n recalcitrant toontje duld ik niet, jongedame. Ik ben wel je moeder. Ik ben de enige moeder die je hebt, als je dat maar weet.'

Ik wist niet zeker of ze het woord 'recalcitrant' wel kende.

'Ik wil niet dat je mijn mama bent!'

Haar woorden doorboorden mijn borst als een speer. Mijn hart bonkte en ik hapte naar adem. De mist wond zich rond mijn keel en wurgde me. Daarna stroomde hij mijn keel binnen, mijn lichaam in en woelde allerlei duistere gevoelens in me los. Ik probeerde ze binnen te houden, maar dat deed vreselijk pijn. Totdat ik mijn verzet opgaf en alle rottigheid er ineens uit stroomde.

'Denk je soms dat dit is wat ik wilde? Ik dacht dat ik een dochter zou krijgen die van me zou houden. Maar de mijne is alleen maar onbeleefd en vervelend.'

Mijn woorden waren een klap in haar gezicht en ze deinsde terug, de tranen in haar ogen.

Ik voelde mijn woede wegebben. Wat had ik gedaan?

Ik was toch haar *moeder*? Als er iemand was die haar zou moeten accepteren zoals ze was, met haar problemen, was ik het wel.

Waarom had ik dat gezegd? Waarom hielp ik haar niet gewoon even met haar kamer opruimen?

Ik onderdrukte een snik vol zelfhaat.

Ik had gedacht dat ik moeder kon worden zonder te veranderen in degene die ik zo verafschuwde. Maar dat was een illusie; je kon niet opnieuw beginnen. Ik moest het met mijzelf doen; gesneden met het allerscherpste mes, een bloedend, geschonden evenbeeld van mijn eigen moeder. En nu dreigde ik mijn eigen dochter met zo'n zelfde mes.

Ik kon wel schreeuwen, me op mijn knieën laten vallen en met mijn handen voor mijn gezicht God smeken of Hij ons onder het puin wilde bedelven zodat we niet nog meer kwaad konden aanrichten.

Ineens zag ik een zilveren vorm door de mist kruipen. Ik was het zelf, of tenminste, het was een afspiegeling van mij. Niet het gesneden moederbeeld dat ik in mijn hart zag, maar gaaf en ongeschonden. Getekend, dat wel, maar ook mooi op een manier die ik niet kende van mezelf.

De zilveren reflectie hurkte naast Eva, nam haar in haar armen en begon te spreken. 'Het spijt me, lieverd. Ik had dat niet moeten zeggen, dat meende ik niet. Jij bent wel gewenst, of je nu boos of vrolijk bent, of je nu van mij houdt of niet. Zullen we dit overdoen? Als ik je nou eens hielp met opruimen?'

Ik was het zelf; zoals ik in mijn dromen was. Vriendelijk, zachtaardig, tolerant, liefdevol. Of deze vrouw ooit meer dan een droom zou zijn, wist ik niet, maar toch moest ik wel uit mijn stoel komen. Kon ik dat beeld maar vangen, me aan haar vastklampen, misschien zou ze dan blijven. Misschien nam ze mijn plaats wel in en kon ik worden wie ik wilde zijn.

Het beeld begon te flakkeren. Of ze nu in het niets verdween of met mij versmolt, ik weet het niet, maar ik voelde me iets sterker worden, een beetje minder somber. Een beetje hoopvoller.

Ik had haar plaats ingenomen en hield Eva in mijn armen. Ze verstarde even, maar gaf zich toen huilend en bevend aan mijn omhelzing over. 'Waarom heeft ze mij in de steek gelaten? Ik wil mijn Chinese moeder! Ik wil geen adoptiekind zijn! Ik wil mijn mama. Ik wil naar China en bij mijn moeder wonen!'

Met elk woord werd mijn vlees opengereten; mijn zoute tranen prikten pijnlijk in de open wonden. Ik had geweten dat dit moment zou aanbreken. Ze hadden ons gewaarschuwd. Maar dat het zo veel pijn zou doen, kon nooit in woorden worden uitgedrukt. Ik drukte haar dichter tegen me aan en huilde in het zachte kuiltje tussen haar hals en schouder. Samen huilden we van verdriet en pijn.

Wat kun je zeggen tegen je kind als het al zo veel krassen op haar ziel heeft, zo veel vreselijks heeft meegemaakt? Daar werd over gesproken op bijeenkomsten voor adoptieouders, we discussieerden erover op internetfora en tijdens contacten met andere ouders. Toch was er altijd een zekere afstandelijkheid rondom alle vragen, zodat de gapende wonden in ieders hart afgedekt bleven. Je kunt je voorbereiden op wat je moet doen en zeggen, hoe je het denkt te redden, maar op het moment van de waarheid kun je je alleen maar wanhopig tot God richten en Hem om kracht en wijsheid smeken. Je kunt niet anders dan je eigen zwakke, bloedende hart negeren en je kind in je gebroken armen nemen en haar dragen. Want je weet dat jouw pijn niets betekent in vergelijking met het lijden dat zij doormaakt.

Ik luisterde naar haar fantasietjes over haar Chinese moeder. Ik vroeg hoe ze dacht dat haar leven eruit zou zien wanneer ze nog bij haar eigen ouders was, als ze nooit naar het weeshuis was gebracht, als ze nooit in ons leven was gekomen. Ik luisterde, ook al kon ik haar om elk woord wel schreeuwend tegen me aandrukken, om haar vast te houden en nooit meer los te laten.

Ik hield van haar. Ik kon er niets aan doen. Ook al hield ze op dat moment niet van mij. Zelfs al zou ze nooit van me kunnen houden, toch hield ik van haar met een liefde, zo groot, geweldig en krachtig als een slapende vulkaan.

Waarom was dat niet genoeg? Waarom had ze niet genoeg aan mij? Ik besefte ook wel dat haar perfecte Chinese droommoeder geen werkelijkheid was. Ik mocht dan fouten hebben en tegen mijn eigen duistere problemen moeten vechten, ik had mijn dochter niet verlaten. Ik had haar geaccepteerd. Ik hield van haar, ook al hield zij niet van mij. Waarom zag ze dat niet in? Waarom

215

verlangde ze naar de vrouw die haar verlaten had? Waarom was ik niet goed genoeg?

Ik was nooit goed genoeg.

Ik was nooit goed genoeg geweest.

Later die avond, in de concertzaal van de universiteit van Chicago waar de uitvoering van de Nouveau Chicago Symphony was, begon dat besef bij mij vanbinnen te rommelen en te spartelen als een vleesetende vis. Toen ik in het concertgebouw mijn altviool uit de kist haalde, viel de vis mijn ingewanden aan. Hij beet zo woest in mijn longen dat ik begon te beven en bijna niet overeind kon blijven. Het beest verslond mijn maag en joeg de gal door mijn keel.

Ik kon niets zeggen. De altviool gleed uit mijn vingers. Gelukkig kon Li Shu nog net op tijd voorkomen dat hij kapotviel. Ze bracht me naar de toiletten en hield mijn haar uit mijn gezicht terwijl ik braakte. Daarna haalde ze een flesje water, pepermuntjes en een thermoskan met een of ander drankje voor me en bleef bij me terwijl ik ineengedoken op adem kwam.

'Ik… ik kan niet spelen vanavond.'

'Jawel, hoor.'

Ik kromp ineen. Ze wreef over mijn rug. 'Hier, probeer dit eens.' Ze goot wat van de dampende drank uit de thermoskan in een kopje. 'Medicinale kruidenthee, Chinees. Word je kalm van. Drink ik altijd voor een uitvoering.'

Ik nam een slokje. De warme vloeistof verspreidde zich door mijn lichaam en ik kreeg weer wat gevoel in mijn handen en lippen. 'Ik heb vanmorgen heel erg ruzie gehad met Eva.'

'Wat vreselijk.'

Ik dronk nog wat van de thee, die me spraakzaam maakte. 'Ze wil mij niet als moeder. Ze wil haar Chinese moeder. Ik schiet zo tekort. Ik wilde graag helpen, maar ik maak het leven alleen maar moeilijker voor haar.'

Li Shu ademde langzaam en heel diep in door haar neus. Haar kaak stond strak. Ik zag dat ze ergens mee worstelde, maar toen werd ze rustig. 'Je hoeft je niet onbekwaam te voelen. Je bent een veel betere moeder dan haar echte moeder.' Er kwam een harde blik in haar ogen. 'Jij bent een veel betere vrouw dan zij.'

'Dat moet je niet zeggen. Je weet niet wat zij heeft meegemaakt voor ze tot haar daad kwam.'

'Een moeder geeft het nooit op! Die zou vechten voor haar kind. Die vrouw is geen moeder.'

Haar woorden sneden door de lucht als een mes. Ik had haar wel in mijn armen willen trekken, maar haar lichaam was scherp en gekarteld en ik was bang dat ik me zou snijden. Ze had ongelijk: soms zat er voor een moeder niets anders op dan opgeven. Ook een moeder was niet altijd zo sterk als zou moeten.

Toch bezorgde het vertrouwen dat ze in me had, hoe misplaatst ook, mij een vredig gevoel. En de broze leegte in haar ogen gaf mij kracht. Ik kwam overeind en reikte haar mijn hand.

Die avond gaven we uiting aan ons verdriet, zoals zo veel musici voor ons deden, door middel van onze instrumenten, waardoor prachtige muziek ontstond, zonder dat de toehoorders wisten van het offer dat wij daarvoor brachten.

27

Wen Ming, april 2007

Voordat het Nieuwjaar wordt, maken we altijd het huis schoon. We vegen alle vloeren en brengen het stof naar buiten zodat het nieuwe jaar de ruimte krijgt. We steken vuurwerk af om het oude jaar te verjagen en het nieuwe binnen te halen. Als het middernacht is, doen we de deuren en ramen open zodat het oude jaar weg kan glippen, de nacht in, en het nieuwe jaar ons huis kan komen vullen met geluk en blijdschap.

Wat oud is kan niet bij het nieuwe blijven. Het oude wordt niet bewaard. Het wordt verdreven. Het heeft zijn doel gediend, nu is er geen plaats meer voor in ons hart en ons huis. Het oude draagt geen belofte met zich mee. De belofte is vervuld, of het jaar heeft ons teleurstelling gebracht. Het nieuwe staat ons nog te wachten; het heeft nog geen vreugde of verdriet gebracht. We heten het welkom en hopen dat het onze verlangens zal vervullen.

Soms vroeg ik me af hoe het het oude jaar zou vergaan; weggestuurd, verguisd, verjaagd, zonder ook maar een bedankje voor de herinneringen die het ons naliet, voor de groei en liefde die we ontvingen.

Op een warme avond in april, een paar maanden voor mijn negende verjaardag, vroegen mijn oom en tante of ik even op de bank in de woonkamer wilde gaan zitten. Voorzichtig vertelden ze me dat ik hun oude jaar was geworden.

'We krijgen een kindje!' Tante Yang had mijn hand vast, en ook zonder te kunnen zien voelde ik dat ze stralend glimlachte. Ze verlangde al zo lang naar een baby. Ik was blij dat die droom eindelijk uitkwam.

'Krijgen we een baby? Wanneer?' Ik wipte op en neer op de bank. 'Het kindje mag wel in mijn kamer slapen, dan troost ik het als het huilt en hoeven jullie niet wakker te worden.'

Er viel een stilte en mijn enthousiasme bekoelde. Er was iets aan de hand.

Na een poosje gaf oom Zhou een klopje op mijn knie. 'Je bent een slimme meid, en al zo groot. Je begrijpt het best wel.'

'Wat?'

'We houden heel veel van je, Wen Ming.' De stem van tante Yang klonk vreemd. Hoger dan normaal, benepen. 'Maar een baby is een hele verantwoordelijkheid. Er zal een heleboel veranderen hier.'

'Mag ik de baby niet wiegen 's nachts? Omdat ik zo slecht zie? Dat snap ik wel. Anders ga ik alleen maar bij het wiegje staan en het handje vasthouden. Veel veiliger.'

'Dat bedoel ik niet.' Tante Yang klonk alsof ze moest huilen. Waarom, een baby was toch geweldig?

'Wat tante Yang wil zeggen is... de zorg voor een baby kost heel veel tijd.'

Er zat iets goed fout.

'We houden van je, maar...'

Het woordje 'maar' is heel akelig. Alle goeds wat eraan voorafgaat, wordt erdoor uitgewist. Het woord beukte op me in en deed me op mijn grondvesten trillen.

'Maar wat?'

Oom Zhou zuchtte en ging verzitten. Ik stak mijn handen uit en voelde dat zijn rug gekromd was, voorovergebogen. Ik volgde zijn arm tot de elleboog die op zijn knieën steunde. 'We moeten je terugsturen naar het kindertehuis. Het spijt ons heel erg, maar er zit niets anders op.'

Mijn wereld stortte in zodat ik stof in mijn longen kreeg; brokken steen en ander puin drongen mijn keel binnen. Mijn pleegouders wilden mij niet meer. 'Waarom?' fluisterde ik.

Ze zeiden dat het kwam omdat hun huis niet groot genoeg was voor mij en de baby. Maar ik wist wel beter. Het was duur om voor mij te zorgen, zelfs met een toelage. In veel opzichten was ik bovendien net zo afhankelijk als een baby; ze moesten me altijd begeleiden en met veel dingen helpen. En ook al wilde ik gehoorzaam zijn, toch was ik vaak stout en boos sinds Zhen An weg was. Oom en tante waren me zat.

Ik was ook niet vergeten wat de moeder van oom Zhou had gezegd, lang geleden op het nieuwjaarsfeest. *'Jullie geven me geen kleinkind. En al jullie kostbare tijd gaat maar naar die weeskinderen.'*

Moeders hadden veel macht, zelfs over het hart van hun zoons. Die moeder vond mij maar niets. Ze zou het vast niet goed vinden als ik hier in huis bleef als haar eigen kleinkind er eenmaal was.

'Wanneer moet ik weg?' Ik herkende mijn eigen stem niet. Hij klonk ijzig kalm. Ik voelde me niet kalm vanbinnen. Zeker niet met al dat puin van mijn ingestorte wereldje.

'Over een maand.'

Tante Yang kneep in mijn hand. 'Je weet dat we van je houden. En we blijven elkaar elke dag zien. We hebben ook al geregeld dat je kunt blijven bellen en e-mailen met Zhen An. Dat heeft de directrice ons beloofd. Een van de tantes die uit Engeland komt zal voor je vertalen. Dus…'

'Ik wil morgen.'

'Hè?'

Ik spuugde een mondvol stenen naar haar. 'Ik ga geen maand wachten. Ik wil morgen al terug.'

'Maar we willen nog nieuwe kleren en wat andere spullen voor je kopen.'

'Ik wil niks. Ik wil dezelfde kleren aan als de andere weeskinderen.'

'Wen Ming…'

Het puin woog zwaar in mijn ingewanden. Ik moest wel ongewenst zijn; dit was de derde keer dat ik weggestuurd werd. Maar ik weigerde hier verdriet over te voelen. Ik moest sterk zijn. Zo hard als een steen, want dan werd ik niet verpletterd. 'Ik wil geen cadeaus van jullie! Ik wil helemaal niets van jullie! Jullie zeggen wel dat jullie van me houden, maar dat is gelogen. Ik wil niet meer met jullie praten. Nooit meer!'

Daar hield ik me aan. De volgende morgen, toen ze me naar het weeshuis brachten, zei ik geen gedag. Ik bedankte ze niet eens. Tenslotte zegt het oude jaar ook geen dankjewel wanneer je het wegveegt of het huis uit jaagt. Ik liet mijn hoofd niet hangen. De hete stenen in mijn binnenste maakten me moedig en halsstarrig. Ik liet me niet wegjagen. Ik sloop er niet vandoor. Ik was als een enorme kei, hard, sterk, onverzettelijk. Je kunt een kind niet zomaar wegdoen alsof het het oude jaar was. Dat ze dat maar wisten.

28

Meg Lindsay, maart 2008

Er waren dagen dat het goed ging. Zo vaak zelfs dat ik weleens vergat ervoor te danken. En dan brak er plotseling weer een moeilijke dag aan en werd ik er opnieuw op gewezen dat de rust in ons gezin heel broos was.

Zo'n dag was het vandaag.

Ik ging Eva van school halen terwijl een doffe hoofdpijn het me bemoeilijkte om redelijk en beheerst te blijven. 'Er zwaait wat, jongedame.'

Ze had haar autogordel nog niet eens om. 'Wat heb ik gedaan?'

Ik reed onbesuisd de weg op. 'Je juf heeft gebeld. Je hebt zo'n slecht rapport dat je straks nog blijft zitten! Je laat ons je huiswerk niet zien en je bent brutaal geweest tegen de juf.'

Ze zweeg en staarde uit het raampje alsof ze me niet gehoord had.

'Eva!'

'Wat?'

'Heb je gehoord wat ik zei? Wil je straks blijven zitten?'

'Ik heb een hekel aan school.'

'Dat is dan pech. Je went er maar aan. Je mag niet blijven zitten, en je mag al helemaal geen brutale mond opzetten.'

Ik kon mijn tong wel afbijten. Ze was nog maar twee jaar in Amerika. Ze was ontzettend vooruitgegaan. Ik zou trots op haar moeten zijn in plaats van haar een standje te geven.

Ik reed door rood en veroorzaakte bijna een botsing. Ik zei maar even niets tot we veilig thuis waren. Ze mikte haar rugzak op de bank en wilde naar haar kamer gaan.

'Blijf jij eens hier!'

'Mag ik iets lekkers?'

'Nee!'

Ze liet zich in een leunstoel ploffen en draaide zich een kwart-slag zodat ze met haar benen over de armleuning hing. Even zag ik een glimp van hoe ze als puber zou zijn. Ik rende naar de keuken en schonk een glas ginger ale in om mijn maag te kalmeren.

Mijn mond vulde zich met kritiek en teleurstelling; de woorden vochten zich een weg naar buiten. Tot ik de doffe, beschaamde glans in haar ogen las die schuilging achter haar opstandigheid. Mijn woede ebde een beetje weg. Ik wist hoe ze zich voelde.

Ik dwong mijn stem bemoedigend te klinken. 'Wat is er dan op school? Je juf zegt dat je vooral met lezen achterblijft. Ik dacht dat dat juist goed ging?'

'Ik ben niet zo goed in lezen. Veel te moeilijk voor mij.' Haar kin bibberde.

Lewis kwam binnen lopen. Vreemd, zo vroeg thuis. Ik bracht hem snel op de hoogte. Hij haalde met een hulpeloos gebaar zijn schouders op en liet zich op de bank ploffen.

'Jij bent juist wel goed in lezen.' Ik voelde een sterke aandrang om mijn kritiek te spuien, alsof een gekooid dier zich een weg naar buiten worstelde. 'Je bent een heel slimme meid. Dit is niks voor jou.'

'Maar het is zo moeilijk!'

Haar gejammer ergerde me. Het dier begon harder te vechten. 'Het leven is nu eenmaal niet makkelijk. Dat betekent niet dat je het er maar bij kunt laten zitten. En het is ook geen excuus om maar een brutale mond op te zetten.'

'Ik vind de juf vervelend. Ze doet alsof ik dom ben.'

'Misschien moet jij dan eens ophouden met…' Ik klemde mijn lippen op elkaar. Lewis wierp me een waarschuwende blik toe. Hij wist wat ik had willen zeggen. Het beest was bijna ontsnapt. 'Misschien zou je iets beleefder kunnen zijn, dan is zij dat ook tegen jou.' Ik was trots op mezelf. Het standje was er rustig en vriendelijk uitgekomen.

'Je mag nooit brutaal zijn tegen de juf.' Lewis boog zich naar

Eva over. Ik was jaloers op zijn zachte, gebiedende toon. 'Dat mag nooit, hoe moeilijk je het ook vindt op school.'

Tranen welden op in Eva's ogen. 'Ik wil niet brutaal zijn. Ik wil ook geen slechte cijfers halen. Ik doe echt mijn best.'

Mijn hart kromp ineen en het beest kalmeerde wat. Ik zou toch van haar moeten houden en haar willen aanmoedigen? Dat wilde ik ook echt, maar waarom was dat toch zo moeilijk? 'Dat weet ik wel. Waarom heb je niet gezegd dat je lezen moeilijk vindt? Dan hadden we je kunnen helpen. Als wij niks weten, kunnen we je ook niet helpen.'

Ze stak haar onderlip uit. 'Ik heb het aan Wen Ming verteld! En zij zei...'

Dat was de druppel. Het was al zo'n zware dag geweest. En wat had ik niet al met haar meegemaakt. 'Wen Ming is je moeder niet! Het kan me niks schelen wat zij heeft gezegd. Ze is maar een kind, met evenveel problemen als jij. Ze kan je heus niet helpen. Ik ben je moeder. Je praat maar met mij, niet met haar.'

Er biggelde een traan over haar wang. 'Ik praat graag met haar. Zij wordt tenminste nooit boos.'

Zou er ooit een eind komen aan die bizarre competitie tussen mij en dat kind, daar ver weg in China? Ik wilde antwoord geven, maar Lewis schudde van nee.

'Wanneer je geen betere cijfers haalt, je je zo blijft gedragen op school en ons niet vertelt wat er aan de hand is, dan mag je niet meer met Wen Ming mailen. Begrepen, Eva?'

Ze staarde hem met open mond aan, met een boze blos op haar gezicht. Ik kon haar verdriet en angst voelen. 'Dat is wel erg streng, Lewis.'

'Helemaal niet. Je schoolresultaten zijn belangrijker dan je vriendinnetjes. En goed gedrag ook.' Hij wierp me een dreigende blik toe. 'Eva, naar je kamer. Ga maar *een boek lezen*.'

Zodra ze weg was, gebaarde hij dat ik hem moest volgen naar onze slaapkamer. Hij sloot de deur. 'Je moet wel achter me staan. Ik steunde jou, maar jij mij niet.'

224

Ik liep op en neer tussen het bed en de kaptafel. 'Het spijt me. Ik geloof alleen niet dat het goed is om Eva de omgang met Wen Ming te verbieden.'

'Volgens mij heeft Wen Ming geen goede invloed op haar. Na elk contact heeft ze weer meer nachtmerries. En ze doet brutaler tegen jou wanneer ze net met Wen Ming gesproken heeft. Dat zint me niet.'

Ik ging naast hem op bed zitten. 'Het zit mij ook niet lekker. Ik ben alleen bang dat ze een hekel aan ons krijgt als we haar van Wen Ming scheiden. En dat kan ik echt niet hebben.'

Hij trok me tegen zich aan. 'Dat weet ik.' Hij streelde mijn arm. 'Wat is er nou echt aan de hand? Er zit je iets dwars.'

Ik vlijde me tegen hem aan. 'Ze belden van school tijdens een vergadering met het orkestbestuur. Ik moest de bespreking verlaten en toen ik terugkwam, stond de dirigent me op te wachten in de gang. Hij vindt dat ik te vaak repetities en vergaderingen moet missen omdat er iets met Eva is. Hij is 'bezorgd', in zijn woorden. Hij denkt dat ik te veel hooi op mijn vork neem en dat ik het rustiger aan moet doen.'

Lewis zweeg even. 'Dat spijt me voor je. Ik had je veel meer moeten helpen.'

'Dat was niet mogelijk. Domme gedachte dat ik het allemaal wel zou redden. Don heeft gelijk, ik moet het rustiger aan doen.'

'Wat ben je van plan?'

'Ik wil Li Shu vragen om mijn plaats als eerste altviolist over te nemen en ik stap uit het orkestbestuur. Dat scheelt een kwart van mijn werktijd, zodat ik meer bij Eva kan zijn. Misschien kan ik bijles voor haar regelen, of vrijwilligerswerk op haar school doen.'

'Maar het symfonieorkest is jouw kindje! Jij hebt het opgericht.'

'Met een stel anderen, niet alleen.'

Lewis maakte zich van me los zodat hij me aan kon kijken. 'De Nouveau Chicago Symphony is door jou en een paar enthousiastelingen opgericht en jullie hebben voor fondsen gezorgd. Je hart zit erin.'

'Dit kon zo toch niet blijven, lieverd. Eva heeft me harder nodig dan zij.'

'Je leeft voor de muziek, Meg. Ik wil niet dat je dat op moet geven.'

'Dat doe ik niet, niet helemaal tenminste. Maar mijn leven bestaat nu uit jou en Eva. Zij komt op de eerste plaats. Daar ben je moeder voor.'

'Voor mijn moeder gold dat niet. Zij koos voor haar carrière.'

Ik sloeg mijn arm om zijn rug en liet mijn hoofd op zijn schouder rusten. 'Jij bent je moeder niet.'

'Wie weet.' Hij duwde me overeind zodat hij me aan kon kijken. 'Ik heb nieuws, daarom ben ik zo vroeg thuis.'

Ik trok afwachtend een wenkbrauw op.

'Ze hebben me een plaats aangeboden in een team dat het Higgs-boson probeert te lokaliseren.'

'Super! Maar dat doe je nu toch ook al?'

Hij schoot in de lach. 'Nou, indirect wel. Maar dit team… Meg, het zou kunnen dat we het Higgs-deeltje echt vinden.'

Ik voelde dat dit niet het hele verhaal was. 'En…?'

Hij aarzelde even. 'Het team werkt bij de LHC, bij CERN.'

'De ondertiteling is even uitgevallen.' Ik gaf hem plagerig een zetje.

'Sorry. LHC is een enorme deeltjesversneller, bij CERN, het laboratorium in Zwitserland.'

'O. Moet je daarnaartoe als het experiment loopt?'

Hij kromp ineen. 'Nou, niet alleen dat. Ik krijg de leiding over de aanleg van een van de onderdelen die voor het experiment nodig zijn. Dat gebeurt bij CERN, op locatie. Ik moet naar het buitenland om de opbouw en de testfase van dat onderdeel te begeleiden.'

'Hoe vaak en hoe lang moet je weg?'

'In het begin niet zo vaak; het eerste halfjaar misschien een verblijf van een paar weken. Gedurende de tweede helft van het jaar wordt dat eens per maand en wanneer het experiment wordt uitgevoerd moet ik er een hele maand zijn.'

'Nee toch zeker?'

'En er komt uiteraard een heleboel voorbereiding bij kijken, hier op de universiteit.'

'Nee! Dit vind ik maar niks. Waarom wil je niet gewoon hier bij Fermi blijven?'

'Fermi is een aflopende zaak. Alle geavanceerde technologie is al naar CERN overgebracht. Meg, dit is waar ik altijd voor gewerkt heb. Dit is heel belangrijk voor me.'

Toch zat er nog meer achter. Ik bespeurde een vuur, een hartstocht die dieper ging dan alleen maar een promotie.

'Belangrijker dan je gezin? Ik heb je nodig. Eva ook.'

'Ik ben vaker thuis dan in het buitenland, hoor.'

'Ja, maar waar zit je dan met je hart? En met je gedachten?'

Hij stond op van het bed. 'Dit kan ik niet laten schieten!'

'Het staat me niet aan.' Zijn geestdrift beangstigde me. Hij hield iets voor me achter, iets belangrijks. Iets wat hem wezenlijk raakte.

Iets wat hij voor zichzelf hield.

'Ik wil niet dat je naar Zwitserland gaat. Ik wil niet dat je voor dat team gaat werken. Zeg dat je het niet doet. Om ons.'

'Dat mag je niet van me vragen.'

'Ik heb mijn carrière net op een lager pitje gezet, voor Eva. Haar vader hoort dat ook voor haar over te hebben.'

Hij kromp ineen alsof ik hem neergeschoten had. Hij keek me vanonder zijn wimpers aan. 'We hebben het er nog wel over.'

Niet dus.

Drie dagen is een heel lange tijd wanneer je in angst verkeert. Drie dagen lang waarop je in gedachten allerlei geheimen kunt bedenken die je echtgenoot voor je verborgen houdt. Drie dagen waarin je je zorgen maakt dat je hem misschien kwijtraakt is een vreselijk lange tijd. Zeker als je al die tijd amper een woord met elkaar wisselt.

Toch gunde ik hem die tijd. Hij liet me overigens weinig keus. Na drie dagen huilen in het verborgene, lange telefoongesprekken met Bree en een therapeutische sessie in het theehuis met Audra en Cinnamon, hield ik het niet meer. Hij had drie dagen van me gekregen. De tijd voor dat gesprek was aangebroken.

Dus nadat we Eva hadden ingestopt, naar haar kamer waren gesneld om haar te troosten omdat ze eng had gedroomd, haar wat te drinken hadden gebracht en haar hadden verzekerd dat er niks aan de hand was met mama en papa...

... nadat we zwijgend de vaatwasmachine hadden ingeladen, hadden gekeken of we nog e-mail hadden, de was hadden opgevouwen, de rekeningen hadden betaald...

Nadat ik de muur tussen ons echt niet meer kon verdragen...

Ik deed de deur van de studeerkamer dicht. Ik ruimde wat documenten op. Ik leunde tegen de deur en keek hem aan, met mijn armen over elkaar geslagen.

'We moeten even praten. Nee... *jij* moet praten.'

'Waarover?'

'Over wat je altijd voor je houdt. Over de reden waarom je je gezin wilt achterlaten om naar Zwitserland te vluchten.'

'Tjonge, wat dramatisch. Ik zei toch dat het belangrijk was voor mijn carrière. Volgens mij laat jij het juist afweten. Waarom steun je mij niet?'

'Omdat het niet alleen maar over je werk gaat. Er speelt meer, ik voel het. Ik hoor het aan je stem als je over dat Higgs-deeltje praat. Zo is het altijd al geweest, en ik heb er niets over gezegd, omdat ik vind dat je dingen voor jezelf mag houden. Maar dat lukt me nu niet meer.'

Hij was bleek geworden toen ik over het Higgs-deeltje begon. Ik sloeg mijn armen om zijn nek.

'Lewis, zeg het me alsjeblieft. Wat is er aan de hand?'

Hij maakte zich los uit mijn omhelzing en ging naar zijn bureau toe en keek naar de foto van Naomi Ricci, die daar stond alsof het een altaartje was.

'Naomi Ricci is een nakomeling van Gregorio Ricci-Curbastro, Italiaans wiskundige en ontdekker van de tensor.' Het klonk alsof hij iets opdreunde uit een algebraboek. 'Ze is een briljant natuurkundige en de eerste die de N=4-supersymmetrie heeft uitgewerkt. Haar gezaghebbende artikel over de N=4-Yang-Mills-supersymmetrie, dat eind jaren zeventig verscheen, was een grote doorbraak. Maar ook daarvoor was ze al een van de meest veelbelovende natuurkundigen van haar generatie. Wat nog indrukwekkender is, is het feit dat ze een vrouw is. In die tijd waren er niet veel vrouwelijke natuurkundigen, en bovendien genoten ze weinig respect. Maar het is haar leven, haar grote liefde. Ze heeft het wetenschappelijke wereldje respect afgedwongen met haar grote intelligentie en bezieling.'

Ik keek naar de foto, die begon te glanzen toen Lewis sprak. Er schoot een lichtflits uit die mij met een waas omringde. Ik zag sterren en nevel rondwervelen terwijl ik langzaam de foto in getrokken werd. Eventjes had ik het akelige gevoel alsof ik een muntje was dat in een snoepautomaat werd gegooid. Ik duikelde naar beneden, een duistere diepte in zonder dat ik me kon verzetten.

Ten slotte werd ik de schacht uitgespuwd en belandde in een wereld die eruitzag als een verbleekte kleurenfoto.

Ik ben in een huis. De inrichting is in jarenzeventigstijl. Ik zit ineengedoken op het groene hoogpolige tapijt, tussen de geel gebloemde bank en het perzikroze behang. Ik hoor ruziënde stemmen. Een man en een vrouw. Mijn ouders. Niet die van mij, Meg Lindsay, maar van het zevenjarige jongetje dat ik nu ben. Ze schreeuwen alweer tegen elkaar. De woorden dringen diep door in mijn lichaam, vlammend als een schot hagel.

'Ik had helemaal niet met je willen trouwen, Liam,' roept de vrouw. 'Dat was alleen omdat jij me zwanger hebt gemaakt. Het is jouw schuld! Ik wilde hem laten adopteren, maar dat wou jij niet hebben. Ik wil niet dat je mijn leven nog langer verpest!'

'Lieverd, alsjeblieft, kalmeer een beetje. Ik ga wel minder werken. Ik doe wat je wilt, als je maar bij ons blijft. Ik wil niet alleen een kind opvoeden. Ik wil jou, verder niet. Alsjeblieft.'

'Houd toch op met dat gejammer. Je wilde mij helemaal niet. En je familie heeft een hekel aan je omdat je met een Italiaanse getrouwd bent in plaats van met de een of andere Chinese trien. Ze verachten me en maken me het leven zuur. En dat moet ik maar verdragen, alleen maar om zeven jaar als oppas voor jou te kunnen werken? Wil jij geen kind alleen opvoeden? Nou, wat heb ik dan de hele tijd gedaan?'

'Maar jij bent zijn moeder!'

'Nou en? Betekent dat dan dat ik mijn carrière moet vergeten? Vind je dat ik thuis moet gaan zitten als huisvrouw en moedertje? Ik zou knettergek worden! Ik heb nooit moeder willen worden. Ik wilde geen kinderen. Het is me opgedrongen en nu lijdt mijn werk er ook nog onder. Ik ga ervandoor. Probeer me maar eens tegen te houden.'

Angst grijpt me bij de keel. Het is zover. Ze hebben al heel vaak ruziegemaakt, maar nu klinkt het definitief. Hij wil alleen haar. Zij wil alleen haar werk.

Niemand wil mij.

Ik hoor een koffer dichtklikken. Het geluid galmt door het huis en ik spring overeind.

'Mama!' gil ik en ik ren de slaapkamer in, ook al heeft ze me verboden daar ooit een voet in te zetten.

Daar staat Naomi Ricci, een koffer in de hand, gekleed in een broekpak, haar werkkleding. Ik ren op haar af, klem me aan haar benen vast en duw mijn hoofd tegen haar buik.

'Niet weggaan! Niet weggaan, mama. Ik zal heel lief zijn. Dat beloof ik!' Ik stik bijna in mijn tranen en veeg mijn loopneus af aan mijn mouw.

Ze knijpt me in mijn arm, rukt zich los uit mijn greep en houdt me een eindje van zich af alsof ik een vieze theedoek ben of een rotte vrucht. 'Dat beloof je maar aan je vader. Ik kap ermee. Ik ben weg.'

Ik houd op met gillen en huilen. Een loodzware kalmte daalt over me heen. Ze meent het echt. Het is afgelopen. Ik ben mijn moeder kwijt. Ik sta te beven en ben bang dat ik het in mijn broek doe. Ik probeer mijn plas op te houden, anders veracht ze me straks helemaal. 'Wanneer zie ik u weer?' Ik zeg nu geen 'mama' meer. Ik weet dat ze dan alleen maar nog bozer wordt.

Ze kijkt me geïrriteerd aan, maar iets in mijn stem moet haar toch geraakt hebben, want ze laat mijn arm los en pakt me bij mijn kin. 'Wil je me weerzien? Dan moet je maar iets nuttigs doen. Ga het Higgs-deeltje maar zoeken. Als je het Higgs-deeltje gevonden hebt, Lewis, dan praten we verder. Behalve als ik het eerst vind.'

Ze kijkt niet eens om als ze de deur uit loopt. Ik weet zeker dat ik haar nooit meer zal zien.

Behalve...

Als je het Higgs-deeltje gevonden hebt, Lewis, dan praten we verder.

Geen idee wat het is, maar dat woord prent ik me in. Higgs-deeltje. Al duurt het mijn hele leven, ik moet en zal het vinden. En dan houdt mama weer van me.

Als ik het Higgs-deeltje vind, krijg ik mijn moeder terug. En dan laat ik haar niet meer gaan.

Mijn vader keert zich abrupt naar mij om, in zijn woede torent hij boven mij uit. Hij grijpt het eerste het beste wat hij kan vinden: een van mijn moeders parfumflesjes. 'Dit is jouw schuld!' schreeuwt hij met angstaanjagend grommende stem. Hij gooit de fles naar mij. Ik duik ineen, mijn hoofd met mijn armen beschermend, en het flesje verbrijzelt de ruit van het slaapkamerraam. Het trottoir zal nog wekenlang naar mijn moeder ruiken; ik zal beneden op de stoep liggen en haar geur opsnuiven tot het weer eens regent. Maar nu vlieg ik de slaapkamer uit. Mijn vader gooit de deur achter me dicht. 'Blijf uit mijn kamer!'

Op de overloop zak ik in elkaar, de muren veranderen in gelei en storten zich op me. Dan wordt alles zwart. Ik ben helemaal alleen en het enige wat ik hoor is mijn eigen snikken.

Toen ik mijn ogen weer opendeed, zat ik op de grond. Ik hield Lewis in mijn armen alsof hij een kind was. Hij huilde met gierende uithalen. 'Ik wil mijn moeder vinden.' Ik kon hem bijna niet verstaan. 'Ik weet dat het nergens op slaat, maar al die jaren werk ik eigenlijk alleen voor haar. Alles vanwege haar. En zij herinnert het zich waarschijnlijk niet eens meer. Ik haat haar!'

Maar dat was niet zo. Niet echt. Ik geloof niet dat je je ouders werkelijk kunt haten. Hoe boos en gekwetst je ook bent, ergens diep begraven zit altijd een restje liefde. Het schuurt en schaaft, maar wil niet weg. Je kunt nog zo je best doen het te beschermen, maar het verwondt altijd je hart. Lewis had een heldin van haar gemaakt, een soort mentor; hij had in haar voetsporen willen treden en tegelijkertijd was hij doodsbang geweest net als zij te worden.

Geen wonder dat hij zo bang was om kinderen te krijgen.

O ja... 'In dat artikel dat je me pas liet zien, zegt ze toch dat ze geen kinderen heeft?'

'Klopt,' zei hij met dichtgeknepen keel.

Ik huilde met hem mee. CERN, Zwitserland, experimenten... het Higgs-deeltje. Het was allemaal prima. Ik zou hem steunen, waar hij ook naartoe wilde. Wat ook maar hielp om die tientallen jaren van verdriet en gemis goed te maken. Al die jaren van afwijzing.

'Waarom heb je niks gezegd?' Ik gaf hem een kus boven zijn oor en streek zijn haar glad. 'Al die jaren wist ik nergens van. Je wist toch wel dat ik het begrijpen zou? Dat hadden we toch kunnen delen? Waarom vertrouwde je me niet?'

'Ik vertrouwde je wel. Je bent de enige die ik echt vertrouw. Ik wilde er alleen niet over praten.'

'Waarom niet?'

Hij keek me met een wazige, lege blik aan. Zijn ogen waren rooddoorlopen. 'Omdat het dan bestaat.'

29

Wen Ming, september 2008

Zhen An was weg, ook al belden we en stuurden elkaar e-mails met behulp van tante Helen. Oom en tante hadden me in de steek gelaten. Ik had mijn oude baantje als assistent op de kinderafdeling wel teruggekregen, maar er waren tegenwoordig lang niet zo veel baby's meer, en ze werden meestal al geadopteerd voordat ze leerden praten. Ik zorgde er wel voor dat ik niet aan ze gehecht raakte. Ik wiegde ze, maar gaf ze geen mooie dromen meer en schonk geen liefde. Ze pakten toch maar van me wat ik ze gaf en dan lieten ze me in de steek, net als alle anderen.

Het enige wat ik nog bezat was mijn oude droom: school afmaken en zelf directrice worden van het weeshuis en de kinderen altijd bij me houden. Ik leefde voor school. Ik was altijd aan het leren en liep de een na de andere tante af om te vragen of ze me wilden voorlezen of overhoren.

Mijn ogen deden pijn van al dat gelees. Ik richtte een felle lamp op mijn boek en drukte mijn neus bijna op het papier. Ik bewoog mijn hoofd van links naar rechts en van boven naar beneden om karakters en plaatjes te kunnen bekijken die te groot waren voor mijn kokervisie. Het was nog niet genoeg. Ik was al tien jaar, kon heel goed hoofdrekenen en kende alle Chinese dynastieën uit mijn hoofd, met alle data erbij, en toch kon ik niet lezen en schrijven.

Samen met de andere weeskinderen naar school lopen ging ook niet meer. In het begin hadden ze me begeleid, maar dat waren ze al snel beu en dan renden ze vooruit. Daar kregen ze flink straf voor. Vanaf dat moment bracht en haalde een van de tantes me altijd.

Ik was iedereen tot last. Ik moest overal naartoe gebracht worden en er was weinig waaraan ik kon meedoen op school. Ik had zo'n honger; ik snakte naar kennis, informatie. Hoe minder ik daarvan kreeg, hoe lastiger ik werd. Ik wist ook wel dat ik aardiger moest doen, maar er woedde een onrust en boosheid in me die ik amper in bedwang kon houden.

Het zou me niet moeten verbazen dat de schooldirectie uiteindelijk tegen de directrice en mij zei dat ze niet de benodigde faciliteiten in huis hadden voor mijn handicap en dat ik van school moest. Dat deed het ook niet. Ze hadden alles al van me afgepakt, dus dit kon er ook nog wel bij. Ik kon me er niet eens meer druk om maken. Waar vroeger mijn hart zat, gaapte nu een groot gat. Alle gevoelens waren erdoor verdwenen.

Ik had geen eetlust meer. Ik at al slecht sinds tante en oom me weggestuurd hadden. In vergelijking met tante Yangs kookkunst en oom Zhous traktaties was het eten in het weeshuis vies. Maar goed, zij wilden straks alleen nog maar koken voor de baby. Ik moest het doen met rijstepap en tot moes gekookte groenten. Ik mocht niet meer naar school en kreeg geen voedsel meer voor mijn hersens, dan hoefde mijn lichaam ook geen eten meer.

Het liefst lag ik de hele dag in bed, maar dat mocht niet van de directrice. Mevrouw Wu liet me allerlei klusjes in het weeshuis doen en ik moest helpen op de kinderafdeling. Ze maakte zich zorgen. Ik rook de bezorgdheid aan haar huid en kon het horen aan haar stem. Tante Yang had aangeboden me voor te lezen en privéles te geven in het weeshuis, maar ik weigerde met haar te praten. Ik kon haar niet vergeven wat ze had gedaan. Trouwens, ik wilde niet in haar buurt zijn nu ze zo bol en rond was van haar baby.

Haar baby!

Wanneer niemand meer een klusje voor me wist te verzinnen en alle baby's op de kinderafdeling sliepen, liep ik op de tast naar de kersenboom op de binnenplaats. Ik ging aan de voet tegen de stam aanzitten, hief mijn hoofd naar de zon en prentte me het spel van licht en schaduw in nu ik het nog kon zien.

Soms sloot ik mijn ogen en dacht aan Zhen An. Dan stelde ik

me voor hoe het leven zou zijn als zij hier was gebleven, voor altijd mijn kleine zusje.

Op een middag trof tante Helen me daar aan. Ze kwam oorspronkelijk uit Engeland. Daar had ik niet zo'n hekel aan als aan Amerika, maar ook daar gingen mijn baby's naartoe, dus zo leuk vond ik het land ook weer niet. Ik wist dat zij het was, want ze rook anders, naar buitenlander. Ik kon nog wat kleuren onderscheiden, en zag dat ze blond haar had.

'Zit je te mokken?' Ze sprak met een zwaar accent, maar wel vloeiend. Soms verstond ik haar niet, maar ze vond het nooit vervelend om te herhalen wat ze zei.

'Ik zit niet te mokken. Vragen ze dat u ook altijd als u onder een boom zit?'

'Nee, maar ik eet mijn bord leeg en zoek het gezelschap van anderen op.'

Ik trok mijn knieën op. 'Ik ben graag alleen en heb geen grote eetlust.'

'Omdat je zit te mokken.'

'Nietes! Als u me per se een standje wilt geven, bedenk dan iets wat ik echt fout gedaan heb.'

'Zoals een grote mond opzetten?'

Ik tastte de grond af tot ik een blaadje vond. Ik scheurde het in stukjes en strooide ze in het rond.

'Wat wilt u?' Dat was ongelooflijk brutaal, maar het luchtte me erg op.

'Ik kwam je iets lekkers brengen. Maar je bent zo humeurig dat ik maar naar binnen ga en het zelf opeet.'

'Ook goed. Ik heb niet om iets lekkers gevraagd.'

Ze zweeg even. Ik voelde dat ze me aankeek en probeerde me te peilen. 'Ik geef het wel aan tante Yang. Die heeft de hele middag hard gewerkt in plaats van onder een kersenboom te zitten mokken.'

'Ik zit niet te mokken!' Ik zei een poosje niets. 'Wat is het voor lekkers? Ik heb wel een klein beetje trek.' Ik strekte mijn benen voor me uit.

Ik meende even een glimlach in haar stem te horen toen ze mijn handen pakte en er iets kouds en vochtigs in legde. 'Stukjes peer. Eet maar snel op voordat ze bruin worden.'

Ik nam een hapje. Heerlijk. Lekker sappig en rijp maar niet te zacht, met een friszure schil. Mijn maag rommelde toen ik een hapje doorslikte.

Tante Helen lachte. 'Dus jij hebt helemaal geen honger?'

'Dank u, tante Helen.'

'Geen dank. Ik heb nog iets meegebracht.' Ze legde iets op mijn schoot. Het was zwaar en plat.

'Wat is dit?'

'Een boek.'

Ik duwde het van mijn schoot af. 'Ik kan niet lezen. Wat flauw, zeg.'

Ze reikte langs me om het boek weer te pakken en drukte het toen stevig in mijn schoot. 'Houd eens op met dat zelfmedelij-den. Er zijn allemaal mensen die je willen helpen, maar als je zo lelijk blijft doen, kijken ze wel uit.'

'Dus iedereen wil alleen een lief, aardig meisje helpen?'

Het leek alsof ze zachtjes gromde. 'Jij bent een lief en aardig meisje, Wen Ming. En heel slim. Maar je doet zo boos en verbit-terd, straks word je nog eens lelijk en vervelend… en dom. Want als je slim bent, weet je dat boosheid je leven vergalt. Slimme mensen geven het nooit op, ook niet als het leven zwaar is.'

Ik was niet van plan deze vrouw uit Engeland aardig te vinden. Maar ze hield vol. Als ik duwde, duwde ze terug. Dat gaf me een goed gevoel. Alsof ik voor het eerst in weken weer tot leven kwam.

'Wat is dit voor boek?'

Ze gaf geen antwoord, maar sloeg het open en legde mijn hand op de bladzijde. 'Voel maar.'

Overal op de bladzijde zaten kleine bobbeltjes. 'Wat zijn dat?'

'Wat denk je zelf?'

Ik volgde de bobbels met mijn vingers. Ik voelde patronen, rijen. Ik sloeg de bladzij om en voelde nog meer bobbeltjes en rijen. 'Zijn het woorden?'

'Heel goed. Je bent echt slim.'

'Welke taal is dit?'

'Chinees.'

'Er zijn geen bobbels in Chinees schrift.'

'Maar in dit soort wel. Dit noem je brailleschrift. Ik ben het aan het leren. Vroeger heb ik lesgegeven in Engels braille. Ik kan je helpen om Chinees braille te leren.'

Ik ging rechtop zitten en ademde hijgend. Ik streek over het boek. Zouden die kleine bobbeltjes mijn wereldje kunnen vergroten? 'Kan ik leren lezen? Allemaal boeken? En weer naar school?'

'Er zijn niet veel boeken in Chinees braille. Je begrijpt dat zo'n boek heel groot is omdat je maar één kant van een blad kunt bedrukken, en je hebt veel ruimte nodig voor de karakters. Maar ik heb wel een paar boeken zodat ik het je kan leren. Later gaan we dan op zoek naar andere boeken. Ze zijn heel duur, maar daar bedenken we wel wat op.'

'Dus ik kan weer naar school zodra ik braille heb geleerd?'

'Nee, het spijt me, dat gaat niet. Maar ik kan je wel zo veel mogelijk privéles geven.'

Dat was beter dan niets, veel beter. Ik drukte het zware boek liefdevol tegen mijn borst. 'Dank u. Heel graag.'

'Ik heb wel een voorwaarde. Drie, om precies te zijn. Ten eerste wil ik dat je gaat eten. Ten tweede moet je beleefd en vriendelijk worden. En ten derde...'

'Wat is nummer drie?' Die andere twee lukten wel.

Ze legde een hand op mijn schouder. 'Ten derde moet je tante Yang vergeven en het weer goed maken met haar.'

Ik legde het boek langzaam terug op schoot. Tante Yang vergeven? 'Dat kan ik niet. Ik zou niet weten hoe.' En ik wilde het niet. Liever boos dan verdrietig, dat deed minder pijn.

'Je moet het proberen. Anders leer ik je geen braille lezen.'

Het was net of ze me een por gaf met een stok. Ze porde en stak en priemde en duwde. Ze gaf niets om mij. Ze deed dit alleen maar voor tante Yang. Ik smeet het boek weg. 'Dan niet! U

237

hebt geen idee hoe het voelt als je geen thuis meer hebt, en je pleegmoeder zegt dat ze je niet meer wil hebben. Wie bent u om mij te vertellen dat ik moet vergeven? Wat snapt u er nou van, u bent maar een domme buitenlander met geel haar en een accent. Wat kunt u mij nou leren?'

Ik wilde het plein op rennen, maar er stond een bank waar die niet hoorde. Ik knalde ertegenaan en viel. Mijn benen prikten en mijn elleboog was geschaafd. Ik kon mijn tranen niet binnenhouden.

Tante Helen tilde me overeind en ging op het bankje zitten. Ze bekeek mijn benen en elleboog en zei dat het wat schrammen waren, maar verder niets ernstigs.

'Ik heb niet hetzelfde meegemaakt als jij, liefje,' zei ze. 'Maar ik ben ook heel erg gekwetst, juist door mensen die voor kinderen horen te zorgen. Ik heb lang niet kunnen vergeven. Het heeft een poos geduurd voordat ik begreep dat ik het daardoor alleen maar moeilijker maakte voor mezelf. Als iemand je verdriet doet, is dat erg, maar waarom zou je dat jezelf aandoen?'

Ik wreef over mijn geschaafde schenen. Daar zat wat in. 'Ik zal met tante Yang praten. Ik kan niet beloven dat ik haar vergeef. Niet meteen in ieder geval. Maar ik zal erover nadenken.'

Tante Helen gaf me een knuffel. 'Vooruit dan maar. Morgen beginnen we met brailleles. Jij, ik en tante Yang.' Ze zette me op mijn voeten en ik hoorde dat ze de bank verschoof. 'Die kan ik beter even terugzetten. Ik had hem verplaatst voordat ik naar jou toe ging. Een bank op de juiste plek is altijd handig.'

Ik zuchtte. Die buitenlandse tante was misschien nog wel koppiger en gewiekster dan ik.

Ik mocht haar wel.

30

Meg Lindsay, september 2009

Een tijdje geleden was er een documentaire op tv over dingen die chirurgen af en toe na een operatie in het lichaam van hun patiënten achterlaten. Ze hechten de wond en laten allerlei instrumenten achter: rollen verband, een pincet, hechtdraad of zelfs wondklemmen. De patiënten gaan weer naar huis, en wanneer ze opeens een vlammende pijn voelen of een onverklaarbare ontsteking krijgen, denkt niemand eraan te controleren of er niets na de operatie is achtergebleven. Dus worden ze ziek. Ze lijden pijn. Detectiepoortjes bij de douane slaan op tilt. Sommigen overleven het niet.

Eva was nu al drieënhalf jaar mijn dochter en nog nooit had ze 'ik houd van je' gezegd, niet tegen mij en niet tegen Lewis. Alleen tegen Wen Ming. *Wo ai ni, jie jie.* Dat zinnetje had zich in mijn hoofd en hart vastgezet als een scalpel en telkens als ik het hoorde, voelde ik een felle pijnscheut.

Was het dan zoveel gevraagd? Vier woordjes maar. Ik probeerde geduldig te blijven. Probeerde haar de ruimte te geven, zei tegen mezelf dat ik wel kon wachten. Toch snakte ik ernaar.

Het werd een obsessie voor me. Ik bestudeerde elke gezichtsuitdrukking van haar, de manier waarop ze ademhaalde, sprak, gebaarde. Nam de druk toe als ze me omhelsde? Hoeveel watt besloeg haar glimlach? Ik speurde naar tekenen: gaf de meterstand aan dat ze dichterbij kwam of trok ze zich juist van me terug? Ik lette op wat ik zei, maakte me zorgen of iets verkeerd zou vallen en vroeg me bij elke aanraking en opmerking af of er voldoende acceptatie en liefde uit bleek. En wanneer dat niet lukte, maakte ik mezelf het verwijt dat we geen vooruitgang boekten zodat het nog moeilijker voor haar werd om van me te gaan houden.

Ik was aan de verliezende hand. Uit al mijn onderzoeken bleek dat ze verder van me af kwam te staan en juist niet dichter bij me kwam. Ze had nu wat vriendinnen, Jolie was haar beste vriendin, en meer activiteiten op school. Haar cijfers waren omhooggegaan sinds ze bijles had en de therapeut hielp haar om te gaan met haar boosheid en verdriet.

Maar de nachtmerries bleven en Wen Ming was nog steeds de allerbelangrijkste in haar leven.

Net als ik had Eva een obsessie: China.

Op een vrijdagmiddag bezocht ik haar school. Ze hield een spreekbeurt over China en haar adoptie. Ze had wekenlang vrijwel uitsluitend aan haar presentatie gewerkt. Ik had gevraagd of ze wilde dat ik ook kwam, half-en-half in de verwachting dat ze nee zou zeggen. Maar na een korte aarzeling zei ze ja.

Ze stelde me voor aan haar klas. 'Dit is Meg Lindsay, mijn moeder. Nou ja, niet echt mijn moeder. Eerder een soort nepmoeder. Mijn echte moeder woont in China, maar die kennen we niet.'

Wat moest ik daar nou mee? Ik glimlachte vrolijk, alsof mijn dochter me niet zojuist voor heel groep vier verloochend had. Ik beet op mijn tong om de tranen terug te dringen. Ik wilde dat ze van me ging houden, en als dit erbij hoorde, dan moest dat maar.

Als ik het woord 'China' nog één keer hoorde… jammer eigenlijk. Ik had helemaal niks tegen dat land, maar het was moeilijk om vast te houden aan goede herinneringen wanneer die een wig dreven tussen mijn dochter en mij.

Ze moest naar vioolles na schooltijd en daarna gingen we naar een lege flat terug. Lewis had ook zijn obsessie tegenwoordig: zijn onderzoek. Hij zat in Zwitserland… alweer. Misschien dacht hij eraan me te bellen, maar meestal vergat hij dat, zozeer ging hij op in zijn wereldje van elementaire deeltjes, atomen en zijn wanhopige verlangen de liefde van zijn moeder te verdienen.

Ik had de keuze om de avond alleen met mijn afstandelijke dochter door te brengen, in de hoop op wat genegenheid van haar kant, waarschijnlijk gevolgd door gevoelens van frustratie als dat niet lukte, of ik kon mijn aandacht aan iemand anders schenken. De obsessie het hoofd bieden. De pijn negeren.

Vandaar dat ik Li Shu te eten had gevraagd. Ik was niet zo'n feestbeest en nodigde niet vaak mensen uit in mijn privédomein. Eén tegelijk was wel genoeg. Van al mijn vrienden was Li Shu het minst opdringerig, maar toch in staat om de eenzaamheid te verjagen.

Ze had me beloofd Chinees te leren koken. Dat was allang de bedoeling, het had alleen eeuwen geduurd voor ik haar uitnodigde. Niet alleen in mijn huis, maar ook in mijn leven. We kenden elkaar al heel lang, maar op de een of andere manier was ze sinds een jaar of drie meer dan alleen een collega geworden. Een vriendin.

Ik opende de deur voor haar en ze liep naar binnen, met haar armen vol boodschappentassen. Ik omhelsde haar.

'Ik zei toch dat ik inkopen zou doen?' Ik pakte de tassen van haar aan en bracht ze naar de keuken.

'We hadden nog wat ingrediënten nodig waarvan ik niet zeker wist of je die zou kunnen vinden, vandaar dat ik ze zelf maar heb gekocht.'

Eva racete de keuken in en stortte zich op Li Shu. 'Li Shu! Kom je Chinees met me praten?'

Ze schonk haar een gulle lach en antwoordde in het Chinees. We waren begonnen met lessen voor het hele gezin nadat Eva vorig jaar voor de tweede keer aan haar hazenlip geopereerd was. Ze leerde wonderbaarlijk snel. Veel sneller dan Lewis en ik.

Ik kon het gesprek maar een klein beetje volgen. Als ik Eva wilde bijhouden in haar adoratie voor China, moest ik veel beter mijn huiswerk gaan doen. Ik voelde me buitengesloten.

We hakten en roerden en bakten en al snel rook de hele flat heerlijk naar rijst, verse spinazie en de warme, gronderige geur van bonen en prei. Li Shu, die meestal vrij gereserveerd was, giechelde om onze klunzige pogingen om met stokjes te eten.

Na het eten leerde Li Shu Eva nog een kinderspelletje in het Chinees en toen was het bedtijd. Ik zei dat Eva onze gast welterusten moest zeggen. Ze sloeg haar armen om Li Shu heen.

'Ik wou dat jij mijn moeder was, en dat ik bij jou kon wonen.'

Met piepende remmen kwam de aangename avond pijnlijk tot stilstand.

Zouden de Trojanen zich zo gevoeld hebben toen die Grieken uit dat mooie paard tevoorschijn kwamen? Ik had deze vrouw, mijn vriendin, toegelaten tot mijn huis en nu stal ze de genegenheid van mijn dochter. Met mijn verstand wist ik ook wel dat ze dat niet expres had gedaan, maar dat deed niet af aan het gevoel verraden te zijn.

Ze staarde me geschokt en gegeneerd aan. 'Eva… je hebt toch een lieve moeder en een schitterend huis?'

Het was zo'n ongemakkelijk moment dat zelfs Eva dat moet hebben aangevoeld, want ze begon nerveus te giechelen. 'Ik maak maar een grapje, hoor,' zei ze.

Li Shu lachte geforceerd, maar dat lukte mij niet. Ik joeg Eva naar haar slaapkamer en deed de deur dicht.

'Waarom zeg je nou zoiets, Eva?' Ik deed mijn uiterste best om zachtjes te praten, maar mijn woorden klonken als dreigend gesis.

Ze deinsde achteruit, maar stak haar kin vastberaden naar voren. 'Ik heb niks verkeerds gezegd.'

'Je loopt al de hele dag tegen iedereen te vertellen die het wil horen dat ik niet je echte moeder ben en dat je liever een andere wilt. Waarom doe je dat? Wat denk je dat ik daarvan vind?'

Haar lippen begonnen te trillen. 'Je zegt nooit iets over mijn Chinese ouders. En als ik erover begin word je boos. Waarom heb je zo'n hekel aan ze?'

'Daar gaan we het nu niet over hebben.'

'Je wilt er nooit over praten!'

Ik wierp een blik op de deur. 'Een beetje zachter. We hebben bezoek.'

'Je hebt een hekel aan mijn ouders! Je vindt het erg dat ik Chinees ben!' Ze huilde.

Ergens wilde ik haar bij haar armen pakken en door elkaar schudden. 'Hoe kom je daarbij? Dat is belachelijk, en niet waar.'

242

'Maar ik mis ze zo. Ik wil een echt gezin.'

'Dat heb je toch!' Ik vergat zachtjes te praten. 'Je hebt een moeder en vader die van je houden. Je Chinese ouders hebben je in de steek gelaten! Doen echte ouders dat?'

Ik kon mezelf wel wat aandoen. Dat ik zoiets had durven zeggen.

Ze kneep haar ogen dicht. 'Daar konden zij niks aan doen.'

'Dat weet je niet.'

Ze wierp zich op haar bed. 'Ik wil niet geadopteerd zijn. Ik wil geen Amerikaanse ouders hebben.'

Haar woorden raakten me alsof mijn hart werd opengereten. Al mijn gedachten werden overspoeld door het verdriet om wat ze zei. Ik hield me vast aan de deurklink en leunde tegen de deur. Ik kon het wel uitschreeuwen.

Maar in plaats daarvan liep ik de kamer uit zonder nog iets te zeggen. Hier kon ik niet tegen, niet nu mijn vriendin op me wachtte.

Ik liep de woonkamer in waar Li Shu stijfjes op een leunstoel zat, haar handen onder zich gestoken. 'Het spijt me heel erg, Meg. Ik kan beter naar huis gaan zodat ik je niet meer tot last ben.'

Ik kon niet kwaad zijn op haar. Het was mijn schuld, niet de hare. Eva had niet genoeg aan mij. Ze had me niet nodig, hoezeer ik daar ook naar verlangde. Ze had opnieuw mijn hart verscheurd. Li Shu had daar geen schuld aan.

'Ik heb geen last van je.'

'Door mij heb je ruzie met je dochter.'

Ik ging op de hoek van de bank zitten, zo dicht bij haar als ik durfde. Tranen verstikten mijn stem. 'Nee, dat ligt niet aan jou. Ze zegt dat tegen bijna alle Aziatische vrouwen die ik ken. Ik had het kunnen verwachten; ik was er niet bij met mijn gedachten. Het spijt me. Ik had je moeten waarschuwen of met haar moeten praten voordat je kwam. Het is mijn schuld. Ik had beter moeten opletten.'

'Waarom zegt ze dat?'

Ik liet mijn schouders hangen. 'Omdat ze in de war is. Ze heeft hechtingsproblemen; het kost haar moeite om zich te binden aan ons. Ze is altijd op zoek naar andere ouders omdat ze zich niet kan voorstellen dat wij voorgoed haar ouders zullen zijn. Ze wil dat maar niet accepteren.' Het was de uitleg die haar therapeut ons voorhield, maar waar ik steeds minder geloof aan hechtte.

'Wat erg voor jullie.'

'Dank je. Ik wou dat het anders was, voor haar en voor ons.'

'Je bent een heel goede moeder: je blijft van haar houden ook al doet ze je zo veel verdriet.'

Ze moest eens weten. Ik zuchtte. 'Soms kan ik er zo boos om worden. Ik zou haar moeten vergeven. Ze kan er tenslotte ook niets aan doen. Het is niet haar bedoeling om mij verdriet te doen. Maar het gaat maar door.' Ik sprak door mijn tranen heen. 'En goede moeder hoort te vergeten en te vergeven, maar dat kan ik geloof ik niet.'

Zeker na vanavond niet meer.

'Vergaat het alle adoptiekinderen zo?' Haar woorden hadden een scherp, wanhopig randje.

'Nee, hoor.' Ik pakte een zakdoekje en snoot mijn neus. 'Dat hangt af van hun voorgeschiedenis. Sommige kinderen passen zich gemakkelijk aan hun nieuwe gezin aan. Waarom bepaalde kinderen het daar moeilijk mee hebben, is niet bekend.'

'Gaat het wel met jou?'

Ik wilde 'goed' zeggen, maar liet toen mijn hoofd zakken. 'Nee, eigenlijk niet zo. We gaan met haar naar een therapeut, dus ik begrijp wat er aan de hand is. Maar… dat maakt het niet minder zwaar. Ik heb het gevoel dat ik tekortschiet als moeder. Ik kan het niet overgeven; het lukt me maar niet haar te vergeven. Ik had gedacht dat ik alleen maar van haar hoefde te houden, maar voor sommige dingen is zelfs liefde niet toereikend. Ze vindt me niet eens haar "echte" moeder.'

'Dat ben je wel, of ze dat nu inziet of niet.' Haar stem klonk zo dof dat ik opkeek. Ze had tranen in haar ogen. Ik wachtte tot ze verder sprak.

'Jij staat dag in, dag uit voor haar klaar, ook al wijst ze je af. Je zet je carrière op een laag pitje en laat je dromen schieten omdat je haar belangrijker vindt. Je troost haar als ze ziek is en je bezoekt haar klas als ze een spreekbeurt heeft. Je houdt van haar, ook al houdt ze niet van jou. Dan ben je een echte moeder.'

Ze bedoelde het goed, maar die clichés hield ik mezelf al jaren voor. Ze hielpen geen zier en ik werd er tegenwoordig alleen maar boos om. 'En hoe weet jij dat?' Ik schrok van mijn bitse woorden. 'Sorry, dat had ik niet moeten zeggen.'

Ze wrong haar handen in haar schoot, maar keek me niet in de ogen. Er drupten tranen op haar handen. 'Ik had zo'n moeder als jij moeten zijn.'

Mijn gedachtestroom kwam abrupt tot stilstand. 'Wat bedoel je daarmee?'

'Ik heb een baby gekregen op mijn drieëntwintigste. Een jongetje. Ik was niet getrouwd, en een alleenstaande moeder, dat is niet geaccepteerd in China. Ik heb een abortus overwogen, maar toen dacht ik aan een getrouwde vriendin van me, die geen kinderen kon krijgen. Ik heb haar gevraagd mijn kind te adopteren. Ik ben negen maanden ergens anders gaan werken, in een stad waar niemand mij kende. De laatste paar maanden heeft mijn vriendin een kussen onder haar kleren gedragen zodat al haar kennissen dachten dat ze zwanger was. En ik zei tegen iedereen dat mijn baby bij de geboorte overleden was. Mijn vrienden kwamen de baby ophalen en vertelden dat de baby tijdens dat bezoek aan mij geboren was. Niet lang daarna ontmoette ik mijn man, maar zelfs hij weet dit niet.'

'Je hebt een foto van hem in je map met muziekstukken.'

Ze knikte. 'Aanvankelijk stuurde mijn vriendin me foto's, maar na verloop van tijd werd ze bang dat iemand de waarheid zou achterhalen en besloot ze elk contact met mij te verbreken. Toen heb ik bij de Nouveau Chicago Symphony gesolliciteerd. Sindsdien heb ik niets meer van haar gehoord. Dat is de laatste foto die ik van hem heb. Hij is nu twaalf. Ik probeer me telkens voor te stellen hoe hij er nu uitziet, wat hij doet, wat voor karakter hij heeft.'

Wat kun je nog zeggen als geen enkel meelevend woord toereikend is? Wat kun je nog zeggen als je beseft dat jouw problemen in het niet vallen bij wat een ander aan verdriet met zich meedraagt? Wat zeg je als woorden alleen maar hol klinken bij zo veel droefheid?

Niets. Ik gaf haar een zakdoekje en kneep even in haar hand.

'Ik had dapperder moeten zijn. Ik had hem niet moeten afstaan. Hij was zo mooi. Volmaakt. Een echte moeder zou alles op alles hebben gezet om hem bij zich te houden.'

'Jij bent juist wel dapper geweest, Li Shu. Je hebt gedaan wat voor hem het beste was. Dat is wat echte moeders doen.'

Ze pakte mijn hand en zo zaten we een poos en zwegen samen, alleen met onze eigen problemen. We zeiden niets meer. Wat viel er nog te zeggen?

Nadat Li Shu vertrokken was, waste ik af en ruimde de woonkamer op. Ik wilde net naar mijn slaapkamer gaan toen de deur van Eva's kamer zachtjes openging.

'Mam?' Haar stem klonk hees, alsof ze had gehuild.

Ik keerde me naar haar om. Mijn adem stokte toen ik de wanhopige angst en verlatenheid in haar ogen zag.

Ik wist meteen wat me te doen stond. Ook al had ik er geen zin in. Ook al had ik er de kracht niet voor. Het moest nu eenmaal. Ik wilde degene zijn die het deed. Ik was de enige die het kon.

Ik snelde naar haar toe. Ik sloeg mijn armen om haar heen en wiegde haar als een baby. Ze werd al zo groot, maar toch... ik wilde haar helemaal in mijn armen nemen. Ik stak mijn neus in haar haar en snoof het klamme zweet op alsof het parfum was. 'Ik houd van je! Al haat je mij, al zeg je tegen iedereen dat ik je moeder niet ben, toch houd ik van je. Altijd. Ik laat je niet in de steek. Ik ga niet weg. Ik ga niet weg. Ik blijf bij je.'

Ik omarmde haar, wiegde haar en mompelde van alles wat ik zelf graag had willen horen toen ik zo oud was en van alles wat ik in mijn dromen tegen haar had gezegd.

Zo-even was ze nog stug geweest, maar nu was ze zo buigzaam en zacht als klei.

Ten slotte snikte ze klaaglijk en drukte zich dichter tegen me aan. 'Het spijt me! Ik heb geen hekel aan je, mama. Ik houd van je.'

Ik hield op met wiegen. Ze had het gezegd. Die woorden waarnaar ik zo verlangde. Ik wilde ze vasthouden, tegenhouden, nog eens horen. Maar ze waren al verstomd voordat ik goed en wel besefte wat ze gezegd had.

Maar wat gaf dat ook? Waar het om ging was wat ze nu van me nodig had, van mij, haar moeder. Ik zou er vaak genoeg naast zitten, maar dit was genade. Ik putte diep in mijzelf voor wat ik haar zeggen moest, ook al bloedde mijn hart nog steeds. 'Dat weet ik toch. Ik vergeef het je. Ik houd ook van jou.'

Want dat doet een echte moeder.

31

Wen Ming, december 2009

Altijd was mijn leven bepaald geweest door wat ik kon zien. Van jongs af aan was ik bijziend en wat ik wel kon zien werd begrensd, alsof ik door een gat in een zwarte doek keek. Toen ik twee was en naar het weeshuis ging, was het gat zo groot als een voetbal; niet meer dan een dunne, zwarte rand aan de rand van mijn blikveld. Toen ik drie was, kromp het gat ineen tot de afmetingen van een bord. Zes jaar: een grapefruit. Op mijn achtste was het niet groter dan de cirkel die ik met mijn vingers kon vormen. Toen ik tien werd, was het gat inmiddels niet groter dan een yuan-muntstuk. Op mijn elfde nog maar een kleine fen-munt. Ik begreep dat het niet lang zou duren voor het gat helemaal verdween. Niet veel dingen zijn kleiner dan een fen.

Ik maakte me er niet druk over, was ook niet bang voor de duisternis. Tenslotte was mijn gezichtsvermogen altijd al slecht geweest en wist ik al jaren dat er niets aan gedaan kon worden. Ik had inmiddels braille geleerd en kon goed luisteren en onthouden wat ik hoorde. Ik herkende mensen aan hun geur en het geluid van hun voetstappen.

Ik vond blind worden niet zo'n gewichtige zaak. Je kon de wereld ook op andere manieren verkennen dan door te kijken. Er was zo veel te ervaren, te ruiken, horen en proeven. Die vier manieren had ik nog tot mijn beschikking. Waarom zou ik treuren omdat ik nummer vijf kwijtraakte?

Op een koude morgen in december werd ik wakker. De andere kinderen op de zaal sliepen nog. Ik wist niet waar ik wakker van geworden was, tot ik een diepe, gruizige stem mijn naam hoorde roepen.

'Wen Ming,' fleemde de stem. 'Kom mee.'

Ik ging rechtop zitten en zag golvende zwarte en zilveren schubben voor mijn ogen flitsen. Ik kon ze heel scherp zien. Verheugd over dit wonder stapte ik uit bed zonder me af te vragen waar dit wezen me naartoe bracht. Ik volgde simpelweg.

Ik liet me door zijn schoonheid en verleidelijke stem leiden, de gang door en de binnenplaats op. Ik voelde geen kou, ook al was het winter. Het vreemde wezen nam plaats onder de kale takken van de kersenboom.

Het beest kronkelde langs de stam omhoog naar de boomtakken. 'Kom naar boven, Wen Ming,' zei hij.

'Ik blijf liever hier, anders val ik nog.'

'Dan loop je een schitterend uitzicht mis.'

'Dat doe ik sowieso, ik zie bijna niks.'

'En wanneer ik je eens beloof dat je scherp kunt zien, helemaal tot aan de horizon?'

Ik tuurde naar boven. Als ik dat deed, zag ik alles helder. Keek ik weg, dan werd het weer donker. Maar ik was niet voor niets in een weeshuis opgegroeid, ik vertrouwde niet zomaar blindelings. 'Waarom zou ik dat willen zien?'

'Waarom zou je het willen missen?' siste het wezen me berispend toe. 'Je stelt de verkeerde vragen, Wen Ming. Je hebt me niet gevraagd wie ik ben en waarom ik je geroepen heb.'

'Ik denk dat je een boze geest bent.'

'Misschien spruit ik wel voort uit je eigen fantasie. Jouw wereldje is zo klein, je hebt waarschijnlijk niet veel beters te doen dan monsters te bedenken.'

'Als je een fantasie van mij was, was je wel wat interessanter.' Ik draaide het arrogante dier met zijn beledigingen de rug toe.

Hij lachte. 'Je hebt gelijk. Nou, als je dan zo slim bent, vertel mij dan maar eens wat ik kom doen.'

'Het is koud en ik wil naar bed. Ik heb geen tijd voor je raadseltjes.'

Hij knikte met zijn kop; net die van een draak, maar dan zonder hoorns. 'Ik kom je zicht wegnemen. Alles. Voorgoed.'

'Dat krijg je niet.'

'Je hebt geen keus.'

Ik maakte een lelijk gebaar. 'Mijn zicht is niet groter dan een fen. Ik ben alles al kwijtgeraakt. Waarom wil je het laatste restje ook nog afpakken?'

'Ik wil het niet, ik kom het alleen maar wegnemen.'

'Je bent een demon.'

Hij keek me verdrietig aan. 'Als je nog maar zo weinig ziet, waarom vind je het dan erg om je zicht kwijt te raken?'

'Omdat het van mij is.'

'En als ik je nou zou zeggen dat je iets veel mooiers staat te wachten?'

'Dan zeg ik dat je liegt. Blind zijn is helemaal niet mooi.'

'Kom naar boven, Wen Ming. Ik zal je iets schitterends laten zien. Het is een geschenk voor jou, omdat je je zicht kwijtraakt.'

'Ik vertrouw je niet.'

'Ik lieg niet. Kom naar boven als je durft, dan krijg je iets schitterends te zien voordat je blind wordt.'

Veilig beneden blijven of in de boom klimmen en het erop wagen? Als het beest niet loog, was het het laatste wat ik zelfstandig kon doen voordat ik voorgoed mijn zicht verloor. Ik waagde het erop.

Ik klom naar boven. De boom reikte tot hoog in de lucht. Ik snelde achter het beest aan, hoger en hoger tot ik hem in de kruin bereikte.

'Moedig meisje. Kijk maar.' Hij hield me beet en draaide me naar het uitzicht. Ik hapte naar adem. De wereld strekte zich onder me uit, de kleuren beneveld in het ochtendlicht. Nergens benam het zwarte doek mij het zicht.

'Je hebt zo veel lelijks van deze wereld gezien,' zei het wezen. 'Ik wilde je laten zien hoe mooi hij ook kan zijn.'

Er dwarrelde een grote, witte kristal door de lucht: een prachtige, glanzende sneeuwvlok. Hij wentelde zich elegant voor mijn ogen en liet zich trots van alle kanten zien. Er viel er nog een naar beneden en ze dansten samen voor me. Al snel was de lucht vol wervelende diamanten sneeuwvlokken. Ze bleven even op mijn vingers rusten voor ze weer naar beneden doken. Ik stak mijn armen uit alsof ik met ze mee wilde duiken.

'Vergeet nooit dat de wereld mooi is. Onthoud dat altijd, Wen Ming, wat er ook gebeurt.'

De sneeuwkristallen dwarrelden om me heen. 'Wie ben je?' vroeg ik het wezen.

'Ik ben dat wat er gebeurt.'

'Dat slaat nergens op.'

'Dat geldt meestal voor mij. Er is nooit een goede reden of verklaring te vinden voor mijn optreden. Ik ben geen demon, Wen Ming. Of ik goed of slecht ben, hangt af van jouw reactie op mij. Snap je dat?'

'Ik denk van wel.'

Zijn stem klonk spijtig. 'Het is zover.'

Zijn met zwarte schubben overdekte handen gleden over mijn gezicht en kwamen op mijn ogen af. Ik verzette me niet. Ik keek nog eenmaal naar de schitterende sneeuw en liet me tegen het wezen zakken. Een hevige druk en toen... niets.

Ik kan niet 'zwart' zeggen, want dat is een kleur. Er waren geen kleuren meer. Er was geen licht. Geen donker. Niets.

En toen... iets. De prikkelende, vochtige smaak van sneeuw. Het gekietel van de vlokken op mijn huid. Het gedempte geluid van neervallende sneeuwvlokken. Het frisse, heldere aroma van de kou.

Mijn gezichtsvermogen was weg. Voorgoed. Er welden tranen op in mijn dode ogen. Ze bevroren tot korrels die over mijn wangen rolden. Ik zwaaide met mijn armen om me heen om iets, wat dan ook, te voelen. Maar ik maaide door de lucht. Ik viel...

'Moed houden, Wen Ming...' fluisterde het wezen in de wind.

Wen Ming.

Wen Ming.

'Wen Ming!' De stem van mevrouw Wu brak mijn val. Ik ging rechtop zitten en voelde de ruwe schors van de kersenboom in mijn rug. Mijn kleren waren nat van de sneeuw. Ik huiverde van de kou, vanwege het besef. Ze wikkelde een deken om me heen en hielp me overeind. 'Je hebt vast geslaapwandeld. Je mag Ling Mei wel dankbaar zijn; ze werd wakker en zag dat je niet in je bed lag. Je had wel dood kunnen vriezen.'

'Ik ben blind, mevrouw Wu.'

Ze bracht me snel naar binnen. Ik kon me niet oriënteren omdat ik geen licht of schaduw meer zag. Ik gleed uit in de sneeuw en struikelde over de drempel. Mevrouw Wu ving me op.

'Wat bedoel je?'

'Ik kan niets meer zien. Helemaal niets meer.'

Ik voelde dat er een loodzwaar gewicht op haar schouders neerdaalde. Ze slaakte een diepe zucht. 'Je houdt je heel flink.'

Ze zette thee voor me en gaf me een paar amandelkoekjes. Ze leek zich zorgen te maken.

'Maakt u zich geen zorgen, directrice. Dit is gewoon iets wat gebeurt.'

Moed houden, Wen Ming.

Deel III

Leeuwendans

'Ik heb deze paradox ontdekt: wanneer je liefhebt tot het pijn doet, volgt er daarna geen pijn meer, alleen maar meer liefde.'

Moeder Teresa

32

Meg Lindsay, april 2010

We waren in Zwitserland, waar Lewis op jacht was naar zijn elementaire deeltjes. Ik plaagde hem met zijn experimenten door
hem een ontdekkingsreiziger te noemen die na twee jaar hard
werken bijna zijn doel bereikt had. Hij was een van de teamlei-
ders, al begreep ik niet goed wat dat precies inhield. Ik hield het
er maar op dat ze een soort van botsautootjes in een baan lieten
racen, maar dan in een hightechvariant daarvan. Ze moesten zo
hard mogelijk op elkaar knallen tot de stukken in het rond vlogen. Alleen goochelden deze techneuten met stukjes zwart gat
en elementaire deeltjes die krachtiger waren dan een atoombom.
  Als hij maar lol had.
  Ze waren er heel dichtbij. Lewis had er zo veel vertrouwen in
dat hij Eva en mij voor het eerst met zich mee nam. We haalden
Eva van school – tenslotte leerde ze hier vast veel meer dan in
groep vier – en betrokken een appartement op de campus van
CERN gedurende drie chaotische, dramatische weken. Het was
nog net te doen.
  Lewis had van tevoren gewaarschuwd dat hij niet als toeris-
tische gids kon optreden. Het leek een beetje of hij een arts in
opleiding was; hij werkte in ploegendiensten van zesendertig tot
achtenveertig uur, dook een paar uur in bed en moest dan weer
snel terug naar het lab. Eva en ik waren op onszelf aangewezen.
  We gingen dagjes uit in Genève, slenterden over de boulevard
langs het meer en Eva mocht de kermisattracties uitproberen.
We gingen met een rondleiding mee door het Europese hoofd-
kantoor van de VN en bezochten vlooienmarkten en cafeetjes
op leuke straathoeken en in gezellige steegjes. Onze favoriete

bezienswaardigheid was de botanische tuin.

We praatten veel. Ik kwam tijdens die paar weken meer te weten over mijn ongrijpbare meisje dan in alle jaren daarvoor.

'Mam, weet je wat ik het leukst aan je vindt?' vroeg ze op een namiddag toen we zaten te fonduen in een restaurantje.

Mijn hart maakte een vreugdedansje; ze vond iets van mij leuk! 'Wat dan?'

'Je haar. Zo'n mooie kleur. Ik wou dat ik dat had.'

Ik reikte over tafel en streek over haar glanzende zwarte haar. 'O, nee. Jouw haar is schitterend. Ik heb altijd zulk glimmend zwart haar gewild. Net draden van satijn.'

'Nou, uw haar is net... draden van zonneschijn.'

Ik grijnsde naar haar. 'Misschien moeten we van haar ruilen. Als ik dat van jou krijg, krijg jij het mijne.'

Ze giechelde. 'Dat zou er raar uitzien.' Haar glimlach verflauwde. 'Toch wou ik dat ik op je leek. Zou ik op mijn Chinese moeder lijken?'

Ik verstarde, zoals altijd wanneer het gesprek hierop kwam. Ik voelde me nog vaak onzeker en gekwetst, ook al had Eva mij eindelijk aanvaard als moeder. Ik negeerde mijn gevoelens zo veel mogelijk. Ik wilde toch altijd zo graag een nieuw begin maken? 'Vast wel. Ze heeft waarschijnlijk ook zulke kuiltjes in haar wangen, en net zo'n leuk neusje.' Een hand klemde zich om mijn borst bij die gedachte.

'Misschien heb ik de neus van mijn vader wel.'

Ik deed alsof ik haar neus inspecteerde. 'Dat schattige ding? Bij een man? Dat kan niet. Veel te lief voor een mannengezicht.'

We lachten, maar het bleef zeer doen.

Lewis' experiment duurde vijf dagen. Na de derde dag vroeg ik niet meer hoe het ging. Hij staarde me alleen maar uitdrukkingsloos aan en mompelde dan wat in wetenschappelijk jargon dat ik toch niet begreep. Uit de manische glans in zijn ogen leidde ik af dat het wel goed ging.

Een paar uur later was het licht gedoofd en zag zijn gezicht grauw van bezorgdheid. 'Een van de supergeleidende magneten is niet goed gekalibreerd. We krijgen niet genoeg energie in de baan.'

Hij liet zich in een van de metalen stoelen van ons sober gemeubileerde appartement ploffen en mompelde nog meer in technotaal.

Ik nam zijn stoppelige gezicht in mijn handen en gaf hem een kus, ook al rook zijn adem naar verschaalde koffie. 'Je krijgt hem wel aan de praat, heus. Het lukt je vast wel. Ik heb vertrouwen in je.'

Hij klemde zich aan me vast. Zijn spanning werd niet alleen veroorzaakt door het baanbrekende experiment, besefte ik. Er stond voor hem meer op het spel.

Ze kregen de magneet weer aan de praat, en een paar dagen later was de glans in zijn vermoeide ogen weer terug. Ze waren de gegevens aan het verwerken. Hij verbleef nu twee à drie dagen achtereen in het lab terwijl Eva en ik nog meer bezienswaardigheden bezochten. Op de vierde dag, rond vier uur 's middags, kwam hij het appartement binnen stormen.

'Meg! Meg!'

Ik keek over de balustrade van de open verdieping naar de plankenvloer onder me. Hij zag er verfomfaaid uit. Hij danste op en neer en zwaaide met een vel papier.

'We hebben hem! We hebben het Higgs-deeltje gevonden!'

Ik rende de trap af en hij hield het stuk papier onder mijn neus. 'Zie je?' Zijn vinger prikte op een piek in een grafiek. 'Daar! Hier zie je iets wat niemand ooit eerder heeft gezien. We schrijven geschiedenis, Meg! Dit staat over een eeuw nog in alle natuurkundeboeken.'

Ik zag helemaal niks bijzonders aan de grafiek. 'Is dat het?'

'Dat is het. Schitterend, hè.'

Zijn gezicht, dat was pas schitterend. Het glom van verrukking vanwege onthulde mysteries en de ontdekking van de geheimen van het heelal. Ik wierp me in zijn armen en genoot van zijn opgetogenheid. Ik snapte er nog steeds niks van, maar ik deelde in zijn prestatie.

Samen met Eva togen we naar het laboratorium, waar het team aan het feestvieren was. Ze zagen er onverzorgd en uitgeput uit en ik begreep nog niet de helft van wat ze zeiden; nog veel minder overigens nadat ze een paar drankjes ophadden. Maar hun opwinding sprak boekdelen.

Ook al had Lewis bijna drie dagen niet geslapen, die avond gingen we uit eten in Genève, wij met z'n drietjes. Lewis kocht de grootste doos Zwitserse bonbons die hij kon krijgen voor Eva en mij om het te vieren.

'Word je nu beroemd, papa?'

'Weet ik niet. Misschien wel. Zou je dat leuk vinden?'

'Ja hoor, als je maar niet op school komt en handtekeningen gaat uitdelen. Kinderen van mijn leeftijd houden meer van Disney, niet van natuurkunde.'

Lewis schoot in de lach. 'En als ik straks op Disney Channel wordt geïnterviewd?'

'Dan mag het. Wanneer weet je of je beroemd wordt?'

'We moeten eerst een verslag schrijven van het experiment. Dat duurt een paar maanden. En als dat uitkomt, worden we misschien beroemd. Behalve bij kinderen in groep vier, uiteraard.'

Het bleek uiteindelijk drie maanden te duren, en bracht inderdaad een bepaalde mate van bekendheid met zich mee. Zelfs mijn ouders gaven schoorvoetend toe dat ze trots waren toen het nieuws bekend werd. Lewis werd gevraagd voor lezingen en interviews en kreeg nog meer gegevens te verwerken.

Die avond, nog helemaal opgewonden vanwege de doorbraak, betrad mijn echtgenoot voor het eerst sinds drie dagen ons appartement op de CERN-campus. Hij bracht zijn dochter naar bed, nam een douche, poetste zijn tanden en klapte zijn laptop open.

'Wat doe je nou?' Ik masseerde zijn nek en schouders en gluurde over zijn schouders naar het beeldscherm. Hij zat op de website van het Massachusetts Institute of Technology. 'Een universiteit? Moet je niet slapen?'

Hij riep een lijst met docenten van de natuurkundefaculteit op. Hij las hun biografietjes en kopieerde af en toe een e-mailadres naar een mailtje waaraan hij al was begonnen. Ik las wat hij tot nu toe had geschreven.

Mijn naam is professor dr. Lewis Lindsay, natuurkundige aan de Universiteit van Chicago. Ik ben op zoek naar dr. Naomi Ricci. Het is mij bekend dat zij tot 1999 als professor aan het MIT *verbonden was. Kunt u mij eventueel haar huidige woonplaats of adres verstrekken? Ik ben haar zoon.*

Gedurende de maanden die daarop volgden, kwamen we een paar dingen te weten. Het feit dat Eva van ons hield, hielp haar niet van haar nachtmerries af. Het zorgde ook niet voor betere schoolresultaten. Bovendien ontdekten we dat roem geen rust bracht en ook geen verloren gewaande moeder uit de schaduwen van het verleden tevoorschijn lokte.

In september kreeg Lewis veel verzoeken om lezingen te houden. De meeste daarvan sloeg hij af; hij had ons al vaak genoeg alleen gelaten gedurende de afgelopen twee jaar. Het was ook de maand van een niet zo veelbelovend tussenrapport; het eerste in groep vier. Het was weer het bekende verhaaltje.

'Het spijt me mam. Ik doe echt mijn best.'

'Weet ik toch. Ik ben ook niet boos. Ik ben juist trots op je omdat je zo hard werkt.' Dat soort positieve opmerkingen gingen me tegenwoordig veel gemakkelijker af. Alleen als ik heel moe was of iets anders me dwarszat, beet ik haar nog weleens een kritisch verwijt toe zoals vroeger. Ik deed heel erg mijn best, dus Eva had ook wel wat bijval voor haar inspanningen verdiend.

'Ik ben alleen niet zo slim als jij en papa.'

'Jij bent slim genoeg. Dat heeft hier niks mee te maken. Weet je wel hoe slim je moet zijn om een heel nieuwe taal te leren in maar vier jaar? Jij bent superslim.'

'Jammer dat mijn rapport dat niet snapt.'

Lewis stormde de studeerkamer uit. 'Kunnen jullie niet zachter praten? Ik zit op een telefoontje te wachten.' En weg was hij weer.

Eva keek me fronsend aan. 'Papa is chagrijnig, hè?'

'Vertel mij wat.'

Ik liet haar alleen met haar huiswerk en glipte de studeerkamer in. 'Jij hebt een kort lontje zeg, vanavond.'

'Sorry.' Hij verfrommelde een vel papier en mikte die in de richting van de prullenbak. Hij miste en de prullenbak viel om. 'Het wetenschappelijke wereldje is ook weer niet zó groot. Waar hangt ze uit?'

Geen van de professoren aan het MIT wist waar ze was. Sommigen meenden zich te herinneren dat ze aan het eind van 1999 met vervoegd emeritaat gegaan was. Ze was van plan geweest als gastdocent aan Harvard, Stanford, Berkeley en Caltech colleges te gaan geven.

Lewis had het rijtje afgespeurd in de hoop iemand te vinden die wist welke colleges en sprekers er tot tien jaar geleden waren gecontracteerd. Tot dusver was er niemand geweest die zich een bijdrage van Naomi Ricci herinnerde.

'Ze kan toch niet van de aardbodem verdwenen zijn? Als het goed is, word ik straks teruggebeld door iemand die toen aan Stanford verbonden was.'

Ik gaf hem een zoen op zijn kruin. 'Het spijt me voor je. Kan ik ergens mee helpen?'

'Dank je, maar dit moet ik zelf doen.'

Mochten we zijn moeder ooit vinden, dan wilde ik haar graag een paar woorden toevoegen. Het waren woorden die een christelijk meisje zoals ik niet hoorde te kennen en al helemaal niet te gebruiken. Helaas waren het de enige passende termen om die vrouw te benoemen die Lewis zo wanhopig graag wilde ontmoeten. Mijn eigen moeder kon ik niet haten, maar met die van hem had ik daar geen enkele moeite mee.

Het mobieltje van Lewis ging af. Hij had bijna opgenomen zonder naar de nummermelding te kijken, maar op het laatste moment wierp hij er een blik op. 'Uit China.'

'Wen Ming? Waarom belt ze naar je mobiel?'

'Het is niet haar nummer.' Hij nam op. Greep een notitieblokje en een potlood. 'Gastlezing' schreef hij op. Gevolgd door wat natuurkundig jargon en 'Oktober. 4 wk.'

Hij verbrak de verbinding en keek me grijnzend aan. 'Gaan jij en Eva een maandje met me mee naar Sjanghai? Dat was Zhou Wei. De natuurkundefaculteit van zijn universiteit heeft me uitgenodigd voor aanstaande oktober.'

Sjanghai. Yang Hua. Eva.

Wen Ming.

Moest ik ja of nee zeggen? Eva en ik hadden een wankele vrede gesloten. Zou een bezoek aan haar verleden daar een eind aan maken? Ik kon haar deze kans toch niet ontnemen?

Ze moest een keer terug. Het zou wel goed komen, wij waren er ook bij. Het gaf ons de gelegenheid haar te laten zien dat ze zowel ons als haar eigen land kon hebben. Bovendien zou Wen Ming inzien dat Eva nu bij ons hoorde. En dat ze haar moest laten gaan.

'Eva, lieverd!' Ik rende de studeerkamer uit, naar haar slaapkamer. 'We gaan naar Sjanghai.'

33

Wen Ming, oktober 2010

Zhen An rook naar kersenbloesem, net uit de knop in het vroege voorjaar. Mijn Zhen An bewoog zich elegant en soepel; licht en zoet als lotuszaadvulling in een maancakeje. Als mijn Zhen An praat, klinkt dat als een briesje dat zacht fluistert in het gras, een fluwelen stoomwolk boven een kop jasmijnthee.

Vandaag kwam Zhen An weer bij me terug.

Mevrouw Wu, de directrice, en tante Yang hadden me al wekenlang op het hart gedrukt dat het maar een bezoekje was. Ik mocht niet verwachten of hopen dat ze zou blijven. Haar adoptievader had een belangrijke wetenschappelijke ontdekking gedaan, en oom Zhou had zijn universiteit zover gekregen dat ze hem hadden gevraagd om over zijn werk te komen praten. Mijn Zhen An, die uit Sjanghai weggegaan was als ongewenst weeskind kwam er terug als dochter van een zeer gewaardeerde gast van de staat.

Het leek het sprookje van Ye Xian wel, de beeldschone wees die prinses werd. Alleen was ik dan haar moeder, die in een vis veranderde om Ye Xian te beschermen, zelfs nadat de boze stiefmoeder de vis had doodgemaakt en opgegeten. Het verhaal ging tenslotte niet over Ye Xian met haar mantel van ijsvogelveren en haar gouden slippers. De moeder was de held van het verhaal. Zij zorgde voor haar dochter, al betekende dat haar dood.

Ik zat in een wachtkamer van het kindertehuis op ze te wachten. De directrice had gevraagd of ik Zhen An en haar Amerikaanse ouders een rondleiding door het weeshuis wilde geven. Daar was ik trots op, zeker omdat ik blind was.

De deur ging open. Ik herkende de voetstappen van tante

Yang. 'Wen Ming, ze zijn er.'

Ik hield mijn adem in en luisterde of ik Zhen An kon horen. Allemaal vreemden bewogen, maar niets wat klonk als Zhen An. Iemand liep op me af; voetstappen vol zelfvertrouwen en pit. Jong. Een beetje verwaand zelfs.

De stappen klonken langzamer. Aarzelender. Een tikkeltje angstig.

'Wie is dat?' Misschien had tante Yang niet bedoeld dat ze al in de kamer waren. Misschien waren ze nog maar net het gebouw binnen. Ging deze persoon mij naar ze toe brengen? Wie was het dan?

'Wen Ming?' Ik herkende haar stem, maar die klonk niet als een briesje door het gras of een dampend kopje thee. Het klonk meer als een van tante Yangs baddoeken: zacht en aangenaam schurend. Ze was ook lang, even lang als ikzelf. 'Ik ben... Zhen An.'

Dat kon niet waar zijn. Ik boog me voorover om te kunnen ruiken. Mijn Zhen An rook niet zo vies naar buitenlander.

Deze Zhen An was me vreemd.

'Ben je bang voor me?' vroeg ik in het Chinees.

'Een beetje wel.'

Mijn Zhen An was nooit bang voor me geweest. Voor het eerst van mijn leven voelde ik me echt blind. Akelig, uitzichtloos, hopeloos blind. 'Ik ben dezelfde als vroeger.' Ik liet mijn vingers over haar arm gaan. Ze trok zich terug.

'Maar dat kan toch niet... je bent...'

'Ik kan niet meer zien. Maar wel ruiken. En jij ruikt naar uien en zure melk.'

'Dat is onbeleefd!'

'Net als bang zijn voor een blinde.' Ik glimlachte. 'Zullen we iets afspreken? Ik doe alsof jij niet stinkt naar Amerikanen als jij niet bang bent omdat ik blind ben.'

Ik hoopte maar dat ze begreep dat ik haar plaagde.

Na een poosje giechelde ze. 'Ik zal niet meer bang zijn. Overigens... Chinezen stinken ook. Dat je het maar weet.'

Toen omhelsde ze me. Het duurde even tot ik besefte wat ze had gezegd. Chinezen. Alsof zij daar niet bij hoorde. Ik drukte haar tegen me aan. Ze was weer bij mij terug, ook al was alles anders.

Maar ze was nog steeds mijn Zhen An, toch?

Ze stelde haar Amerikaanse ouders aan mij voor en ik deed zo beleefd mogelijk. Ze vonden me niet aardig, vooral de moeder niet. Ik voelde het wantrouwen toen ik haar hand schudde. Ik hoorde het aan haar stem, ook al zei ze 'Aangenaam kennis te maken' in het Chinees.

'Zal ik het kindertehuis laten zien?' vroeg ik in het Engels. Ik had geoefend met Zhen An, ze klopte me goedkeurend op de hand.

'Heb je hulp nodig?' Zhen An pakte mijn arm toen ik opstond.

'Niet echt. Weet je wat?' Ik hield mijn arm gebogen zodat zij in kon haken. 'Je kunt gewoon lopen, als je maar stopt bij een deur of een trap. Dan zeg ik welke kant we op moeten.'

'Liepen we vroeger niet zo door het huis van tante Yang?'

Ik glimlachte. 'Dat je dat nog weet.'

'Natuurlijk.'

'Ik wist niet of je je dat zou herinneren, je was nog zo klein.'

'Ik probeer niets van jou te vergeten, *jie jie*.'

Mijn hart vulde zich met warm zonlicht. Ze was nog steeds mijn Zhen An.

Mijn Zhen An. In mijn buik werd een uitgehongerde hond wakker. Ik had haar al die jaren moeten missen. Nu kon ik me een paar dagen te buiten gaan. Het was te veel voor me. Ik kon geen stap meer zetten.

'Gaat het?' Ze sloeg haar arm om mijn middel.

Wat maakte het uit hoe ze nu rook of klonk. Ze was nog steeds dezelfde. Ik klemde me aan haar vast. Stevig. Tot ik voelde dat ze zich losworstelde en haar hart begon te bonken.

'Ja hoor. Jij bent er toch. Het gaat prima.'

34

Meg Lindsay, oktober 2010

Ik had niet verwacht dat ik verliefd op Wen Ming zou worden. Medelijden had gekund, zoals je dat voelt voor een gehavend straatkatje. Je dochter smeekt je of ze het diertje mag houden, maar hoe zielig je het dakloze ding ook vindt, in je huis opnemen, dat gaat je te ver.

Het was echter onmogelijk om medelijden voor Wen Ming te voelen. Ze vond zichzelf lelijk, maar was nog te jong om te begrijpen hoe mooi een goed stel hersens was, hoe aantrekkelijk een vastberaden geest. Ze had lief met een roekeloosheid en doorzettingsvermogen die haar voor me innam, ondanks mijn gevoel dat ik naar haar tekortschoot.

Na die eerste dag ebde mijn angst voor haar weg. Al die jaren had ze als een dreigende wolk boven Eva gehangen, dus het bracht me in verwarring toen ik merkte dat ze ook maar gewoon een kind was, hoe intelligent, opmerkzaam en vol levenslust ook. Een kind dat hunkerde naar aandacht. Naar liefde. Een leergierig kind dat niet kon wachten tot ze de wereld mocht verkennen.

Aan het eind van ons bezoek aan het weeshuis stonden de twee meisjes met de handen ineen.

'Kom je morgen weer?' vroeg Wen Ming.

Eva keek me aan. Ik knikte. Ze maakte een sprongetje. 'Ja, morgen weer.'

Wen Ming wierp haar armen om Eva's nek en verborg haar gezicht in haar hals. Alsof ik mijn eigen liefde voor Eva weerspiegeld zag. Ik keek ernaar met een mengeling van verdriet en vreugde, wanhoop en verwondering.

Ik wendde me tot Lewis en zag dat ze zijn hart ook veroverd

had. Ik vermoedde inmiddels dat hij eerder voor kinderen overstag ging dan hij zou willen toegeven. Hij fluisterde in mijn oor.

'Zullen we vragen of ze mag blijven?'

'Blijven slapen?' mompelde ik zodat Eva het niet merkte.

'Tijdens het hele verblijf.'

Ik aarzelde. Ik had geen problemen meer met Wen Ming, maar om mijn dochter nu de hele reis met haar te moeten delen? Ik had het al moeilijk genoeg in het buitenland zonder dat er een vreemde op mijn lip zat. Lewis zag dat ik twijfelde. 'Als je je er niet prettig bij voelt, dan…'

Ik dacht plotseling terug aan lang geleden; hoe ik mijn moeder smeekte of er alsjeblieft een vriendin mocht blijven logeren. Of die keer dat ik met haar mee had gemogen op vakantie. Mijn moeder zei altijd nee. 'We kennen die mensen helemaal niet,' zei ze, alsof ik het dan zou snappen. Of: 'Zij hebben andere normen en waarden.' Later begreep ik dat ze daarmee bedoelde dat het geen christenen waren, of niet christelijk genoeg in haar ogen. En soms zei ze simpelweg: 'De avonden zijn voor het gezin, niet voor vriendinnetjes.'

De keren dat ik ergens mocht blijven slapen waren op de vingers van één hand te tellen. Misschien vond ze vreemden over de vloer wel net zo onprettig als ik. Leken we in dat opzicht toch op elkaar?

Ik schudde de mijmeringen van me af. 'Nee hoor, ik vind het prima. Vraag maar.'

Nadat we toestemming van de directrice van het weeshuis hadden gekregen, nodigden we Wen Ming uit.

Eva slaakte een kreet en danste om haar vriendin heen. 'Net een extra lange logeerpartij, Wen Ming!'

Wen Ming balanceerde een moment tussen opwinding en paniek. Ik kon het in haar blinde ogen zien. Ik zag hoe gretig ze op Eva reageerde, merkte het wanhopige verlangen bij elke aanraking. Was het wel goed om haar mee te nemen zodat de meisjes zich weer aan elkaar hechtten om vervolgens Eva weer van haar los te rukken?

Ze nam de uitnodiging aan. Je kon niet zeggen dat ze niet dapper was.

Lewis moest naar Beijing voor een paar lezingen en wij gingen met hem mee. We verbleven in een enorm hotel en gingen voor de tweede keer naar de Chinese Muur kijken. Net als de eerste keer dat ik hier was, kon ik de stemmen uit het verleden bijna horen en voelde ik voorbije generaties langs me strijken. Ik dacht terug aan de rij vrouwen in de lucht, die eerste nacht met Eva, zo lang geleden. Hopelijk vonden ze dat ik goed voor Eva zorgde.

Lewis kwam naast me staan, met onze rug naar de Muur toe gekeerd. Hij keek hoofdschuddend toe hoe de meisjes op een kanon van tweeduizend jaar oud klauterden. 'Wat is het toch een stel. Ik had niet gedacht dat ze het zo goed zouden kunnen vinden met elkaar. Je hoort soms dingen over prepubers.'

'Het lijkt wel of ze voor elkaar bestemd zijn.' Ik voelde de tranen prikken. Ik wilde zo graag dat ik dat over Eva en mij kon zeggen, maar ik vroeg me af of dat ooit zou gebeuren. 'Kijk toch eens, armen om elkaar geslagen, altijd samen, altijd hand in hand. Ik heb Eva nog nooit zo gelukkig gezien.'

Lewis keek me aan. 'Ze is bij ons ook gelukkig.'

'Niet zo. Het gaat om haar, om Wen Ming. Altijd al.'

'Je bent toch niet jaloers op een meisje van twaalf?' Hij legde een arm om me heen.

Ik liet me tegen hem aan zakken. Ik wilde deze mooie dag niet bederven met mijn sombere gedachten. 'Een beetje.'

'Ik denk niet dat het alleen om Wen Ming gaat. Het heeft ook met China te maken. Ze heeft geen nachtmerrie meer gehad sinds we hier zijn, toch?'

Ik dacht even na. 'Nee, ik geloof het niet.'

'Vreemd.'

'Was het verkeerd van ons om haar te adopteren?'

Lewis keek alsof ik hem gestoken had. 'Hoe kom je daarbij?'

'Ze voelt zich op haar gemak hier. Ze verafgoodt Wen Ming. Ze hoort hier.'

Hij zuchtte diep. 'Ik denk niet dat we daar verkeerd aan hebben gedaan. Wij zijn nu haar familie. Dat kan niet fout zijn. Een vriendin kan nooit de plaats van de ouders innemen. Ze had ons nodig.'

Ik gebaarde om me heen. 'Ze heeft dit ook nodig.'

Het was even stil. 'Weet ik.'

Waar wat konden we eraan doen? Geen idee.

Hij gaf me een zoen op mijn oor. 'Deze reis is voor mij ook goed geweest. Dat realiseer ik me pas nu ik hier ben.'

Hij verwachtte een reactie van me, of ik hetzelfde gevoel had. Dat kon ik hem niet zeggen, hoe graag ik het ook wilde. Ik was niet meer zo naïef als toen ik hier voor het eerst was. Toen had ik China ervaren als achtergrond voor het grootste avontuur van mijn leven. Ik wist nog niet hoeveel verdriet me te wachten stond. Ik was nu niet zo avontuurlijk meer. Ik speelde liever op safe. 'Ik ben blij dat Eva en jij gelukkig zijn. Ik ben blij met de rust.'

We gingen terug naar Sjanghai en bouwden er een feestje. We namen duizenden foto's; Wen Ming en Eva, arm in arm, bij een bloemenstalletje, samen in een fietstaxi, terwijl ze opgemaakt werden op de make-upafdeling van een warenhuis. Altijd samen, altijd hand in hand, altijd glimlachend.

Op een avond aan het eind van de maand, de kinderen sliepen al op hun uitklapbed, nam Lewis me bij de hand en leidde me naar het zitje in onze slaapkamer. 'Ik heb eens nagedacht.'

'Waarover?'

'Over Eva, en over je bezorgdheid omdat ze ongelukkig is bij ons.'

'Ik maak me niet…' Hij legde mijn tegenwerping het zwijgen op met een blik waaruit sprak dat ik geen moeite moest doen. 'Oké dan, ik maak me een beetje zorgen. Vooral om wat er straks gaat gebeuren wanneer we naar huis gaan. Jij was er niet bij, de eerste keer. Jij hebt haar niet zo verslagen en verdrietig meegemaakt. Ik denk niet dat ik dat nog een keer verdraag.'

'Weet ik. Daarom dacht ik… als we Wen Ming nu eens ook adopteren?'

Ik staarde hem aan. 'Nog een kind? Zou je dat willen?'

Hij haalde zijn schouders op. 'Voor Eva doe ik alles.'

Ik kreeg een brok in mijn keel. 'Denk je dat ze dat zou willen? Het is niet niks, en dan is ze ook nog eens blind. Kunnen we het aan, denk je?'

'Ik denk van wel. De vraag is of *jij* het wilt.'

Ik voelde een zware vermoeidheid op me drukken. Ik had mijn hart en huis opengesteld voor een kind; dat was moeilijker en tegelijkertijd mooier geweest dan wat ik ooit had meegemaakt. Kon ik dat nog eens? Ik wist niet of ik er de kracht voor had, maar Eva zou zo blij zijn. Zou ik het aandurven, voor haar? Voor hen beiden? Hoorde Wen Ming misschien ook in ons gezin thuis?

Het einde van de maand brak veel te snel aan. Twee dagen voor ons vertrek gingen we uit eten met Yang Hua, Zhou Wei en hun dochtertje van drie. We aten wontonsoep en krokante kip in een restaurant met uitzicht over de rivier de Pudong.

'We hebben iets belangrijks te vertellen,' zei ik in het Engels, een beetje hees. Yang Hua vertaalde wat ik zei voor Wen Ming. 'We zijn van jou gaan houden, Wen Ming, heel veel. We weten dat jij van Eva… van Zhen An houdt. We vroegen ons af of jij ook van ons zou kunnen houden.'

Wen Ming grijnsde toen mijn woorden vertaald waren. Ze gaf antwoord in het Chinees.

Yang Hua glimlachte naar ons. 'Ze zegt dat haar liefde voor Zhen An zo groot is dat haar Amerikaanse familie er ook bij kan.'

Ik haalde diep adem om moed te verzamelen. 'Wen Ming, we willen je graag in ons gezin opnemen. Voorgoed. Als we toestemming krijgen, mogen we je dan als onze dochter adopteren?'

Ik wist niet naar wie ik kijken moest. Eva's gezicht vertoonde alle vrolijke kleuren van de regenboog. Ze keek Wen Ming ademloos aan; smekend, hoopvol. Wen Mings blinde ogen werden groot en ze werd heel kalm.

'Ik ga… naar Amerika. Met jullie?' zei ze langzaam, in het Engels.

'Je zou niet meteen meekunnen als we over twee dagen weggaan. Het duurt waarschijnlijk enkele maanden. Maar ja, dan kunnen we weer naar Sjanghai komen om je mee te nemen naar Amerika.'

Yang Hua vertaalde. Ze schonk me een bibberig lachje, maar ik meende ook een glimp bezorgdheid te bespeuren. Wen Ming fronste, liet haar hoofd hangen en kauwde op haar onderlip. Wilde ze misschien niet? Ik begreep nu, na alles wat we met Eva hadden meegemaakt, dat we iets van haar vroegen wat haar wereld op z'n kop zette. Ik zou het haar niet kwalijk nemen als ze nee zei. Een deel van me hoopte daarop, maar dat was maar een heel klein deel.

'Ik ga school?'

'Ja. In de VS zijn er veel meer mogelijkheden voor blinden om een opleiding te volgen of een baan te vinden.'

'Ik denk erover.'

Eva zette zulke grote ogen op dat ik bang was dat ze ze zou verrekken. Ze popelde duidelijk om iets te zeggen, maar ik schudde van nee. 'Akkoord. Wat je ook beslist, ik wil je in ieder geval iets geven.' Ik schoof mijn armband van jade van mijn pols. Vreemd om zijn koele druk niet meer te voelen. Ik stopte hem in Wen Mings handen. 'Er waren twee armbanden. De ene was voor Eva, dat wist ik, maar niet voor wie die andere was. Nu weet ik het wel. Voor jou.'

Ze streek met haar vingers over het patroon. 'Een... draak?'

'Ja. Voor jou, je mag hem houden, ook als je beslist om hier in China te blijven.'

Er schemerden tranen in haar ogen. 'Dank u.' Ze deed de armband om en ging iets rechter zitten. We aten verder, en ik kon de worsteling van haar gezicht aflezen. Toen we bijna klaar waren met eten, ging Lewis' mobieltje. Hij verontschuldigde zich en liep van tafel om het gesprek aan te nemen. Een paar minuten later kwam hij terug, met een blos op zijn wangen en glanzende ogen.

'Dat was een van de professoren van het MIT. Hij zij dat hij misschien iemand kende die iets over mijn moeder wist.'

Hij wilde nu nog liever naar huis. De volgende dag namen we afscheid. Wen Ming gaf me een kus en pakte mijn beide handen vast. 'Ik wil dat jullie me adopteren. Ik wil bij jullie wonen.'

Eva gilde en stortte zich op Wen Ming. Ze rolden over de grond, één kluwen van gegiechel en opgewonden gelach. Ik grijnsde naar Lewis terwijl een golf blijdschap het laatste restje twijfel uitdoofde. We werden weer vader en moeder.

35

Meg Lindsay, januari 2011

Een telefoontje kan alles veranderen. Het kan een zoon en moeder weer bij elkaar brengen. Het kan gezinsleden herenigen. Het kan een kloof van miljoenen kilometers overbruggen. Je wacht op zulke telefoontjes. Je verlangt ernaar, droomt ervan. Telkens als de telefoon gaat, maakt je binnenste een sprongetje. Dat is de hoop die daar sluimert, bereid op te laaien als het zover is.

Mijn telefoon stond op de trilfunctie tijdens een orkestrepetitie. Ik keek wie er belde. 'Het adoptiebureau,' fluisterde ik tegen Li Shu. 'Ben zo terug.'

Ze knikte en gaf me een knipoog.

Ik sloop naar de gang en nam het gesprek aan. Dit was het bericht waarop we zaten te wachten sinds we uit Sjanghai kwamen. Hoe meer we erover praatten, hoe meer we ervan droomden, hoe meer mijn vertrouwen groeide dat Wen Ming en wij voor elkaar bestemd waren. Ons gezinnetje zou pas compleet zijn als zij er was. Ze nam een steeds grotere plaats in mijn hart in, net als Eva voor haar adoptie. Ik kon bijna niet wachten.

'Mevrouw Lindsay?'

'Jaime! Ik hoopte al dat je snel zou bellen. Heb je iets van het CCAA gehoord? Kunnen we de adoptieprocedure voor Wen Ming starten?'

'We hebben inderdaad bericht van het CCAA. Ze waren erg onder de indruk van je brief waarin je de redenen waarom jullie Wen Ming wilden adopteren, uiteenzet. De meeste mensen adopteren liever geen kind dat al zo oud is, zeker niet als het gehandicapt is.'

'Ze is heel bijzonder. Een gezin is goed voor haar. Gaat de papierwinkel beginnen?'

'Mevrouw Lindsay...' Haar stem klonk vriendelijk, wat afstandelijk.

Ik wilde geen afstand. Ik wist toch al wat ze ging zeggen: het was moeilijk om een ouder kind, dat ook nog blind was te verzorgen. Dat kon me niet schelen. Daar hadden we al over gesproken. We konden het wel aan.

Ik stond op het punt haar dat te zeggen, toen ze zachtjes zuchtte. Dat sneed me de pas af. 'Wat is er?'

'Het spijt me. Ik vind het zo naar.'

Een telefoontje kan alles veranderen.

Ik herinner me niet meer dat ik naar huis ben gereden. Ik moet Eva opgehaald hebben, want anders zou ze nog op school geweest zijn. Maar ze was thuis. Dus dat zal ik wel gedaan hebben. Ik ging naar mijn slaapkamer, sloot de deur en huilde tot Lewis thuiskwam.

Ik vertelde hem wat het adoptiebureau had gezegd.

Wen Ming kwam niet in aanmerking voor adoptie. Door niemand. Nooit niet.

Hoe vaak had Eva niet verzucht dat ze iets wilde weten over haar echte ouders, wat ook maar. In Wen Mings geval was het beter geweest als er helemaal geen informatie over haar verleden beschikbaar was geweest. Dan was ze nu van ons.

Ze was achtergelaten op een politiebureau door een vrouw die een intentieverklaring voor adoptie had getekend. Tot ze had gemerkt hoe slecht Wen Mings ogen waren. Dat was in 2001 geweest. De vrouw was begin 2006 gearresteerd op beschuldiging van medeplichtigheid aan de kindersmokkelaffaire in Hunan. Ze zag zichzelf als een soort koppelaarster, een officieus adoptiebureau. Ze spoorde vrouwen op die niet voor kun baby konden zorgen, omdat ze te arm waren of om een andere reden. Ze haalde ze over hun kinderen af te staan en betaalde de moeders er een kleine vergoeding voor; net genoeg om uit de problemen te komen. Daarna bood ze de kinderen ter adoptie aan of bracht ze naar een weeshuis. In beide gevallen kreeg ze flink betaald voor elk kind.

Ze werd opgepakt en ondervraagd toen de affaire bekend raakte. Ze moest namen en geboortedata opgeven van alle kinderen. Wen Ming was een van de baby's waarvan ze de gegevens nog wist. De vrouw had haar overigens echt zelf willen houden, maar vanwege Wen Mings slechte ogen en de toenemende druk van haar schoonouders had ze haar naar het politiebureau gebracht.

Hoe dan ook, het was nu eenmaal een feit dat Wen Ming was 'gekocht' van haar eigen moeder, van wie nog steeds geen spoor gevonden was. Het weeshuis en het Chinese Centrum voor Adoptiezaken wilden geen van beide hun reputatie op het spel zetten door een kind 'met een luchtje' te laten adopteren. Zelfs niet iemand als Wen Ming, die zo'n behoefte had aan een echt thuis. Ze was in 2005 op de wachtlijst geplaatst, tegelijk met Eva, maar zodra de vrouw gearresteerd werd, was ze eraf gehaald.

Toen ik klaar was met uitleggen, begon Eva te jammeren. 'Maar... u zei... u hebt beloofd...'

'Het spijt me, lieverd. Dit konden wij echt niet weten.'

'En tante Yang, wist die het?'

Mijn ogen voelden aan als wol. Ik wreef erin, maar daardoor prikten ze nog erger. 'Ik weet het niet.' Toch had ik die avond in het restaurant in Sjanghai in haar ogen gezien dat ze ongerust was.

'Je had het beloofd!' Haar gezicht vertrokken van woede en verontwaardiging. 'Aan ons allebei!'

'Ik kan er niets aan doen, echt niet.'

Ze stormde naar haar kamer. Lewis en ik snelden achter haar aan en bleven in de deuropening staan. Lewis steunde me, zijn arm om me heen geslagen. Ik voelde zijn verdriet loodzwaar drukken, rook het aan zijn huid. Eva griste haar kleren bijeen en smeet ze op het bed.

'Wat doe je?'

'Ik wil naar China terug! Ik ga daar wonen. Bij Wen Ming.'

Lewis en ik wisten niet wat we moesten zeggen. Wat was wijs in zo'n situatie?

'We kunnen nu niet terug naar China,' zei hij ten slotte. 'En jij hoort hier, bij ons.'

Ze gooide een jas op de vloer, haar gezicht strak, rood aangelopen. 'Ik wil hier niet wonen. Niet zonder haar! Ik wil niet hier zijn. Ik wil niet bij jullie zijn. Ik wil naar *jie jie*.'

Dat meende ze niet. Ze was gewoon verdrietig. Dat moest ik geloven. We hadden zo veel bereikt samen. Ze hield van ons. Dit was voor ons allemaal een grote klap, vooral voor haar.

'Ik snap dat je teleurgesteld bent...'

'Ik ben boos, mam. Je hebt me bij haar weggehaald. Je hebt me uit China vandaan gehaald. Het is jouw schuld, van jou! En nu heeft ze niets meer. Het is jouw schuld dat zij niemand meer heeft, want jij hebt mij weggehaald.'

'Dat is niet waar.'

Toch was dat ergens wel waar. Zij had op dezelfde wachtlijst gestaan als Eva, een paar foto's erboven maar. Als ik Wen Ming had gekozen in plaats van Eva... dan zou de adoptie rond zijn geweest voordat haar achtergrond bekend was geworden. Dan was zij van ons geweest. Wen Ming zou mijn Eva zijn geworden. Eva zou niet in mijn leven zijn gekomen.

En toch had ik geen spijt van mijn beslissing. Ik was bijzonder veel om Wen Ming gaan geven, maar ze was mijn dochter nog niet. Eva wel. Ik zou er nooit spijt van hebben dat ik haar had uitgekozen.

Lewis liep zachtjes langs mij naar het bed toe. Hij vouwde haar kleren rustig op en legde ze weer in haar kast. 'Wil je Wen Ming even bellen?'

'Moet ik het haar vertellen?'

Ik schudde mijn hoofd. 'Nee, Jaime zei dat de directrice van het weeshuis vanmorgen vroeg met Wen Ming heeft gepraat en alles heeft uitgelegd. Ze wil vast graag met je praten. Je mag haar bellen.'

Ze knikte, haar gezicht breekbaar en hard als glas.

Ik gaf haar mijn mobieltje en kuste haar. Ze reageerde niet. Ik deed de deur dicht en vluchtte naar mijn kamer. Ik kon niet langer de sterke, meelevende moeder spelen. Ik had er geen kracht meer voor.

Drie dagen later moest ik weer voor een telefoontje de orkestrepetitie onderbreken. De dirigent wierp me een verontruste blik toe, maar daar trok ik me niets van aan. Het was Bree, en die zou me nooit onder werktijd bellen als het niet belangrijk was.

'Jolie belde me net van school. In tranen.'

'Is alles goed met haar? Wat is er gebeurd?'

'Ze is flink van streek. Ze zei dat ze al dagen iets voor me achterhoudt, maar nu kon ze het geheim niet langer bewaren.'

Het werd langzaam zwart voor mijn ogen. Ik leunde tegen de muur in de gang naast de repetitieruimte. 'Een geheim?'

'Ze zei dat Eva van plan is om weg te lopen in de middagpauze. Volgens Jolie is Eva van plan rond te trekken en betaalde klusjes te gaan doen tot ze genoeg geld heeft voor een vliegticket naar Sjanghai, zodat ze naar Wen Ming kan gaan.'

Mijn lippen begonnen te tintelen, de lampen begonnen te flikkeren en uit te doven. De vloer kwam op me af. Ik stamelde geschokt een bedankje en hing op. Ik griste mijn tas mee en rende naar de auto. De maximumsnelheid kon me geen bal schelen. Wanneer ik aangehouden werd kon de politie meteen meehelpen om het idiote, dwaze, vreselijke plan van Eva te dwarsbomen.

Ik stopte met gierende remmen op een parkeerplaats vlak voor de school en rende het kantoor binnen. 'Waar is groep vijf van juf Compton? Ik moet nu naar mijn dochter, Eva Lindsay.'

De secretaresse keek amper op. 'Wilt u hier even tekenen, mevrouw Lindsay, dan roep ik uw dochter om.'

'Ik moet haar nu vinden! Waar is ze?'

Ik begon mijn zelfbeheersing kwijt te raken en te gillen. Ik moest wat kalmeren, anders stuurden ze de bewaker nog op me af. Ik haalde diep adem tot ik mijn stem onder controle had.

'Ik ben net gebeld door de moeder van haar vriendinnetje. Mijn dochter is van plan om tijdens de middagpauze van huis weg te lopen. We moeten haar onmiddellijk vinden.'

Het kantoor was plotseling een en al drukte. De klas bleek al met pauze te zijn. De bewaker belde de politie en nam mij toen mee naar het met ijs bedekte plein.

'Is ze hier?'

Ik speurde het plein af terwijl de directrice naar juf Compton snelde om uit te leggen wat er aan de hand was. Eva was niet hier. Er waren niet veel plekken waar een kind zich verbergen kon, maar uiteindelijk vond ik een klein gat in de afrastering, door een struik aan het oog onttrokken. 'Eva!'

Na een afgrijselijk kwartier vond een politieagent haar, een paar huizenblokken verderop. Ze had zich verstopt in een portiek. Ik wist niet of ik woedend of ontroostbaar was toen hij haar uit de politiewagen hielp.

Haar klasgenootjes werden door de juffen naar binnen geloodst, uit de kou. Wij moesten naar een vergaderzaal, waar de agent een officiële verklaring opnam. Het was vreselijk. Eva en ik waren geen criminelen, maar toch benaderde hij ons op een kille, achterdochtige manier die me een naar gevoel gaf. Hij deed gewoon zijn werk, dat snapte ik wel, maar toch was het vernederend.

Ze zei geen woord en wilde me zelfs niet aankijken terwijl de agent mij vragen stelde. Daarna was zij aan de beurt, waar ik niet bij mocht zijn. Het laatste wat ik zag, was haar bleke, angstige gezichtje. Ik had medelijden met haar, maar er klonk ook een stemmetje in mijn achterhoofd dat zei: 'Laat ze maar eens bang zijn. Dan bedenkt ze zich voortaan twee keer voordat ze weer zoiets flikt.'

Een paar minuten later kwam de agent naar buiten en sloot de deur achter zich. 'Mevrouw Lindsay, Eva beweert dat u niet haar moeder bent.'

Wat? 'Ik ben haar moeder sinds ze zes was. Ze is geadopteerd.'

'Dat weet ik. De gegevens kloppen. Bovendien zegt ze dat ze goed behandeld is. Ze is niet bang voor u. Ze zegt alleen dat ze niet mee naar huis wil en dat u haar moeder niet bent.'

De kamer begon te draaien. De agent schoof snel een stoel onder me. Ik liet me erop ploffen en sloeg de handen voor mijn ogen. Ik vertelde hem over de situatie met Wen Ming.

We belden de therapeut. Ze kwam meteen naar de school om met Eva te praten. Het was inmiddels al na schooltijd. Ik had Lewis vier keer gebeld en berichten ingesproken, maar hij was er nog steeds niet.

De therapeut pakte een stoel en ging naast me zitten. 'Mevrouw Lindsay…'

'Zeg alstublieft Meg tegen me. De hele week word ik al "Mevrouw Lindsay" genoemd en dan volgt er telkens slecht nieuws. Noem me alsjeblieft bij mijn voornaam.'

Ze glimlachte naar me, meelevend en professioneel. 'Meg, Eva is erg in de war. Ze is van streek omdat Wen Ming niet kan komen. Ik ben bang dat ze alleen maar zal proberen van huis weg te lopen als je haar nu dwingt met je mee te komen. Ze zou zich in gevaar begeven.'

Ik kon het wel uitschreeuwen. Dacht ze dat ik achterlijk was? Ik begreep ook wel wat er kon gebeuren. 'Wat kan ik dan doen?'

'We zouden haar kunnen opnemen en voortdurend in de gaten houden, maar dat lijkt me op de langere termijn alleen maar meer problemen opleveren. Kan ze misschien een poosje bij familie logeren? Ik denk dat ze niet zal weglopen als we haar dat laten beloven.'

We vroegen het aan Eva. Ze wilde niet naar Bree omdat Jolie haar verklikt had. En ze wilde niet naar mijn familie.

'En Li Shu dan?'

Ze veerde op. 'Gaan we dan naar China?'

De therapeut nam het gesprek over. 'Dat hangt ervan af of we je kunnen vertrouwen. Je mag niet meer weglopen, dat was heel gevaarlijk. Wij willen jou graag helpen, maar niet als je per se het gevaar opzoekt.'

'Ik wil echt niet weglopen. Ik wil alleen naar Sjanghai en dat mag niet van haar.'

Nu had ik niet eens meer een naam. Ik drong mijn tranen terug en sloot ze op in een doosje dat ik diep wegstopte. Die kon ik nu niet gebruiken.

Ik belde Li Shu, die onmiddellijk naar ons toe kwam. Ik legde de situatie uit. 'Haar therapeut denkt dat het het beste is wanneer ze bij jou blijft; mits ze belooft niet weg te rennen kan dat geen kwaad. Hoe het verder moet, weet ik nog niet.'

Li Shu werd bleek.

'Het spijt me. Ik weet dat dit veel gevraagd is. Maar ze weigert mee te gaan naar huis en ik wil niet dat ze straks in een pleegtehuis of een instelling terechtkomt. We hebben geen andere keus. Alsjeblieft? Ik weet dat je begrijpt hoe ik me voel. Help me, alsjeblieft.'

Ik zag de spanning in haar schouders. Ze knikte. 'Ik neem haar wel in huis, als zij ook wil. Maar als ze weer wegloopt?'

'Dan bel je de politie. Ik denk niet dat ze dat doet, ze is doodsbang. Die agent zag er groot en dreigend uit, en hij heeft haar een flinke uitbrander gegeven.'

'En hoe voel jij je?'

Ik balde mijn vuisten. 'Vraag dat maar niet! Niet nu. Straks stort ik nog in elkaar. Geen medelijden alsjeblieft. Mijn gevoelens komen later wel, eerst dit achter de rug hebben.'

Ze knikte opnieuw. 'Goed.'

We lieten Eva een verklaring tekenen waarin ze beloofde bij Li Shu te blijven en alleen naar school en therapie te gaan en nergens anders naartoe. Ze liep met Li Shu naar haar auto, stapte in zonder me aan te kijken of iets tegen me te zeggen, en weg waren ze. Ik wist dat ik kapot zou gaan van verdriet. Maar eerst moest ik nog naar huis rijden.

Lewis kwam die avond pas laat thuis. 'Het spijt me… ik had mijn telefoon uitgezet omdat ik een artikel af wilde maken.'

'Waarom kwam je niet? Ik stond er alleen voor.'

'Het spijt me.'

Ik stond midden in de keuken. Ik was graag kwaad op hem geworden en had allerlei akelige verwijten naar zijn hoofd willen slingeren. Dan kon ik in ieder geval iemand de schuld geven. Dan had ik in ieder geval nog even het gevoel dat ik leefde. Maar toen ik mijn mond opende, kwam er alleen maar een klaaglijke jammerkreet uit. Ik liet me op de vloer zakken en werd verpletterd door wat er die middag gebeurd was. Ik wilde niet meer leven.

Lewis ging naast me zitten, met zijn armen om me heen. Hij huilde ook. Ik klemde zijn overhemd tussen mijn vuisten, maar mijn verdriet was te groot om troost bij een ander te vinden. Het overspoelde me en trok me onder water, naar een grot waar het me langzaam verteerde tot er niets van me over was dan kaalgevreten botten, gladgeschuurd door de dodelijke streling van de zwarte golven.

36

Meg Lindsay, januari 2011

Een week ging voorbij zonder haar; een week vol stank en ver-rotting. Mijn verdriet nestelde zich als een doffe vermoeidheid in mijn borst, alsof mijn ziel verkouden was. Li Shu ging dagelijks met Eva langs de therapeut, en vroeg na elke sessie of ze al naar huis wilde.

'Ja,' was het antwoord dan. 'Naar huis in China, bij Wen Ming.'

Ik probeerde Wen Ming te bellen, maar die weigerde me te spreken. Ze stuurde me een e-mail:

U bent aardig, mevrouw Lindsay, maar u hebt mijnheer Lindsay en uw familie al. Ik heb alleen Zhen An. Als zij bij mij wil wonen, zeg ik daar geen nee tegen. Sorry.

Ik had haar nog wel vertrouwd. Ik had mijn achterdocht en ja-loezie opzijgezet om haar te accepteren. Ik had haar als dochter gewild. Dit verraad begreep ik niet. Het sloeg nergens op.

Het was helemaal belachelijk dat wij volwassenen afhanke-lijk waren van wat een verdrietig meisje van elf zich in haar hoofd haalde. Natuurlijk zouden wij, Li Shu of wie dan ook, mijn dochter nooit naar China brengen en haar daar achterlaten, hoe ze ook smeekte, welke hatelijkheden ze ons ook toebeet of wat ze ook voor doms uithaalde.

Nadat ze een week lang nog geen centimeter had toegegeven, begon ik me echt zorgen te maken. Stel dat ze nooit meer naar huis wilde? Stel dat er niets anders opzat dan haar naar de pleeg-opvang te brengen? Raakte ik mijn dochter kwijt?

Allemaal vragen die mij dreigden te verlammen, en dat kon ik me niet veroorloven. Lewis en ik bezaten niet de luxe om tijd aan rouw, angst of paniek te verspillen. Wij waren volwassen en moesten sterk zijn.

Bree was mijn steun en toeverlaat. Bij haar kon ik huilen en tekeergaan zodat ik Lewis kon ontzien, die het er ook moeilijk mee had. Ze wees me nooit terecht, ook niet als ik vreselijke dingen zei die ik niet echt meende. En ze klaagde niet als ik haar midden in de nacht onverstaanbaar snikkend belde omdat ik wakker werd omdat ik dacht iets in Eva's kamer te horen, erheen snelde en er alleen leegte en stilte aantrof.

Li Shu was mijn rots in de branding. Ik hoop maar dat God haar later extra zal belonen, want zij zorgde ervoor dat het lijntje tussen Eva en mij intact bleef. Het was niet gemakkelijk voor haar; zij en haar man waren niet gewend aan kinderen. Aanvankelijk begreep hij helemaal niet waarom dat ze zo ver ging in haar hulp aan ons, zodat ze hem ten slotte maar vertelde dat ze jaren geleden haar kind had afgestaan. In het begin was hij boos dat ze zoiets voor hem geheimgehouden had. Op de lange duur zou het vast beter voor beiden zijn dat het nu bekend was.

Te midden van deze consternatie werd er nog een telefoontje gepleegd. Lewis was erin geslaagd een man op te sporen die een van de professoren van het MIT had getipt. Hij heette Cary Dressler en was de partner van Naomi Ricci. Wij hadden het vermoeden dat ze nog steeds samen waren, en waren er uiteindelijk in geslaagd zijn telefoonnummer in New Mexico te achterhalen. We boekten geen enkele vooruitgang met Eva, het was goed om eens ergens anders aan te denken.

Op een avond toetste Lewis het nummer in en schakelde de speaker in.

'Hallo?' Aan het zware accent te horen kwam de man uit New Jersey.

Lewis wierp me een snelle blik toe en boog zich toen naar de telefoon. 'Hallo. Ik ben dr. Lewis Lindsay, van de universiteit van Chicago. Uw vriend, Jeremiah Davies, is een kennis van mij. Hij heeft me uw nummer gegeven.'

'Oké.' Lewis keek verbaasd toen de man niet meer sjoege gaf. Ik gebaarde dat hij verder moest vragen. 'Eh... Ik heb gehoord dat u Naomi Ricci kent.'

Stilte. 'Waarom vraagt u dat?'

Lewis sloot een moment zijn ogen. 'Ik ben haar zoon en ik ben op zoek naar haar.'

'Naomi heeft geen kinderen.'

Heeft. Tegenwoordige tijd. Lewis haalde scherp adem, het was hem blijkbaar ook opgevallen.

'Jawel. Ik weet dat ze beweert van niet, maar ik kan bewijzen dat ze met mijn vader, Liam Lindsay, was getrouwd en ik heb ook een geboortebewijs waar haar naam op staat.'

'Wat wilt u, dr. Lindsay?'

'Ze is vertrokken toen ik zeven was. Het laatste wat ze tegen me zei, was dat ik haar maar moest opzoeken wanneer ik het Higgs-boson had gevonden. Nou, dat heb ik en dat wil ik haar laten zien.'

De stilte aan de andere kant van de lijn duurde zo lang dat ik dacht dat hij opgehangen had.

'Higgs, zei u?'

'Inderdaad.'

'Hoe heette u ook alweer?'

'Lewis. Lewis Lindsay.'

Weer een lange stilte. 'Het is goed als u naar New Mexico komt. Maar dan moet ik u eerst wat vertellen.'

'Wat dan?'

'Naomi, uw... moeder, heeft alzheimer.'

'Ik ga met je mee.'

Lewis probeerde nog meer kleren in zijn koffer te proppen. 'Iemand moet hier blijven, voor Eva.'

'Ze zit goed bij Li Shu... en die vindt ook dat ik met je mee moet.'

Hij had de universiteit gevraagd om verlof wegens familie-omstandigheden, wat hij meteen gekregen had. Hij ging met de auto omdat we geen lastminutevlucht konden betalen.

Aanvankelijk was ik het met hem eens geweest dat ik achter zou blijven. Ik kon me niet voorstellen dat ik de stad zou verlaten terwijl de situatie rond Eva zo problematisch was. Maar aan de andere kant: die verslagen blik op Lewis' gezicht na zijn gesprek met Cary Dressler vergat ik ook nooit meer.

Ik had beseft dat ik hem nu moest steunen. Ik was Eva's moeder, inderdaad. En ze had me nodig, ook dat, maar Lewis was mijn beste vriend, mijn man, al lang voordat we vader en moeder werden. Deze crisis zou voorbijgaan en op een gegeven moment zou Eva ons verlaten, haar eigen gezin stichten, andere vrienden maken. Maar om Lewis zou ik me altijd blijven bekommeren, ik zou hem altijd liefhebben tot de dood ons zou scheiden. Ik moest hem op deze reis begeleiden. Hij had me nodig.

Ondanks zijn tegenwerpingen pakte ik mijn koffer in. Toen hij de auto aan het inladen was, liep ik Eva's kamer in en luisterde naar de stilte. Ik wierp mijn hoofd in mijn nek en staarde door het plafond, voorbij het flatgebouw, voorbij de zon naar de sterrenlucht.

'Waar zijn ze nu, die lieveheersbeestjes?' schreeuwde ik. 'En het rode lint? De nevel en de muziek?' Ik had gedacht dat al mijn tranen opgedroogd waren, maar ik voelde er toch weer een paar op mijn wangen. 'Waar zijn die mysterieuze vrouw en die kraanvogel?' Ik pakte mijn oude teddybeer en ging op haar bed zitten. 'Ik ga zo de stad uit, zonder mijn dochter! Waar bent U? Waarom laat U mij in de steek? Het enige wat ik wilde is een gezin. Was dat nou te veel gevraagd?'

Ik had vertrouwen gehad. Ik had geloof gehad. Genoeg voor mijzelf en mijn ongelovige man samen. Ondanks de pijn en het verdriet was ik moeder geworden. Ik had mijn best gedaan.

'Is dit alles?' fluisterde ik naar boven.

Ik begreep nu waarom mensen hun geloof eraan gaven. Het leek zo veel gemakkelijker het bestaan van God te ontkennen. Er verscheen een kruising voor mijn ogen. Langs de ene weg stond Lewis, langs de andere mijn God, als twee levensgrote kartonnen beelden. De weg van Lewis had geen hoop te bieden, maar bracht ook geen teleurstelling. De dingen gebeuren nu eenmaal. Niemand heeft je iets beloofd, dus boos worden heeft geen zin. God stelde je juist voor een radicale keuze. Geloven betekent verder kijken dan deze werkelijkheid, maar daarbij horen ook teleurstelling, verdriet en de pijnlijke vraag waar God is als het moeilijk wordt.

Het was geen eerlijke keus. Ontstellend moeilijk. Ik klemde mijn teddybeer tegen me aan en kroop weg in de ruimte tussen hen in, sloot mijn ogen en wachtte tot de pijn over zou gaan.

37

Eva Zhen An Lindsay, januari 2011

Ik voel me opgesloten. Ik weet niet waarom ik doe wat ik doe. Ik begrijp niet waarom ik zo boos ben. Waarom ik niet naar huis wil. Li Shu is heel aardig. Ze is lief voor me geweest, de afgelopen week, maar ik zie ook dat ze moe wordt. Ik ben ook moe. Ik vind mezelf niet leuk, zo. Ik wil niet naar doen. Ik wil bij mijn ouders zijn.

Maar ik ben zo bang. Ik weet het, dat is dom van me. Ik voel me de hele tijd zo dom. Ik ben bang om hun dochter te zijn. Ik wil niet meer in de steek gelaten worden. Straks gaan zij ook weg. Zou ik zo stout zijn geweest dat ze me niet meer willen? Zoals ik al zei: heel dom. Want zij hebben het langer met me uitgehouden dan iedereen. Ze pikken een heleboel van me.

Maar Wen Ming is heel speciaal. Misschien omdat ze geen volwassene is. En geen moeder. Ze weet precies hoe ik me voel. Ik wil haar niet kwijt. Ik wil ook niet dat ze alleen is. Ik draag een koordje om mijn nek met een kokertje waar haar kraanvogelveer in zit. Het is niet zomaar een veer; in het kokertje zit de stem van Wen Ming, haar vrolijke glimlach, haar liefde voor mij. Ik hoef het kokertje alleen maar aan te raken en haar warmte gloeit in mijn hand. Dat heb ik nooit tegen mijn mama en papa gezegd. Dat vinden ze vast niet leuk. Het is een geheim.

Ik kan niet én mijn ouders én Wen Ming hebben. Ik moet kiezen. Wen Ming heeft me nodig. En ik haar.

Ik moest dit doen, dacht ik. Nu weet ik het niet meer. Ik weet alleen dat het pijn doet, alsof al mijn botten gebroken zijn. En het voelt zwaar, alsof ik een rugzak moet dragen die vol stenen zit, of vol met saaie boeken.

Sommige dingen zeg ik tegen de therapeut. Ze doet niet zo moeilijk. Ze geeft me geen standjes zodat ik me rot ga voelen. Daar ben ik zelf heel goed 'toe in staat', zegt zij. Ik voel me altijd beter als ik met haar heb gesproken, maar dat verandert niks aan de zaak.

Vandaag hebben we het daarover gehad: over dat ik me opgesloten voel. Vroeger ging mama altijd mee naar deze gesprekken, maar sinds ik weggelopen ben, mag ze dat niet meer van mij.

Ik mis haar. Ze heeft de allerliefste ogen van de wereld. Zelfs als ze boos op me is, schitteren ze vol liefde. Ze is wel driftig, maar dat ben ik ook.

Ik weet natuurlijk dat ik niet naar China kan, ook al heeft niemand dat nog met zo veel woorden tegen me gezegd. Ik kan niet naar Wen Ming, maar ik durf ook nog niet naar huis toe. Wen Ming zou eraan kapotgaan. Dat zou betekenen dat ik haar laat stikken, en dat kan ik niet.

Toch zou ik ook wel heel graag naar huis gaan. Ik haat dat van mezelf.

Gisteren had ik een nachtmerrie. Ik droomde dat een vliegtuig mij precies tussen China en Amerika in Grote Oceaan neergooide. In het vliegtuig zaten mijn ouders, Wen Ming, al mijn vrienden en tante Yang en oom Zhou en ze gilden dat ik moest kiezen bij welk werelddeel ik hoorde, en dat ik er anders maar tussenin moest blijven zwemmen. Daarna moest ik zwemmend het land van mijn keuze zien te bereiken. Ik moest tussen de haaien, enge vissen en stekende kwallen door zwemmen en werd heel moe. De golven trokken me naar beneden en ik verdronk.

Ik werd gillend wakker, maar ik was bij Li Shu thuis. Mijn moeder en vader konden me niet troosten. Li Shu kwam in mijn kamer kijken en vroeg of er iets was. Ik zag dat ze bezorgd was, maar dat ze niet wist wat ze moest doen. Enge dromen vertel je niet zomaar aan iedereen, en ik geloof niet dat zij ze erg graag wilde horen.

Li Shu en ik komen net van de therapeut vandaan. Ze heeft gezegd dat ik aan mijn huiswerk moet beginnen en nu luistert ze haar voicemail af. Ze krijgt ineens een groen gezicht, alsof ze zure melk heeft gedronken.

'Je vader en moeder hebben een bericht ingesproken. Ze zijn een paar dagen weg, naar New Mexico. Je moet bij mij blijven tot ze weer terug zijn.'

De tijd staat stil als ik het woord 'weg' hoor. Dus ze zijn er niet. Ze zijn weg. Ze hebben me in de steek gelaten.

'Waarom zijn ze weggegaan?' Ik probeer niet al te paniekerig te klinken. Ik denk niet dat Li Shu daar raad mee weet, en als mijn ouders er niet zijn, kan ik beter kalm blijven.

'Je papa weet eindelijk waar zijn moeder is.'

Ik had ze daarover horen praten. Over mijn oma, eigenlijk. Papa wilde haar heel graag vinden, zelfs al heeft ze hem in de steek gelaten toen hij klein was. Ik snap dat wel, ik zou mijn Chinese vader en moeder ook graag zien.

'Woont ze in New Mexico?'

'Ja.'

Ik denk aan de kaart van Amerika in mijn klaslokaal. New Mexico is heel ver van Chicago vandaan. 'Ze hebben niet eens gedag gezegd.' Een grote hand knijpt mijn keel en longen dicht. 'Ze zijn zonder mij weggegaan.' Ik ga niet huilen.

Echt niet.

Maar ik ben bang nu ze zo ver weg zijn. Straks heb ik ze nodig. Straks komen ze niet meer terug! Als hun iets overkomt, zie ik ze misschien wel nooit meer terug.

Ik wil...

Ik moet...

Ik krijg geen lucht. Ik ben maar een klein kind. Dit vind ik veel te eng.

Li Shu klemt haar kaken stevig op elkaar. Ze kijkt strak voor zich uit, alsof ze tot tien telt omdat ze anders woest wordt. Na een poos kijkt ze over mijn hoofd heen, niet in mijn ogen en begint te praten. 'Wat kan jou dat schelen? Jij wilt niet eens bij ze wonen. Waarom mogen zij dan niet weggaan zonder jou?'

Ze heeft gelijk en dat maakt me helemaal bang. 'Ik ben hun

dochter. Je mag je dochter niet alleen laten.'

'O nee? Dat zou je niet zeggen als je naar jouw gedrag kijkt.'

De angst grijpt me nu echt bij de keel, zwart en sterk.

'Zo mag je niet tegen mij praten! Je bent mijn moeder niet.'

'Nee, maar jij hebt je moeder en vader in de steek gelaten. Net zoals jouw oma je vader en je Chinese moeder jou. Dus je zult het met mij moeten doen, en ik ga tegen je zeggen wat ik kwijt wil.'

'Ik was niet van plan om weg te gaan! Ik wist niet wat ik anders moest.' De tranen sprongen in mijn ogen, hoe ik ook mijn best deed ze tegen te houden.

'Hoezo, wat je anders moest? Waar heb je het over?'

'Over Wen Ming. Ze heeft me nodig. Ze dacht dat als...'

Oeps. Dat had ik niet mogen zeggen. Ik klem mijn lippen op elkaar en veeg de tranen uit mijn ogen.

Maar Li Shu is slim. Ze knijpt haar ogen tot spleetjes en kijkt me aan tot ze me steken als messen.

'Wat dacht ze precies?'

'Niks.'

'Eva Zhen An Lindsay! Je blijft net zolang in die stoel zitten tot je mij hebt verteld wat Wen Ming je gezegd heeft.'

Wauw! Ze is dan geen moeder, maar dat doet ze goed.

Een moeder. Die weten hoe ze het weer goed moeten maken. Ze zorgen voor hun kinderen, ook al zijn die stout. Ik moet... Plotseling wil ik graag alles vertellen. Ergens hoop ik dat het daardoor weer goed komt.

'Wen Ming zei dat als ik zou weglopen en heel naar deed, dat mijn ouders me dan niet meer wilden en me naar China terug zouden sturen. En dan zorgde zij voor een huis en daar zouden we voortaan samen gaan wonen. Ze zei dat zij veel meer van mij houdt dan Amerikaanse ouders ooit kunnen.'

Ik krijg weer lucht. Ik haal diep adem en probeer de tranen niet eens meer binnen te houden. Alles wordt nat, mijn neus, mond, ogen. Ik kan bijna niet praten. Maar ik weet nu wel wat ik wil.

Naar huis. Naar mijn echte huis. Mijn echte ouders.

Het spijt me heel erg, Wen Ming, maar nu ik hardop heb gezegd wat jij van plan was, hoor ik pas hoe dom dat klinkt. Zo kinderachtig. Ik wil een moeder. En jij bent nog maar een kind. Jij hebt ook ouders nodig, en ik vind het heel erg dat je die niet hebt. Sorry dat je die van mij niet kon krijgen. Ik heb het geprobeerd. Maar je kunt nu niet kapotmaken wat ik heb.

Ik wil niet in de zee zwemmen tot ik verdrink. Ik vind het eng om te kiezen, maar het moet.

En ik kies hen.

'Ik wil naar mama!' Het is mijn mond uit voordat ik het kinderwoordje kan tegenhouden. Maar ik voel me toch al niet zo groot. Ik lijk wel een baby. Ik wil duimen en luiers dragen en een flesje.

Ik wil dat mama me wiegt.

Li Shu kijkt me aan alsof ik een grote wasbeer ben; schattig maar gevaarlijk. Wat doe je als iemand het zo op een blèren zet?

'Wen Ming heeft ongelijk.'

Ik lig met mijn hoofd in mijn armen op de keukentafel zodat ik haar niet hoef aan te kijken. 'Dat begrijp ik.'

'Nee, ik denk van niet.'

Ik til mijn hoofd op en kijk haar even aan. 'Het was een dom plan. Ze had het niet moeten zeggen en ik had niet naar haar moeten luisteren.' Mijn stem klonk weer jammerend. Ik voelde me zo'n baby. Geen wonder dat Li Shu niet erg vriendelijk keek.

'Ik bedoel dat Wen Ming ongelijk heeft als ze zegt dat ze van je houdt. Dat is niet zo.'

Ik spring bijna overeind. 'Jawel! Ze houdt wel van me!'

'Echt niet. Als je zoiets vreselijks van mensen vraagt, houd je niet echt van ze. Het is heel egoïstisch om te zeggen dat je van huis moet weglopen om naar haar toe te gaan. Dat is geen liefde, dat doet een echte vriendin niet. Een echte vriendin is niet zo'n dwingeland en niet zo egoïstisch.'

Ik grijp naar het kokertje van Wen Ming aan het koordje om

mijn nek. Ik knijp erin. Maar ik voel geen warmte. Het is koud en hard. Ik kijk naar het veertje achter het beschilderde glas.

Dit is Wen Ming niet. Het is maar een veer.

Li Shu heeft gelijk. Wat ben ik een sukkel!

Ik geef een ruk aan het kokertje. Het snijdt in mijn nek en breekt kapot. Ik ren naar de voordeur en sta op de stoep voordat ze me kan tegenhouden. Ik gooi het kokertje zo hard mogelijk op staat.

Het slaat stuk op het asfalt. Een auto rijdt over de stukken heen, het veertje blijft aan een band plakken.

Ik draai me om. Li Shu staat achter me. Geen moeder, maar op dit moment alles wat ik heb. Ik sla mijn armen om haar heen en duw mijn hoofd tegen haar aan. 'Ik weet niet wat ik moet doen.'

Ze haalt langzaam adem. 'Je moet met Wen Ming praten, en daarna ga je je ouders bellen.'

Ze heeft gelijk. Ze zou een goede moeder zijn, denk ik. 'Oké.'

Ik had gedacht dat ik mijn veertje zou missen. Maar dat is niet zo. Ik voel me zelfs lichter. Niet meer zo onvolledig. Minder verward. Ik heb niet meer het gevoel dat ik in zee verdrink.

Ik voel me vrij.

38

Meg Lindsay, januari 2011

Hoe dichter we bij Albuquerque kwamen, hoe meer Lewis zich in zichzelf opsloot. Deze reis was voor hem zoals mijn eerste keer naar China. De koorden die hem aan zijn oude leventje verbonden, knapten een voor een af. Ik reisde met hem mee, maar een reis van de ziel wordt zonder gezelschap afgelegd.

Bovendien was ik maar gedeeltelijk bij hem. Een groot deel van mezelf had ik in Chicago bij mijn dochter achtergelaten. Niet dat ze zich daarvan bewust was. Nog zoiets waar niemand je voor waarschuwt: als je moeder wordt, ben je nooit meer compleet. Je laat delen van jezelf achter in het hart van je kind en die worden verstrooid over de hele wereld; daar waar je kind is. Dat doet pijn, maar is ook mooi; opgaan in iets wat veel groter is dan jij alleen.

Cary Dressler had ons een routebeschrijving gegeven naar de instelling waar Naomi woonde, The Cottages. Het zag er idyllisch uit: een verzameling antiek gemeubileerde, kleine wooneenheden, omringd door groene gazons en kronkelende paadjes waarover de alzheimerpatiënten konden dwalen. Tenminste, idyllisch onder deze omstandigheden.

Hij wachtte ons op bij de receptie. Het was een gedrongen, kale man met overgewicht, ronde hangwangen en een kromme neus. Een groter verschil dan met Lewis' aantrekkelijke, slanke vader was niet mogelijk. We stelden ons onhandig mompelend aan elkaar voor. Ik denk dat we ons allemaal geen raad wisten met onze houding en ook niet wisten hoe we de muur moesten afbreken die Naomi decennialang tussen ons had opgetrokken.

Lewis stak zijn handen in zijn zakken en liep naar een van de ramen die uitzicht boden op het gazon. 'Hoelang woont ze hier al?'

'Sinds 2000. De diagnose werd in 1998 gesteld toen ze achtenvijftig was. We waren toen al tien jaar samen en ik wilde graag met haar trouwen, maar ze… ze zei dat ze daar niet het type voor was.'

'Dat was ze ook niet.' Hij kon de bittere toon niet uit zijn stem weren. Ik wierp Cary een verontschuldigende blik toe.

Hij wreef met zijn hand in zijn nek. Ik had medelijden met hem. Het was niet eerlijk dat hij bij Naomi's dramatische eerste huwelijk betrokken werd. 'Hoe dan ook; ze tobde al een paar jaar met haar geheugen, zodanig dat haar werk eronder begon te lijden. Haar laatste artikel uit 1999 was grotendeels door haar studenten geschreven. Ze kon bepaalde woorden niet meer spellen. Nadat het artikel was gepubliceerd is ze met emeritaat gegaan. Ik heb haar geholpen met het afhandelen van haar zaken in Boston en dit hier gevonden.'

Lewis draaide zich om naar Cary. 'Waarom zo geheimzinnig? Waarom mochten haar collega's hier niets van weten?'

'Ze was heel trots. Ze wilde niet dat de wetenschappelijke wereld wist wat er met haar aan de hand was. Dat kun je haar toch niet kwalijk nemen? Een van de knapste koppen die haar verstand verliest? We wisten wat de prognose was. Ik herinner me een avond dat ze huilend in mijn armen lag omdat ze niet meer uit een rekensom kwam. Ze wilde verdwijnen zodat niemand er ooit achter kwam. En dat hebben we gedaan.'

Lewis liet zijn schouders hangen. Hij zag er oud en moe uit. 'Mag ik haar zien?'

'Ze is behoorlijk ver heen. Ben je bekend met alzheimer?'

'Voldoende om geen verwachtingen te koesteren. Ik wil haar alleen maar zien.'

Hij liep met ons mee naar de woning die ze met een paar andere vrouwen deelde. De woonkamer had een hoog plafond met lichtkoepels; licht en helder onder de zon van New Mexico. Cary ging naar Naomi's kamer en kwam even later weer terug.

'Ze wil haar kamer niet uit. Ze herkent me niet vandaag, dus…'
Zijn stem haperde. 'Ik zal jullie binnen laten. Blijf maar niet te
lang, ze wordt snel moe van bezoek.'

Was dit nu de befaamde Naomi Ricci? Deze kleine, vroeg
oude vrouw die over een bureau gebogen zat dat was afgeladen
met stukjes papier? Ze krabbelde net iets op een vel toen wij
naar binnen gingen.

Lewis tastte langs mijn arm, op zoek naar mijn hand. Ik pakte
de zijne en gaf hem een kneepje.

'Eh… dr. Ricci?'

Ze keek niet op.

'Naomi Ricci?'

Ze mompelde iets, met haar hoofd diep over het vel papier
gebogen. Wat ik ervan kon zien, leek op een wiskundige formule.

'Moeder?'

Haar hoofd schoot omhoog. 'Ik heb geen kinderen!' Ze liet er
een vloek op volgen en begon weer te schrijven met grote, felle
uithalen. 'Wat doe ik nou verkeerd? Waarom klopt de berekening
niet?'

'Wat is het?'

'Een feynmandiagram.'

'Mag ik even kijken?' Lewis boog zich over het papier om te
kunnen lezen. 'Lukt het hiermee?' Hij had een paar berekeningen voor haar opgeschreven.

Ze gunde hem amper een blik waardig. 'Ben je gek, zo doe je
dat toch niet! Een kind kan het nog beter.'

Ik hield Lewis overeind met een arm om zijn middel. Voordat
hij iets kon zeggen, belandde zijn vel papier als een prop op de
grond, waar er nog veel meer lagen.

'Vroeger had ik een kind,' ging ze verder. Haar blik schoot rusteloos heen en weer, ze keek ons niet één keer rechtstreeks aan.
'Maar dat ben ik kwijt. Mijn zoon kwijtgeraakt. Hoe raak je een
kind kwijt? Ik ging weg en ben nooit teruggegaan en toen was-
ie zoek. Ik had bij hem moeten blijven.' Haar woorden werden
lijzig en haar mond verslapte, verwrongen door zelfhaat. Ze bezat

niet meer de tegenwoordigheid van geest om dat te maskeren.

Er blonken tranen in Lewis' ogen. 'Dat ben ik, mam. Uw zoon. Lewis.'

Die naam joeg een rilling door haar heen. Ze boog zich weer mompelend over haar papieren. 'Vroeger had ik een zoon, die heette Lewis. Maar ik ben hem kwijtgeraakt. Ik ging weg. Slechte moeder. Briljant natuurkundige, maar een vreselijk mens.'

Ik voelde een golf van emotie bij Lewis opkomen. Dit bracht hem op z'n knieën en er was niets wat ik kon doen. Hij had geweten dat ze alzheimer had, maar die wetenschap had de droom die hij al zijn leven lang koesterde niet vernield. Maar dit, de barre werkelijkheid, kon dat wel.

Zijn spieren spanden zich, tot hij ze weer losliet. 'Mam,' zei hij en hij hield haar schrijvende hand tegen. 'Ik ben uw zoon. Ik ben Lewis. En ik… ik vergeef het u dat u bent weggegaan.' Zijn wangen waren vochtig van de tranen.

Met een ruk trok ze haar hand weg. 'Schei uit! Schei uit! Altijd moet je wat van me. Je hebt dorst, je wilt een kroel, je moet plassen. Ik ben aan het werk! Laat me met rust! Ik moet het vinden. Ik moet dat Higgs-deeltje vinden. Ik wil je niet meer zien totdat je het Higgs-deeltje voor me hebt. Als je het Higgs-deeltje gevonden hebt, Lewis, dan praten we verder.'

Lewis beefde. Dit moest een enorme kwelling voor hem zijn. Ik haalde een stoel en duwde hem erin. Hij legde een zwarte map op haar bureau. 'Ik ben volwassen, mam, geen klein kind meer. En ik heb het Higgs-deeltje gevonden.'

Ze keek weer op, haar gezicht ingevallen, verdrietig, wanhopig. Ze legde een hand op zijn wang. Ze keek dwars door hem heen naar het kind van vroeger. 'Is dat zo? Knappe jongen! Je bent een knappe jongen, Lewis. Het spijt mama dat ze tegen je schreeuwde. Mama meent het niet. Je verdient een betere moeder. Je bent een lieve jongen.'

De woorden waar hij zijn hele leven naar had verlangd. Hij slaakte een gesmoorde snik. Ik legde mijn handen op zijn schouders en bad of God hem kracht wilde geven. Hij haalde diep adem. 'Dat was lang geleden, mam. Ik ben nu volwassen en ik heb het Higgs-deeltje gevonden. Kijk maar.'

Hij haalde een grafiek uit de map en liet die haar zien. Ze keek er aandachtig naar en ze leek even volkomen helder te zijn. Lewis legde alles uit en ze luisterde met glanzende ogen en open mond. Hij zweeg en wachtte haar reactie af. In zijn ogen was zo veel hoop te lezen.

Zo veel geloof.

Even leek het of het beloond werd. Er kwam een warme blik in haar ogen. Een seconde lang.

Daarna ging het licht vanbinnen uit en ze wendde zich af. 'Ga weg, ik heb het druk. Ik heb heel veel werk. Ik moet het Higgs-deeltje vinden.'

39

Wen Ming, januari 2011

Ik had niet gedacht dat er ooit iets erger kon zijn dan toen Zhen An naar Amerika moest. Maar de wetenschap dat ik nooit geadopteerd kon worden, terwijl mijn droom om bij Zhen An te zijn en ouders te hebben bijna binnen mijn bereik was, die deed zo'n pijn dat ik er geen woorden voor heb.

Ik voelde me schuldig omdat ik haar had ingefluisterd weg te lopen en hierheen te komen. Naar mij, naar China. Natuurlijk wist ik wel dat ze dat nooit zou doen. Stom idee. Dat kon nooit goed gaan. Ik wilde alleen zo graag iets om in te geloven. De gedachte dat wij kinderen een oplossing konden bedenken terwijl de grote mensen zeiden dat die er niet was, gaf me een goed gevoel, al was het maar heel even.

Dat ze die morgen zou bellen had ik dus helemaal niet verwacht. Mevrouw Wu had het heel druk, vandaag zouden er baby's vertrekken die geadopteerd werden. Het hele weeshuis was in rep en roer. Ik mocht het telefoontje opnemen in haar kantoor, als ik maar niet te lang zou bellen. Toen liet ze me alleen.

'*Ni hao*, Zhen An.'

'Het gaat helemaal niet goed vandaag, Wen Ming.'

Ze klonk hard, net ijs. Ik huiverde, als de eenzame wind. 'Is er iets niet goed?'

'Jij bent niet goed. Ik had niet naar je moeten luisteren. Een goede vriendin zegt niet dat je moet weglopen, maar dat heb ik wel gedaan! Nu zijn mijn ouders weg en ik kan niet naar huis en ik kom ook niet terug naar China.'

Ik kreeg geen lucht binnen. Ik had het gevoel dat elk woord van haar een reep van mijn huid wegsneed. Ze was zo van streek

297

dat ze Chinees en Engels door elkaar gooide, maar ik verstond haar heel goed.

'Je bent... je bent weggelopen?'

'Ja, voor jou! Ik ben voor jou weggelopen! Je bent egoïstisch en gemeen. Er had me iets kunnen overkomen, ik had wel dood kunnen gaan omdat ik zo dom was om naar jou te luisteren. Maar mijn moeder kwam me zoeken. En toen zei ik dat ik niet met haar mee naar huis ging en nu zijn zij en mijn vader weg.'

Mijn handen begonnen weer te trillen. Ik ademde oppervlakkig. 'Het spijt me. Het spijt me heel, heel erg.'

'Ik heb familie, en ik houd heel veel van ze. Dat mag je niet van me afpakken.'

'Ik wil hele...'

'Je houdt niet van me. Je bent mijn *jie jie* niet en ik wil nooit meer iets met je te maken hebben. Nooit, begrepen?'

'*Mei mei...*'

'Noem me niet zo! Dag, Wen Ming.'

Een klik en daarna stilte.

Ik liep op de tast om mevrouw Wu's bureau heen. Daarachter was de deur naar de binnenplaats. Ik geloof niet dat ik nadacht over wat ik deed. Ik moest naar buiten, ik had lucht nodig. Met bevende handen duwde ik de deur open.

Een doodse januarisfeer hing op de binnenplaats. Er waren geen andere geluiden dan mijn bevende hartslag. Ik struikelde en haalde mijn handen open aan de tegels.

Ik liep tegen de kersenboom aan. Voor mij was die boom voor altijd met Zhen An verbonden.

'Ik haat je!' Ik schopte ertegen en beukte met mijn blote handen tegen de stam tot ze bebloed en gevoelloos waren. 'Had ik je maar nooit ontmoet! Had ik maar nooit op je vertrouwd! Had ik maar nooit van je gehouden!'

Ik rende naar de poort en liep de straat op. Haar woorden galmden nog steeds in mijn hoofd: *Jij bent geen goede vriendin. Je bent mijn* jie jie *niet en ik wil nooit meer iets met je te maken hebben. Nooit, begrepen?*

'Houd je mond!' schreeuwde ik. Ik moest blijven rennen. Bij haar stem vandaan. En dus rende ik. En viel. En stond op en rende weer verder. Maar haar stem bleef me achtervolgen. Ik botste tegen mensen op die me nariepen, maar ik stopte niet om sorry te zeggen. Ergens hoopte ik dat ik bij een drukke straat zou komen waar ik door een bus of een auto overreden werd. Ik ging toch al dood. Een ongeluk maakte er meteen een eind aan.

Op het laatst kon ik niet meer. Ik leunde tegen een gebouw aan. Ruwe stenen prikten in mijn gehavende huid. Ik hijgde zwaar. Mijn longen kregen nog steeds lucht. Dat kon niet kloppen. Ik had geen recht meer op zuurstof.

Ik luisterde goed. Ik kon geen mensen horen. Ik deed een paar passen naar voren tot mijn handen een ander gebouw raakten. Het was een ruïne; overal lag puin. Ik stond in een soort steegje, maar ik had geen idee waar. Het was koud en ik had geen jas aan.

Ik tastte de bakstenen muur af tot ik bij een plek kwam waar de muur was ingestort. Ik kroop onder de afgebrokkelde muur en huilde. Hier ging ik dood, alleen en in het duister. Mijn *mei mei* zou het niet eens te weten komen. Maar ik had het verdiend. Ze had gelijk. Helemaal.

Het was allemaal mijn eigen schuld.

40

Meg Lindsay, januari 2011

'Dat was mijn moeder niet.'

We liepen over het slingerpaadje dat bij Naomi's wooneen-heid vandaan voerde. Ik voelde een sterke neiging om te wijzen op het groene gazon, hoe goed verzorgd het gras eruitzag en hoe strak de witte hekken in de verf zaten of wat voor triviale opmerking ook maar. Als ik de uitgedoofde blik in Lewis' ogen maar niet hoefde te zien.

Zijn opmerking kon ik niet negeren. 'Nee, inderdaad niet.'

Ik heb mensen dat zo vaak horen zeggen over hun demente of geesteszieke geliefden. Dat ze niet zichzelf meer zijn. Een heel menselijke reactie: we negeren het verdriet zodat het minder pijn doet. We zoeken naar een bedoeling. Net als kinderen doen we alsof.

We hadden afscheid genomen van Cary Dressler, die in de woonkamer op ons had gewacht. Een goede vent, die duidelijk veel van Naomi hield. Lewis vroeg of we nog iets voor haar kon-den doen, maar Cary zei dat alles geregeld was. Naomi had haar afscheid ditmaal grondig voorbereid. Ze zou het leven niet zo onverhoeds verlaten als haar huwelijk.

Ik wist zeker dat Lewis hier niet terug zou komen. Hij had met Cary overlegd, die meende dat een volgend bezoek zowel voor Lewis als voor Naomi te ingrijpend zou zijn. Hij zei dat Lewis altijd welkom was, maar zich niet verplicht moest voelen. Hij vroeg ons adres. Naomi had een paar natuurkundeboeken en dictaten met aantekeningen. Hij kon er niets mee, en bood ze Lewis aan. Lewis zei dat hij erover na zou denken, maar ik was ervan overtuigd dat ze ooit bij ons thuis zouden belanden.

We gingen naar een hotel in Albuquerque, maar pas nadat we waren ingecheckt en room service besteld hadden, begon hij weer over ons bezoek. Hij was zo gespannen dat ik hem niet aan durfde te raken, bang dat hij zou ontploffen.

'Ik moet je mijn excuses maken, Meg.' Hij zat op bed, een kussen in zijn rug, de armen voor zijn borst gekruist en zijn enkels over elkaar. Gesloten, onbereikbaar. Afwerend.

Deze reactie had ik niet verwacht. Meestal riep Naomi Ricci hevige, hartverscheurende emoties bij hem op; nooit eerder zo'n beheerste, bijna filosofische houding.

'Al die tijd heb ik gedacht dat ik veel rationeler, redelijker was dan jullie gelovigen met je gefantaseerde God. Terwijl ik ook een hersenschim najoeg. Dat was niet mijn moeder; die bestond alleen maar in mijn hoofd. Dus ga vooral je gang en voer Eva rustig die verhaaltjes over Jezus. En als je toch bezig bent, doe er ook nog maar een paar sprookjes over haar oma bij, dan is onze droomwereld compleet!'

Zijn woorden kwamen hard aan. Ik kon nu kiezen tussen allerlei reacties, die geen van alle tot iets goeds konden leiden. Ik besloot om maar helemaal niets te zeggen.

Hij staarde naar zijn voeten, met een verbitterde blik in zijn ogen die ik nu herkende; van zijn moeder.

Onmiddellijk verscheen ze in mijn gedachten, met hangende schouders aan haar bureau gezeten, gevangen in de knellende greep van haar twee grootste fiasco's: haar zoon en haar levenswerk. Alleen was ze nu nog jong, op het hoogtepunt van haar succes. Hetzelfde berouw, dezelfde gevangenis maar gemaskeerd, achter een façade. Eigenlijk had haar dementie alleen maar blootgelegd wat er altijd al was geweest.

'Al die jaren, mijn hele leven… ze kan haar eigen naam niet eens meer spellen. Ik heb mijn carrière gewijd aan iemand die niet zonder luier kan.'

Hij klonk bars, maar zag er klein en verloren uit. Net een kind dat zijn vuisten balt om zijn gebroken hart te verbergen.

'In ieder geval weet je nu dat ze zich rot voelt over wat ze gedaan heeft. Ik denk dat ze van je hield... op haar manier.'

Hij keek me met donkere, boze ogen aan. 'Is dat als troost bedoeld?'

Vergeet het maar. Ik was zijn boksbal niet. 'Goed. Blijf jij maar lekker hier zwelgen in zelfmedelijden. Ik ga een luchtje scheppen.'

Hij hield me niet tegen.

Ik liep naar het zwembad van het hotel. Toen ik de schuifdeur opendeed, ging mijn mobieltje.

'Hallo?'

'Mam, ik ben het... Eva.'

Ik schrok zo dat ik mijn telefoon bijna uit mijn hand liet vallen. Haar stem, wat klonk dat als muziek in mijn oren. Tegelijkertijd voelde ik iets angstigs in me opkomen. Het was al zo'n verdrietige dag vandaag, ik kon er niet veel meer bij hebben. 'Hoi.'

'Ik wou graag zeggen...' Een dun stemmetje, hees.

'Ja?'

'Ik wil naar huis toe!' Tranen overspoelden haar hakkelende woorden. 'Het spijt me dat ik zo dom ben geweest. Ik wil niet dat jullie weggaan. Kom alsjeblieft naar huis.'

Mijn knieën knikten. Bevend liet ik me in de dichtstbijzijnde ligstoel zakken. Ik wist niet waar deze ommekeer vandaan kwam, maar wat maakte dat uit? Ik wilde niets liever dan haar in mijn armen nemen en nooit meer laten gaan. Ik opende mijn mond om dat te zeggen.

Maar de woorden bleven uit. Een misselijkmakende geur vulde mijn neus, scherp, als van bloed; de geur van de angst. Mijn angst. Eindelijk zei ze sorry en smeekte ze of ze naar huis mocht komen en het enige waar ik aan dacht was dat ze me al zo vaak verdriet had gedaan. Ik verdroeg het niet meer.

Hoe vaak kan een kind een moederhart breken?

'Mam?'

Ik moest iets zeggen. Ik kon niet weigeren. Ik kon haar niet zeggen wat ik echt voelde.

'Mama, ben je daar nog? Mama?' smeekte ze gesmoord, adem-loos.

'Ik ben er nog. Ik… ik vergeef het je, lieverd. We zijn mor-gen weer thuis en dan kom jij ook, goed?' Elk woord kostte me moeite. Niet dat ik het niet meende, natuurlijk meende ik het, maar elke lettergreep werd tegengehouden door een misselijk-makende, beklemmende angst.

'Ik houd van je, mam.' Enorme opluchting klonk in haar stem door.

'Ik ook van jou. Ik bel je morgen.'

Ik klapte mijn telefoon dicht en schoof achteruit in de stoel, trok mijn knieën naar mijn borst en probeerde op adem te ko-men.

Het lukte me niet haar te vertrouwen. Mijn eigen dochter. Ik was bang voor haar.

Liefde betekent vertrouwen.

Liefde betekent volharden.

Liefde schiet nooit tekort.

Maar ik was wel ernstig tekortgeschoten. Jaren geleden had ik me voorgenomen alles te verdragen, altijd bemoedigend te zijn. Te vergeven en te vergeten. Geduldig te zijn, niet mezelf te zoe-ken. Altijd voor haar klaar te staan.

Het had toen zo makkelijk geleken. Ik wilde anders zijn dan mijn moeder. Dat was alles. Meer was niet nodig. Als willen al-leen genoeg was, dan was ik een perfecte moeder geworden.

Toch was ik telkens weer onderuitgegaan. Hoe vaak had ik mijn geduld wel niet verloren? Hoeveel scherpe woorden had ik gezegd? Hoe vaak had ik mijn eigen belangen niet op de eerste plaats gezet? En ik maar denken dat ik dat overwonnen had, dat ik beter was.

Ik dacht dat ik had geleerd wat liefhebben was, ook al deed het pijn.

Misschien, als het anders was gelopen met Wen Ming, mis-schien was het dan voldoende geweest.

Maar nu, nu ik nog eenmaal op de proef werd gesteld, kon ik

het niet. Ze was net de verloren zoon die thuis wilde komen. En diep in mijn hart vertrouwde ik haar niet.

Ik was leeg vanbinnen.

Er werd weer gebeld. Mijn moeder. Ik slaakte een kreet, iets tussen een kreun en een grom in. Ik hoefde niet op te nemen.

Ergens wilde ik dat toch. Het was tenslotte allemaal haar schuld. Het was haar schuld dat ik niet kon liefhebben, dat ik een slechte moeder was. Ik had dezelfde fout gemaakt als Lewis: mijn hele leven probeerde ik het iemand naar de zin te maken die...

'Je dochter belde me net en vertelde dat jij en Lewis in New Mexico zitten. Klopt dat?'

... dat niet verdiende. Hoe dom kon je zijn?

'Hoi mam.'

'Wat doen jullie daar?'

'Op bezoek bij de moeder van Lewis.' Ik legde de situatie kort uit.

'Ik kan er met mijn verstand niet bij dat je je dochter achterlaat om aan de andere kant van het land een of andere vrouw op te zoeken die jullie niet eens herkent. Zelfs van jou had ik zo'n onverantwoorde actie niet verwacht. Je hebt me niet eens verteld waar je naartoe ging. Ik moest er zelf achterkomen toen Eva me zojuist belde.'

Mijn maag draaide zich om en mijn handen begonnen weer te trillen. 'We hebben niets onverantwoords gedaan; Eva is bij Li Shu. Er is niets aan de hand.'

'Er is wel wat aan de hand met haar! Ze is erg van streek en je hebt haar achtergelaten bij iemand die niet eens familie is. Weet je, je stelt me echt heel erg teleur, Meg. Ik wist niet dat Lewis en jij zo egocentrisch waren. Het is wel mijn kleindochter, hoor!'

Nou, waar was zij dan zelf al die tijd dat haar eigen dochter *van streek* was? Ik liet het me bijna ontglippen, maar duwde die nare, misselijke woorden terug.

Twee meisjes kwamen het overdekte zwembad binnen en doken het water in. Ze spetterden elkaar nat in het ondiepe gedeelte. Het ene meisje was iets ouder en had een paardenstaart. Het jongste meisje droeg haar blonde haar in twee vlechtjes.

'Laten we vadertje en moedertje spelen,' zei het paardenstaart-meisje tegen het jongste meisje. 'Dan was ik de moeder en jij het kindje.'

'Ik ben *altijd* het kindje. Ik wil ook eens moeder zijn.'

Ik keek naar het jongste meisje en voelde hoe haar boosheid steeds zwaarder op haar drukte. Ze hield ook van het paarden-staartmeisje, dat kon ik in haar ogen zien.

Het paardenstaartmeisje stak haar handen in haar zij. 'Ik ben de oudste. Ik weet meer over mama's dan jij.'

Ach, paardenstaartmeisje, doe haar dat nou niet aan. Snap je niet dat ze gewoon wil spelen?

'Jij bent altijd zo bazig.' Het meisje met de vlechtjes wiegde haar pop.

'Jij bent net een baby.'

De woorden kwetsten me alsof ze voor mij bedoeld waren.

'Dan speel ik niet mee!'

'Jawel.'

Het paardenstaartmeisje trok aan de pop, het meisje met de vlechtjes trok terug. Je zag het al aankomen: een van de armpjes schoot los met een harde knal en belandde in het zwembad.

Mijn moeder praatte nog steeds. '... altijd klaar te staan voor hun kinderen. Je kunt niet zomaar weggaan.'

Een gil dwong zich een weg omhoog. Ik kon hem niet stoppen.

'Meg?'

'Nou, en stond jij dan klaar voor mij, mam? Jarenlang heb ik gewacht op je goedkeuring, je steun en liefde. Je hebt me vijf jaar lang niet willen zien, alleen maar omdat je het niet met mijn huwelijk eens was. Jij hebt mij in de steek gelaten!'

Stilte. Ik kon het niet geloven: ik had het gezegd. Nooit eerder had ik dat gedaan. Ik had het aan Lewis overgelaten, die een brief had geschreven terwijl ik zweeg en me achter hem verschool.

Het meisje met de vlechtjes huilde.

Uiteindelijk kon mijn moeder weer praten. In plaats van haar gebruikelijke koele toon klonk ze nu gekwetst. Kwetsbaar. 'Ik heb alles voor je overgehad. Je hebt het nooit gewaardeerd. Je wou altijd iets anders. Wat ook maar, als het maar iets was wat ik niet leuk vond. Je wrong je in allerlei bochten om mij te tarten. Je hoeft tegen mij niet te beginnen over waardering. Die had ik van jou ook wel willen hebben.'

Ik krulde me op in mijn ligstoel. Ik had kunnen weten dat het geen zin had om het haar uit te leggen. 'Ik hield van je! Ik heb gedaan wat ik kon om het je naar de zin te maken, maar dat was nooit goed genoeg. Toen heb ik het maar opgegeven. Waarom zou ik mijn best doen als het toch verkeerd was in jouw ogen?'

Een lange stilte. 'Je hebt een vreemde opvatting van houden van.'

'Hou zou ik daaraan komen?'

Er kwam een vrouw het zwembad binnen. Het was geen schoonheid, behalve dat ze schitterend donker haar had dat over haar rug golfde. Maar ze gedroeg zich elegant en waardig. Je moest wel naar haar kijken.

Ze hurkte bij de meisjes die om het hardst hun gelijk wilden halen.

Ik keek hoe ze met hen praatte. Het leek alsof ik bij haar naar binnen kon kijken. Alles aan haar was transparant, alsof iemand haar hele leven had gedownload en naar mijn hersens had gekopieerd. Zij was een echte moeder. Zo anders dan ik. Zo anders ook dan mijn eigen moeder of die van Lewis. Terwijl ik naar haar keek, besefte ik dat wij maar kinderen waren, bij haar vergeleken. Kinderen die vadertje en moedertje speelden. We waren allemaal te zeer gebroken, te behoeftig om elkaar echt lief te kunnen hebben. We hadden het te druk met overleven, met onszelf te beschermen.

Dan zij: ze was een en al wijsheid, zorgzaamheid, geduld, kracht en liefde. Ze vloeiden uit haar voort als banen zonlicht die alles om haar heen overdekten met een vredige gloed. Ik kon het zien, voelde hoe ze me doortrokken. Hoe langer ik naar haar keek, hoe meer ik het gevoel kreeg dat ik deze vreemde vrouw altijd al gekend had.

Ze hield van haar kinderen en zij hielden zielsveel van haar. Ik hield van haar. Hoe kreeg ze het voor elkaar? Deze vrouw zou niet doodsbang zijn dat haar kind haar verdriet deed. Zij zou zich niet zo door die angst laten lamslaan dat ze haar dochter zou onthouden wat die nodig had.

Zij zou zich zeker niet jarenlang schuilhouden uit angst dat ze de goedkeuring van haar moeder zou verliezen of haar hele leven besteden aan het vinden van iets waarmee ze de liefde van haar moeder kon kopen.

Zij was sterk en compleet zichzelf. Ik wist zeker dat haar liefde voortkwam uit vrijheid, uit overdaad. Niet uit behoefte. Niet uit verlangen.

Ze pakte de kapotte pop en zei iets tegen het oudste meisje, dat sorry zei tegen het jongere kind en toen naar het hotel terugliep. Daarna richtte de moeder zich tot het meisje met de vlechtjes.

'Je zus en jij moeten lief zijn voor elkaar.' Het klonk ernstig, maar ik hoorde een glimlach in haar woorden.

'Dat probeer ik toch! Het lukt niet.' Het meisje met de vlechtjes veegde haar loopneus af. 'Ze vindt me niet lief.'

'Natuurlijk wel.'

'Ze doet van niet.'

'Jij ook niet altijd.'

'Maar het is zo moeilijk. Ik kan het niet.'

De vrouw duwde de afgebroken arm voorzichtig in de pop en klikte hem op z'n plaats. Ze gaf de pop aan het meisje. 'Het is nooit makkelijk om van iemand te houden. Daarvoor moet je groot worden, maar dan vanbinnen. Volwassen.'

Mijn moeder zei iets, maar ik was te zeer afgeleid. Plotseling drongen haar woorden tot me door. '... jammeren als een klein kind. Word toch eens volwassen, Meg.'

Word eens volwassen.

Bij mijn moeder klonk dat zo anders dan wanneer die andere moeder het zei. Mijn moeder bracht het als een beschuldiging, een constatering dat ik tekortgeschoten was; als die andere moeder het zei klonk het geruststellend. Als een belofte.

Hoe zou het zijn wanneer je volwassen was vanbinnen? Zou ik dan op die vrouw lijken?

Hoe deed je dat, volwassen worden?

'Kom, Meg,' zei de moeder.

Ik schrok op toen ik mijn naam hoorde. Toch zei ze het tegen het meisje met de vlechtjes. Daarna keek ze op, recht in mijn ogen en glimlachte. Ze liep met het meisje om het zwembad heen en verdween door de schuifdeuren.

'Kijk eens, mama!' Het meisje met dezelfde naam als ik wees over haar schouder naar het water. 'Er zijn allemaal mensen in het zwembad.'

'Echt waar?' De fantasie van haar dochter leek deze vrouw niet te verbazen noch te ergeren. 'Wat doen ze dan?'

Het meisje keek met een frons naar het bad. 'Oei, die zijn ook nog niet volwassen.'

'Dan zijn het misschien kinderen?' Ze pakte het meisje bij de hand. 'Kom, we gaan.'

Ze liepen de gang in en verdwenen uit het zicht.

'Meg?' De stem van mijn moeder snerpte in mijn oren. 'Hoor je wel wat ik zeg?'

'Sorry, mam.' Voor ik het wist waren de woorden mijn mond uit. 'Je hebt gelijk. Het is tijd dat ik volwassen word.'

'Je zegt altijd dat ik eens moet luisteren, maar zelf doe je... Wat zei je daar?'

'Ik zei dat je gelijk hebt.'

Stilte.

'Ik moet ophangen, mam. Ik bel je morgen in de loop van de dag.'

Ik verbrak de verbinding en liep naar de rand van het zwembad.

Keek in het water.

En zag mezelf.

Een kind, nog maar een kind. Een meisje dat vadertje en moedertje speelde. Dat deed alsof.

'Dan was ik de moeder en jij het kindje.'
Geen wonder dat ik steeds tekortschoot. Een kind kon niet liefhebben zoals dat van een ouder verlangd werd.

Ik zag nog meer kinderen weerspiegeld: Lewis, Naomi, mijn moeder en vader, zelfs mijn broer en zus. Adam. Wen Ming. En Eva. Ze ruzieden met elkaar. Allemaal probeerden ze te krijgen waar ze behoefte aan hadden, zichzelf te beschermen, te pakken wat ze hebben wilden. Liefde te kopen alsof het ruilhandel was.

De beelden begonnen te golven en te rimpelen. Te verouderen. Tot we er allemaal uitzagen als Naomi: kinderen die opgesloten zaten in een bejaard lichaam, maar nog steeds probeerden te krijgen wat ze nodig hadden en gefrustreerd waren omdat dat niet lukte.

Ik hurkte naast het bad en stak mijn hand uit naar die pathetische figuren. Ik kon geen hekel aan ze krijgen. Ik kon niet boos worden. Ze hadden verdriet. Ze waren eenzaam.

Ik bleef naar ze kijken; ik kon mijn ogen niet afwenden. Ik wilde niet bij hen horen. Mocht ooit het lot van Naomi mij treffen, dan wilde ik dat ik alleen de mooiste momenten die ik beleefd had kon herinneren en dat mijn verwarde brein daarbij zou blijven steken. Ik wilde niet gevangen zitten in mijn frustraties. Ik wilde niet altijd kind blijven.

Zou dat mogelijk zijn?

Ik boog me voorover om mijn spiegelbeeld te bekijken.

'Word eens volwassen, Meg.'

Word zoals die moeder.

Maar hoe?

Haar beeld voegde zich bij de anderen, zo kalm en volwassen. Ze stak uitnodigend haar armen naar me uit.

Maar het zwembad was vol pijn. Van hen, van mijzelf. Daar durfde ik niet in te springen.

Haar ogen vertelden me dat dat de enige manier was om volwassen te worden. Alleen zo kon ik worden wie ik wilde zijn. Ik moest haar vertrouwen.

Ik dook in haar weerspiegeling.

Ze spatte uiteen en het water sloot zich boven mijn hoofd.

Ik moest liefhebben.

Ik moest vergeven.

Ik moest vertrouwen.

Maar dat doet zo zeer, mama.

Mijn longen brandden. Mijn spieren verkrampten. Mijn hart bonkte.

De streling van het water dat me omringde, bracht het antwoord. Heb hoe dan ook lief. Laat de pijn je oprekken, je vervullen. Geef je verzet op. Gebruik de liefde niet langer om te krijgen wat je wilt. Geef je gewonnen. Geef toe.

Laat je drijven.

Dat overleef ik niet.

Heb vertrouwen.

Ik luisterde. Ik gaf mijn verzet op en liet de pijn toe. Al die tranen. Alle teleurstellingen. De open wonden die we ongezien met ons meedroegen. Ik liet me erin drijven. Ze drukten me neer tot ik op de bodem belandde. Ik deed mijn ogen open en zag ze allemaal: mijn moeder, mijn dochter, mijn man, Wen Ming. Allemaal kleine, verdrietige schepsels, dobberend in het water.

Ik begon het bewustzijn te verliezen, maar voelde een stortvloed van moederliefde in me opwellen. Ze waren zo klein, zo hulpeloos. Ik zou ze allemaal wel aan mijn borst willen drukken. Ze troosten, verzorgen. Wat maakte het eigenlijk uit dat ze mij gekwetst hadden? Het waren nog maar baby's. Wisten zij veel.

Het komt wel goed, hier is mama. Mama houdt van jullie.

Mijn tijd was bijna om. Ik spreidde mijn armen uit om hen te troosten; mijn laatste paar momenten waren voor hen.

Het werd zwart voor mijn ogen.

Leef.

Ik voelde hoe een paar koele armen me naar boven trokken. Ik schoot door het wateroppervlak en hapte naar adem.

Moederliefde ontsprong aan mij als water uit een fontein, eigenzinnig, bewust, uitdagend; de soort die haar vuist balt, haar tong uitsteekt en zegt: 'Je bent totaal verknipt, maar ik houd toch van je.' Ik stortte mijn liefde uit over mijn moeder.

Dit was echte liefde. Eindelijk. Geen verwachtingen, geen voorwaarden. Geen afweermechanismen. Daar had de pijn korte metten mee gemaakt.

Wat overbleef was deze vruchtbare liefde, sterk, oeroud, die door mijn aderen stroomde. Wat een wonder!

Mijn moeder zou haar eigen pijn met zich meedragen tot haar laatste snik. Ook al zou ze dat nooit toegeven, ik wist nu dat dat zo was. Ik kon haar niet langer haten vanwege haar zwakheid. Ik was hetzelfde. Wij allemaal. Maar ze had geen greep meer op mij. Ik was bevrijd.

Eindelijk. Een liefde die groot genoeg was om de pijn teniet te doen, waarna alleen nog liefde overbleef. 'Ik vergeef het je. Ik vergeef het jullie allemaal.'

En mijzelf ook.

En mijn lieve Eva. Ik was niet meer zo bang nu. Ze zou me nog eens verdriet kunnen doen, maar ik dacht... ik hoopte dat ik nu sterk genoeg was om dat te verdragen. Sterk genoeg om op haar te vertrouwen, haar te accepteren, ondanks haar problemen. Ik kon bijna niet wachten tot ik haar zou zien, benieuwd of het voortaan anders zou gaan. Misschien werd het toch nog een nieuw begin voor ons.

Mijn kleren bolden op om mij heen en ik kreeg water in mijn ogen. Het hotelpersoneel zou wel denken dat ik gek was, zo spetterend in het zwembad als een klein kind. Alleen ik wist hoe het werkelijk zat: dat ik eindelijk, voor het eerst in mijn leven, echt volwassen was.

Er klonk zachtjes een moederlijke stem door de lucht. 'Goed zo, Meg.'

41

Ik ben niet impulsief. Ik maak altijd plannen. En plannen voor wanneer die niet slagen. En plannen voor wanneer het ook dan misgaat. Anders doe ik erg domme dingen. Zoals weglopen uit het weeshuis terwijl ik niets kan zien.

De kou in het steegje had mijn rug al in zijn greep en trok nu de rest van mijn lichaam binnen. Daardoor klonk elk geluid hard en scherp: hier kraakte iets, daar knapte iets, weer ergens anders klonk een doffe klap. Mijn hart bonkte in mijn oren. Er kon hier van alles loslopen: dieren, daklozen, misdadigers. Straks vielen ze me nog aan. En hoe kon ik me verweren als ik niets kon zien?

Ik moest hier weg, ik moest hulp gaan zoeken, maar ik was versteend, even bevroren als de wereld om me heen. Ik beukte met mijn achterhoofd tegen de muur. Wat had ik gedaan? Had ik rijstepap in mijn hoofd in plaats van hersens? Ik, Wen Ming, die altijd vol plannen en ideeën zat, wist niet wat ik moest doen. Ik was verstijfd van angst en durfde niet eens te schreeuwen.

'Wil je je hoofd tot puin slaan?'

Ik schreeuwde.

'Je was toch sprakeloos van angst?'

Een vrouwenstem. Niet hoog, maar helder, als glas. Ik rook een sigaret. De geur van tabak vond ik vies. Ik kuchte overdreven.

'Roken is slecht voor je.'

'Voor mij en voor de helft van alle Chinezen, die roken ook allemaal. In de winter met je hoofd tegen een muur beuken in een steegje is ook slecht voor je, maar dat doe jij alleen maar. Je krijgt een prijs omdat je zo origineel bent.'

'Wie ben je?'

'Wat doe je hier, Wen Ming?'

'Hoe weet je hoe ik heet?'

'Waarom zit je hier?'

Een van ons moest uiteindelijk antwoord geven en ik was te moe voor dit getouwtrek. 'Ik heb iets gedaan wat heel verkeerd was en nu ben ik mijn enige vriendin kwijt. Ze was als een *mei mei* voor me en nu is ze weg.'

'En die fout kun je zo goedmaken?'

Ik sloeg met een vuist tegen de muur. 'Het was gewoon stom! Als je me alleen maar wilt uitlachen, ga dan alsjeblieft weg.'

'Waarom vraag je niet om hulp?'

'Nee!'

De sigarettenlucht werd sterker; ze was waarschijnlijk naast mij op haar hurken gaan zitten. Ik fronste mijn voorhoofd en wapperde met mijn hand voor mijn neus.

'Doe niet zo nuffig. Nou, waarom vraag je niet om hulp?'

'Ik heb geen hulp nodig. Ik red me wel.'

'Ja, dat blijkt.'

'Ga weg.'

'Heb je zo ook tegen je vriendin gedaan? Geen wonder dat ze je niet meer aardig vindt.'

Ik gromde en wierp me op haar. Ze verloor haar evenwicht en ik belandde boven op haar. Ik had nog nooit van mijn leven iemand geslagen, maar nu zwaaide ik wild met mijn armen om zo veel mogelijk klappen uit te kunnen delen. Ze vocht terug en het lukte haar mijn armen op mijn rug te klemmen. Een moment lang wist ik zeker dat ik zou sterven. De tabaksgeur drong mijn neus in tot ik moest kokhalzen.

Tot ze me begon te wiegen.

Ze zong voor me. Het was een liedje over familie, over liefde, trouw en waarheid. Ondanks alles ontspande ik me in haar armen. Ik voelde de druk op mijn borst verminderen. Ik voelde me klein, veilig.

'Een gezin was alles wat ik wilde,' zei ik toen het lied uit was.

'Maar dat heb je toch?'

'Ik zit in een weeshuis.'

'Is dat dan niet jouw gezin?'

'Nee! Iedereen gaat weer weg. Ze laten me altijd in de steek.' Langzaam maakte ze zich van me los, totdat ik haar sigaret weer rook. 'Denk je dat niemand uit een gezin ooit weggaat?'

'Natuurlijk niet. Die blijven altijd bij elkaar.'

Ik voelde iets warms op mijn gezicht. Haar handen waren niet koud. Ik had het ook niet koud meer. 'Lief kind, dat is geen gezin, maar een gevangenis.'

'Maar…'

'Als je familie bent, maakt het niet uit waar iemand is. Liefde is niet aan plaats gebonden. Eén hartenklop en ze is aan de andere kant van de wereld. Liefde laat los; ze kan de afstand wel overbruggen. Jij wilt de mensen van wie je houdt het liefst in een kooi opsluiten, maar dat is geen liefde. Liefde laat vrij.'

Niet dwingen? Loslaten? De gedachte alleen al sneed als een mes door mijn keel. 'Dat kan ik niet. Dat doet veel te veel pijn.'

'Ik zeg toch ook niet dat jij dat moet. Dat is precies het probleem met jou, Wen Ming. Je denkt altijd dat jij de enige bent die iets moet. Je hebt geen vertrouwen.'

Inderdaad. 'Ik vertrouw alleen op mezelf.'

'En wie heeft je vriendschap verknald en ervoor gezorgd dat je verdwaald bent?'

De tranen sprongen in mijn ogen. Ze had gelijk. Ik kon mezelf ook al niet vertrouwen.

'Vraag om hulp, Wen Ming. Vraag of ik je wil helpen.'

'Nee.' Ik wreef met mijn handpalmen in mijn ogen.

'Vertrouw op mij.'

'Nee.'

'Geef me je handen.'

'Waarom?'

'Doe nou maar.'

Ik hield mijn adem in en stak haar mijn handen toe. Ze pakte ze en draaide ze met de palmen naar boven. 'Ze zijn geschaafd en bebloed.'

'Ik... ben gevallen.'

'Weet ik.'

Ze bewoog haar vingers. Ze wilde mijn ontvelde huid aanraken. Ik voelde haar bewegen en trok mijn handen terug. 'Niet aanraken!'

'Vertrouw me maar.'

Mijn handen beefden. Met moeite hield ik ze geopend. Ze legde haar handpalmen tegen de mijne aan. Het voelde alsof mijn huid in brand stond, maar ik trok mijn handen niet terug. Ik gaf geen kik.

Ze haalde haar handen weg. 'Raak mijn handen eens aan.'

Ik streek er met een vinger langs. De huid was geschaafd, vol rauwe plekken. Ik hoorde dat ze haar adem inhield en haalde snel mijn vinger weg. Ik strekte mijn eigen handen. Ze deden geen pijn meer. De schaafwonden waren verdwenen. Ze bloedden niet meer.

'Liefde neemt de last en de zorgen van anderen over, kindje. Ik houd van je.'

Ik stak mijn handen uit in de richting van haar stem en betastte haar gezicht. Ze had een zachte, gladde huid met alleen een paar kraaienpootjes rond haar ogen. Ik voelde een klein bultje, een moedervlekje misschien, links op haar kin. 'Je kent me niet eens.'

'Niet zo goed als ik zou willen. Maar toch houd ik van je.' Ze trok me weer tegen zich aan. 'Rust maar even uit.'

En dat deed ik. Ik huilde. Het was meer dan zomaar een huilbui; eerder een soort wasbeurt. Haar liefde stroomde mijn lijf binnen. Het voelde goed en veilig. Ik merkte dat ze er dingen begon te verplaatsen, dingen op hun juiste plek zette en repareerde wat stuk was. Dit was de eerste keer dat ik iemands liefde toeliet. Ik ontving nooit, maar gaf altijd.

Plotseling wilde ik naar huis. Naar huis, naar het weeshuis. Ik wilde naar mevrouw Wu, tante Yang en alle anderen. Ik was nog steeds bang dat ze me in de steek zouden laten, maar wel ietsje minder.

'Wil je me helpen om thuis te komen?' Ik wist niet eens hoe ze heette.

Ze legde een hand tegen mijn wang. 'Kom maar.' Ze nam me bij de arm en loodste me het steegje uit. Na een paar kleine passen stond ze stil.

'Wen Ming!' De vrolijke, opgeluchte stem van tante Yang. 'Wat doe je buiten het gebouw? We hebben doodsangsten uitgestaan! We hebben uren naar je gezocht.'

Ze trok me in haar armen. Haar handen streken over mijn haar, mijn wangen, mijn rug, mijn handen... wild, wanhopig.

'Hoe hebben jullie me gevonden?'

'Wat bedoel je?' Ze trok me de poort door, de binnenplaats op. 'Je stond gewoon hier. Waar had je naartoe gewild? Je had wel een ongeluk kunnen krijgen!'

Ik omhelsde haar en liet haar liefde voor het eerst in mijn leven toe in mijn pas geopende ziel. 'Het spijt me, tante. Het spijt me dat jullie bezorgd waren om me. Ik zal het niet meer doen.'

Ik zweeg en keek om in de richting waar ik vandaan gekomen was.

'Waar is de vrouw die me naar huis heeft gebracht?'

De spieren in tante Yangs hand op mijn arm spanden zich. Ze leek even in de war, opnieuw bezorgd. 'Er was hier niemand anders, Wen Ming. Alleen jij.'

Ik ging met haar mee het weeshuis binnen. Voor het eerst had ik het gevoel dat ik er welkom was. Was dat altijd zo geweest en had ik dat alleen nooit willen voelen? Geen idee.

Maar nu wist ik dat ik thuis was.

42

Meg Lindsay, januari 2011

Een halfuur nadat we thuis waren kwam Eva bij ons terug. Ze liep de deur binnen, zette haar rugzak op de grond en wachtte af. Ze was bedrukt en zag er tegelijkertijd oud en jong uit. Al sinds haar telefoontje naar ons in New Mexico had ik gefantaseerd over dit moment. We waren in één ruk naar huis gereden en waren alleen even gestopt wanneer we allebei zo moe waren dat we een gevaar op de weg werden.

Ik had verwacht dat het moment heel bijzonder zou zijn, maar het voelde alleen maar vredig en goed. Compleet. In de woonkamer bescheen het morgenzonnetje dansende vlokjes stof, die tijdens onze afwezigheid bezit van ons huis hadden genomen alsof het een kraakpand was. Verder niets; alleen het geluid van ademhaling en mijn hartslag die sneller werd toen ik haar zag.

Verder niets dan een behoedzaam hoopvolle blik in haar ogen.

Toen lag ze in mijn armen. Ik voelde haar zijdezachte haar tegen mijn gezicht, haar bevende armen in mijn nek en de opluchting in haar lichaam dat ze zich voor het eerst volledig aan de zorgen van haar moeder kon overgeven. Haar vochtige adem streek langs mijn hals in een woordeloze fluistering van troost en verzoening.

Ik stond haar alleen maar aan Lewis af omdat ook hij behoefte had aan haar omhelzing. Zijn lange, brede handen streken over haar rug en hij verborg zijn hoofd in haar nek. Hij snoof haar geur diep op en ik zag dat hij haar na elke ademteug krachtiger en met meer vertrouwen vasthield, alsof zij hem houvast, extra draagkracht gaf waar hij zijn verdere leven op kon teren.

'Je wordt toch niet ook ziek, papa, zoals uw moeder?' Ze

klemde zich nog steviger vast. Ik besefte dat het nog een heel kwetsbaar meisje was. Maar nu was ze hier. Ze had de moed gehad om naar huis te komen en onze liefde toe te laten. Er moest nog veel gebeuren, maar ze zou beslist herstel vinden bij ons.

Lewis keek op. 'Niemand weet wat er in de toekomst gaat gebeuren. Maar ik kan je één ding beloven: ik ben niet zoals mijn moeder. Beslist niet.'

Onze blikken kruisten elkaar en ik las een sterke overtuiging en wilskracht in zijn ogen. Hij zou het ook wel redden.

Ik sloeg mijn armen om hen beiden heen. Ik keek op naar Li Shu. 'Dank je,' zei ik geluidloos.

Ze glimlachte, maar haar ogen lachten niet mee, buitengesloten als ze was, gewaardeerd, maar niet langer nodig. Ze knikte, een buiginkje bijna, alsof ze haar Aziatische gereserveerdheid te hulp riep om haar gevoelens te maskeren, achter beleefdheidsfrases als 'graag gedaan' en 'geen dank, hoor'. Ze glipte weg en deed de deur achter zich dicht.

43

De perzikbloesems hulden het district Nanhui in Sjanghai, en dus ook het kindertehuis, in een geur van hoop. Onze eigen kersenboom bloeide met geurige bloesems die me altijd aan Zhen An deden denken.

Tante Yang had me in januari verteld dat Zhen An weer naar haar ouders teruggegaan was. Daar was ik blij om. Aanvankelijk had ik gedacht dat alles nu weer goed zou komen tussen ons. Wat naïef van me. Ik had haar een keer gebeld. Haar moeder, Meg, had opgenomen. Ik had mijn best gedaan bij de Engelse les van tante Helen, en begreep wat Meg zei.

'Het spijt me heel, heel erg, Wen Ming, maar Eva zegt dat ze nog niet met je wil praten.'

Ik hoorde aan haar stem dat ze het meende, en ik had ook spijt om wat ik hen had aangedaan.

'Het was heel slecht van mij wat ik u en mijnheer Lindsay en Zhen An... Eva bedoel ik, heb aangedaan. Het spijt me.'

Ze antwoordde niet meteen, maar uiteindelijk zei ze dat ze het me vergaf. Het klonk zo oprecht dat ik ontroerd was, ook al was ze zo ver weg.

'Denkt u dat Eva mij ooit zal kunnen vergeven?' Het voelde raar om haar Amerikaanse naam uit te spreken, maar ik had geen recht meer om haar Chinese naam te gebruiken. Ze was mijn *mei mei* niet meer en ik zag inmiddels in dat ik haar nieuwe leven moest respecteren door haar nieuwe naam te gebruiken. Dat was haar keuze.

'Ik weet het niet. Ik wilde dat ik daar ja op kon zeggen, maar ik weet het niet. Ik hoop het zo voor je.'

'Mag ik nog eens bellen?'

'Beter van niet. Ik houd wel contact met je tante Yang, goed?' Tante Yang zei dat ik moest wachten en Eva niet moest lastigvallen, zodat ze sterk kon worden zonder mij. Ik moest haar laten gaan, zodat ze kon opgroeien bij haar ouders.

Ik vond het heel moeilijk, alsof ik niet langer mocht ademhalen of mijn hart moest verbieden te kloppen. Zou ik dat wel overleven?

Het was mijn straf omdat ik haar niet eerder wilde laten gaan, omdat ik me met haar had bemoeid en alleen aan mezelf had gedacht. Die eerste paar dagen dacht ik echt dat mijn longen en mijn hart ermee zouden ophouden, maar dat gebeurde niet. Ik had gedacht dat de dagen altijd kort en somber zouden blijven, maar dat was niet zo. Ik had gedacht dat ik mijn hele leven verdriet zou hebben omdat ik haar moest missen, maar dat was ook niet zo.

Met iedere ademtocht, met iedere hartslag en elke seconde dat het langer licht bleef, werd ik sterker, kreeg ik meer vertrouwen dat ik niet alleen maar zou overleven, maar dat mij een goed leven vol vreugde en mooie dromen te wachten stond. Geen dromen waarin anderen altijd voor me klaarstonden en altijd afhankelijk van mij zouden blijven zodat ze me nooit zouden verlaten, maar dromen die me voorhielden dat ik iets voor anderen kon betekenen zonder me aan hen te hoeven vastklampen.

Eindelijk werd het warmer en begonnen de bomen uit te botten. Op een middag die geurde naar kersen, vroegen mevrouw Wu en tante Yang of ik naar het kantoor van de directrice wilde komen. Ik merkte dat er opgewonden vonkjes tussen hen oversprongen.

'Wen Ming, ken jij de organisatie Half the Sky Foundation? Dat is een instelling die hulpt biedt aan weeskinderen die niet geadopteerd worden.'

Tante Yang was zo enthousiast dat ze de directrice in de rede viel. Dat was onbeleefd, maar mevrouw Wu scheen het niet erg te vinden. 'Een van hun projecten is gericht op oudere meisjes die in weeshuizen wonen; ze noemen het Big Sister; grote zus. Ze willen dat jij ook meedoet!'

'Ik begrijp het niet.'

De directrice pakte mijn hand vast. 'De organisatie krijgt geld vanuit de hele wereld. Daarvan kunnen ze een leraar en speciaal lesmateriaal voor jou betalen, zodat jij straks een opleiding kunt volgen. Jij bent zo slim dat het jammer zou zijn als je niet naar de universiteit zou kunnen, alleen maar omdat je blind bent.'

Ik werd een beetje draaierig en moest me vastklampen aan mevrouw Wu. Ik, een opleiding... naar de universiteit? Dat was meer dan ik kon bevatten; alsof iemand tegen me zei dat ik alle kersen- en perzikenbloesems van heel Sjanghai met twee handen moest vasthouden. 'Welke studie mag ik doen?'

'Welke je maar wilt,' zei tante Yang. 'Het is een programma op maat. Natuurlijk moet je de goede vakken kiezen wanneer je naar de universiteit wilt. Ik help je wel met kiezen.'

'Maar waarom? Waarom ik?'

Tante Yang giechelde en ik voelde dat de directrice hartelijk glimlachte. Mevrouw Wu gaf een kneepje in mijn hand. 'Misschien hebben wij wel contact opgenomen en iets over jou verteld.'

Zhen An (Eva bedoel ik) zou hen als een echte Amerikaanse enthousiast om de hals zijn gevallen. Maar ik was Chinees, en al bijna een jonge vrouw. In plaats van een vreugdedansje glimlachte ik stralender dan de zon. Ik knikte hen beiden toe. 'Dank u. Dank u hartelijk.'

Ik zou ervoor zorgen dat ze trots op me waren, deze vrouwen die vertrouwen in mij hadden gehad en zo veel van me hielden dat ze me wilden helpen. Ik zou niet meer weglopen of chagrijnig doen om dingen uit het verleden die ik toch niet kon veranderen. Ik wilde hun goedheid en vrijgevigheid niet kwijtraken.

Er ging een wereld voor me open, net als toen ik boven in de kersenboom zat en het uitzicht mocht zien. Ik zou zweven door de lucht als een sneeuwvlok of een bloesemblaadje, vrolijk, gelukkig en sterk, om te vieren dat ik niet alleen was. Ik was geliefd.

44

Meg Lindsay, januari 2012

'Mam, ik kan de doos niet vinden waar mijn kleren in zitten!' Eva stommelde rond de stapels dozen die in de woonkamer in ons nieuwe appartement stonden.

Ons nieuwe appartement in Sjanghai.

Ja, in *Sjanghai*. Ik kon het zelf nog maar amper bevatten.

'Kun je niets uit je koffer aantrekken?'

'Dat is allemaal vies.'

Ik stuurde Lewis op een speurtocht naar de doos met kleren. In oktober had de universiteit hem een baan aangeboden. Ze hadden Lewis gevraagd om er de afdeling deeltjesfysica nieuw leven in te blazen. Het was pure hoogmoed om hem te vragen; hij had al een paar prestigieuze universiteiten in Amerika afgewezen. Maar sinds ons bezoek aan China was het universiteitsbestuur op de hoogte van onze band met de stad, vandaar dat ze meenden een kans te maken. Bovendien hadden ze het nog extra aantrekkelijk voor ons gemaakt door de verhuizing te betalen en ons een schitterend appartement aan te bieden, vlak bij een internationale school waar Eva naartoe kon. En passant had Zhou Wei promotie gekregen, omdat hij hen met Lewis in contact had gebracht.

Onze spullen waren een week later gearriveerd dan we verwacht hadden, vandaar dat we nu zo veel mogelijk probeerden uit te pakken voordat onze gasten voor het diner voor de deur stonden.

Het appartement was ruim en schitterend, veel te chic naar mijn mening, maar het hoorde nu eenmaal bij de secundaire arbeidsvoorwaarden van de universiteit, en we begonnen er al een beetje van te houden.

We hadden drie weken in Sjanghai doorgebracht en hadden gewinkeld, kennisgemaakt met andere buitenlanders en met de universitaire staf waarmee Lewis zou gaan samenwerken. Wanneer ik ging slapen, dansten er Chinese karakters voor mijn ogen en zag ik eindeloze to-dolijstjes: metrokaarten regelen, Eva aanmelden bij de school, waar zijn welke winkels?, een huisarts zoeken, een bankrekening openen, meubels kopen, keukenspullen kopen, eten kopen...

Lewis had de doos met Eva's kleren gevonden. Ze rommelde erin tot ze iets had uitgezocht en haastte zich naar haar slaapkamer om zich om te kleden. Ik sloeg een arm om Lewis' middel en inspecteerde de wanorde.

'Denk je dat ze het redt?' vroeg ik.

'De therapeut dacht van wel. Ze past zich heus wel aan. De overstap is voor haar niet zo groot als voor ons.'

'Ik wou dat ze Wen Ming in ieder geval een berichtje stuurde. Er wordt veel te veel gezwegen in mijn familie, en het lost nooit iets op.'

Hij drukte een kus op mijn haar. 'Weet ik, maar we kunnen haar niet dwingen.'

'Denk je dat we hier gelukkig worden?'

'Ik denk het wel. Ik hoop het.' Hij liep bij me vandaan en ging op de hoek van een stevige doos zitten. 'Ik ben mijn leven lang op zoek geweest naar mijn enige familielid dat niet Chinees is, en de rest heb ik verwaarloosd. De Argentijnse cultuur boeide me omdat mijn moeder daar toevallig is opgegroeid. Ik heb altijd het gevoel gehad dat mijn Chinese afkomst me opgedrongen werd.'

'Dat begrijpt je familie wel.' We waren onderweg naar China in Californië langsgegaan, waar Lewis een heleboel misverstanden uit de weg had kunnen ruimen.

'Ik wil China graag leren kennen. Het is een deel van mezelf dat ik wil begrijpen. Ik wil ook dat Eva het begrijpt. Dit zou onze enige kans wel eens kunnen zijn.'

'Dat wil ik ook... voor ons allemaal.'

'En jij? Denk je dat jij hier gelukkig kunt zijn?'

Het was wat aan de late kant voor dergelijke vragen, en we hadden er natuurlijk al wel eerder over gepraat. Maar nu we hier waren, leek het alsof we er opnieuw bij stil moesten staan, om onszelf er nog eens goed van te overtuigen dat we niet gek waren.

Kon ik hier gelukkig worden?

Na een poos zou het nieuwe ervanaf gaan. Op een morgen zou ik wakker worden en met weemoed terugdenken aan mijn huis in Chicago. Er zouden dagen komen dat ik amper het huis uit zou willen omdat het allemaal zo vreemd was dat ik er moe van werd. Ik zou huilend aan de telefoon hangen met Audra, Cinnamon, Bree, Li Shu... zelfs met mijn ouders. Het zou maanden duren voordat ik de straat op zou durven zonder mezelf eerst moed in te hoeven spreken. Maanden ook voordat de stad een beetje kleiner zou lijken, iets minder een reusachtige draak en iets meer een... een heel grote hond, misschien.

Maar nu, op dit moment, voelde ik vooral een sprankje hoop. Hoop dat ik vrede met dit land zou kunnen sluiten. Hoop dat het restje pijn dat nog in mijn hart was achtergebleven eindelijk zou verdwijnen. 'Ja,' antwoordde ik hem. 'Ik denk wel dat ik hier gelukkig kan worden.' Ik gaf hem een hartstochtelijke, tango-waardige kus.

'Hè, bah! Kunnen jullie niet ergens anders gaan zitten smakken?' Onze dochter, die zich het taaltje van haar klas inmiddels had eigengemaakt, stond in de deuropening en maakte smakgeluiden.

Onze kus eindigde in een lachsalvo. 'Niet zo grof, jij.' Door mijn gegiechel kwam mijn standje niet echt over. Het was vandaag oudjaar, morgen was Eva jarig. Het werd ook nog eens haar geboortejaar: het jaar van de draak. We moesten en zouden dat vieren, ook al stonden de dozen hoog opgetast en had ik de keukenspullen nog niet gevonden die ik nodig had om een verjaardagstaart te bakken. Uiteindelijk lukte het ons om zo veel mogelijk dozen op te ruimen. Yang Hua en Zhou Wei en hun dochtertje kwamen eten op onze eerste oudejaarsviering in

China. Dat betekende dat Zhou Wei zijn traditionele jaarlijkse familiebijeenkomst voor een keertje had moeten afzeggen. Als zijn moeder ook maar een beetje op de mijne leek, zou hij dat nog lang moeten horen. Hij had heel wat voor ons over.

Ze zouden een paar uur voor etenstijd aankomen zodat ze mij konden helpen met koken. Zo had Yang Hua het in ieder geval geformuleerd. We wisten allebei dat zij natuurlijk het meeste werk zou doen en dat ik een beetje hulpeloos zou toekijken. Gelukkig had ik een paar Amerikaanse lekkernijen achter de hand. Ik was van plan Yang Hua en haar gezin een paar van mijn favoriete kerstgerechten te serveren: cranberrysalade en aardappelsoep. En ik had chocoladekoekjes geregeld, in plaats van een verjaardagstaart.

Het leek mij een heel gunstig voorteken, om het in Chinese termen uit te drukken: Oost en West kwamen samen om het nieuwe jaar te vieren, een nieuw leven, een nieuw huis.

'Daar zijn ze!' Eva rende naar de deur om open te doen. Tegenwoordig deed ze niets meer gewoon lopend. Ik kon me niet meer voorstellen dat ze zes jaar geleden zo verlegen en timide was geweest. En doodsbang. Van ons drieën was zij tegenwoordig de moedigste als we eropuit trokken om haar stad te herontdekken.

Yang Hua had een paar boodschappentassen in haar armen, en even dacht ik terug aan die keer dat Li Shu in onze flat in Chicago voor ons Chinees kwam koken. Voor het eerst voelde ik heimwee de kop opsteken, en ik was blij dat niemand in de drukte zag dat ik een traan wegpinkte.

Zhou Wei droeg met zijn ene hand een paar tassen. Met de andere hield hij zijn dochter vast. Ze was nu vier en stak trots drie vingers op. Haar moeder duwde zachtjes een vierde vingertje omhoog, terwijl een verholen lachje om haar lippen speelde.

Zodra iedereen binnen was, stonden Yang Hua en Zhou Wei allebei stil, en keken aarzelend heen en weer van de deur naar ons.

'We hopen dat het geen probleem is, maar...' Yang Hua gebaarde naar de deuropening, waar nog iemand stond. 'We hebben nog een gast meegenomen.'

'Dat is prima, ik vind…'

Een tengere tiener kwam naar binnen lopen. Ze stak haar hand uit en tastte om zich heen tot ze houvast aan de deurpost vond.

'Wen Ming!' Ik duwde Yang Hua opzij en schoot op Wen Ming af. 'Ik ben het, Meg.' Ik gaf haar een tikje op haar kruin en bood haar toen mijn arm aan. Ik zag dat ze de jade armband met de draak die ze van mij had gekregen, nog steeds droeg. Ik keek in haar nietsziende ogen en voelde alleen maar liefde, medeleven en tederheid voor dit meisje dat bijna mijn dochter was geweest.

'Het spijt me als ik me opdring, mevrouw Lindsay.'

'Welnee, dat doe je niet. Je bent hier altijd welkom.'

Ze knikte beleefd. 'Dank u.'

Yang Hua en de anderen deden een stapje achteruit zodat Eva oog in oog stond met deze onverwachte gast. Ik probeerde de blik op het gezicht van mijn dochter te peilen, en zag allerlei botsende gevoelens voorbijschieten: droefheid, boosheid, vreugde, ik kon ze niet allemaal thuisbrengen. We wachtten zwijgend of Eva ook deze laatste stap naar genezing kon zetten.

Wen Ming wachtte ook, zonder te schuifelen of zenuwachtig te doen. Ze wachtte kalm, vredig, alsof ze tegenwoordig de kracht bezat om Eva's reactie te accepteren, wat die ook zou zijn.

Eva wierp mij een blik toe. Ze zag er plotseling heel jong en onzeker uit. Ik glimlachte en knikte haar toe. Dit kon ze wel. Ik had vertrouwen.

Ze maakte zich lang en liep op Wen Ming af. '*Gong xi fa cai, jie jie.*'

Jie jie. Grote zus.

De zelfbeheersing van Wen Ming stortte in elkaar als een gebouw dat opgeblazen werd. Ze slaakte een snikkende zucht en het volgende moment lagen de twee meisjes in elkaars armen. Ze hielden elkaar zo stevig vast dat ik dacht dat ze met elkaar versmolten. Geen van de volwassenen kon het mengelmoesje van

Engelse en Chinese zinnetjes verstaan, maar de betekenis was duidelijk.

Ik geloof dat het in China heel erg taboe is om te huilen op oudejaarsavond, maar dat kon me niks schelen. Een mooier begin van het jaar dan zo'n wonder was niet denkbaar, dus tranen leken me wel op z'n plaats.

Zelfs de ogen van Yang Hua leken nog meer te sprankelen. Ze kneep haar lippen opeen in een geheimzinnig lachje. 'Meg, we moesten maar eens aan het eten beginnen.'

Chinezen zijn niet zo aanhalig, maar ik omhelsde haar toch. 'Dank je. Een mooier verjaardagscadeau was niet mogelijk.'

Ze reageerde met een klein kneepje en we sjouwden de tassen naar de keuken.

Enkele uren later, na ons eerste echte diner in het nieuwe huis, hoorden we vuurwerk knallen. We renden de straat op om mee te feesten.

Er klonk tromgeroffel en een stoet leeuwendansers kwam de straat in. Twee leeuwen, een zwarte en een witte, zwaaiden en knikten op het ritme van de trommels. De witte bleef voor ons groepje staan. Hij knipperde met grote, glimmende ogen naar ons, zijn wimpers wuifden als donsveren. Hij stak ons zijn kop toe zoals een kat die onder zijn kin gekieteld wil worden. Hij kwam dicht op Eva en Wen Ming af. Eva pakte de hand van haar grote zus om de kop van de leeuw te strelen. Hij bewoog zijn bek naar hun handen toe, alsof hij erover wilde blazen, maar in plaats daarvan liet hij twee glimmende voorwerpen uit zijn bek vallen, voor elk meisje een.

Het waren kleine kokertjes met een rode kraanvogelveer erin, elk aan een rood koordje. De meisjes gaven de leeuw een handkus en hingen elkaar de kokertjes om de nek.

De leeuw begon steeds wilder te dansen. De lucht om ons heen werd wazig van de rook van het vuurwerk en zwaar van het tromgeroffel. De leeuwen sprongen in de lucht en beklommen een onzichtbare trap tot ze de sterren bereikten die met hen dansten en hun gelukwensen over iedereen uitstrooiden. Hun vreugde daalde op ons neer als de as van honderden miljoenen vuurpijlen.

De leeuwen waren nu geen dansers meer. Ze kwamen op ons af gedoken als exotische kometen met lange staarten en trokken ons de straat op, het feestgedruis in. Plotseling waren wij geen buitenlanders meer. Geen vreemdelingen. Geen rivalen. Dit was onze familie.

China had ons geadopteerd. We waren thuisgekomen. Alles wat we doorstaan hadden... het was allemaal gebeurd zodat we dit moment mochten meemaken.

Lewis keek me met een verwarde blik aan. 'Zag je dat...'

Ik greep hem beet en danste met hem. 'Ja, dat zag ik, ja!'

Ik zie tegenwoordig alles.

Epiloog

Wen Ming, september 2013

Ik zit in een pluchen stoel in het concertgebouw van Sjanghai. Eva heeft me verteld dat alles hier goud, luxe en chic is, helemaal perfect. Ik ben hier met mijn gezin: papa Lewis en mijn *mei mei* Eva (maar nu ze in China woont mag je haar ook wel Zhen An noemen). Het vierde gezinslid is mijn moeder, Meg. Zij zit op het podium en geeft een uitvoering. Beter bestaat niet.

Ik ben nu al meer dan een jaar bij hen. Dat was een verjaardagscadeau voor mij, van Eva. Nooit geweten dat Amerikanen verjaardagen zo belangrijk vonden; in ieder geval vond dit gezin mijn verjaardag een mooie gelegenheid om mij te vragen bij hen te komen wonen.

Officieel ben ik nog steeds een pleegkind, maar mijn nieuwe gezin en de organisatie Half the Sky hebben ervoor gezorgd dat ik naar de blindenschool kan. Ik heb geen stuk papier nodig om te weten dat ik bij het gezin hoor. Een stuk papier kan nooit in de plaats komen van wat je diep in je hart weet; dat is officiëler dan wat een document of rechter of regering ook beweert.

Het is vreemd om 'mama' en 'papa' te kunnen zeggen. Ik wist eerst niet zeker of het me wel zou lukken. Maar altijd alleen maar juffen en tantes, dat word je ook een keer zat.

Ik richt mijn aandacht weer op mijn moeder, Meg. Ze speelt de solopartij met het hele orkest achter zich.

De melodie is snel, wild, hartstochtelijk. Verdriet en verlangen vermengen zich met uitgelaten vreugde tot alles één werveling van geluid is. Ik voel er van alles bij, maar dat kan ik niet onder woorden brengen. Net als hoe het voelt om bij een gezin te horen.

Ik ga even verzitten, want mijn dij- en kuitspieren zijn stijf. We doen namelijk heel erg ons best op tangoles, alleen vind ik het jammer dat er geen jongens van mijn leeftijd op zitten. Mijn vader zegt dat ik zal moeten wachten tot ik ouder ben voordat ik jongens tegenkom die dansen leuk vinden. Hij zegt ook dat wanneer dat gebeurt, hij ervoor zal zorgen dat we dan dansen met een stok van minstens twee meter lang tussen ons in. Hij zegt soms van die rare dingen.

We zijn geen volmaakt gezin. Eva en ik zijn allebei heel koppig, en ik vind dat ze soms erg brutaal doet. Heel anders dan de kleine, verlegen Zhen An van vroeger. Maar in haar hart is ze nog steeds dezelfde en daarom houd ik van haar.

Zelf vergeet ik nog weleens dat ik niet meer alleen ben, en dus niet de hele wereld om mijn vinger hoef te winden om te zorgen dat alles goed gaat. Ik heb nu ouders en daar moet ik nog steeds aan wennen. Het is vreemd, maar meestal heel aangenaam.

De muziek die mijn moeder maakt omarmt me alsof ze me zelf omhelst. Ze is niet meer bang om op te treden. Ze is zelfverzekerd en sterk en mooi. Als ik naar haar luister ben ik bijna bang dat mijn hart breekt.

We wachten op haar als het concert afgelopen is. Dan zijn we weer met ons vieren, nauw verbonden, een eenheid. Ik hoor onze muziek; de melodie van mijn ouders, de hartenklop van mijn zus en mij. Een aroma van heerlijke geuren omringt me. Ik kan ze stuk voor stuk thuisbrengen: de hars waarmee mijn moeder haar strijkstok soepel houdt, de stoffige geur van de dikke boeken van mijn vader, de zweem van kersenbloesems die de herfst niet kan uitwissen. Ik ruik ook de scherpe lucht van Amerika, maar daar ben ik inmiddels aan gewend. Ik zal hem missen als die ooit compleet is vervlogen. Door al die geuren heen, om ons heen, boven ons uit, zweeft altijd een vleugje sigarettenrook.

Een geur die ik nu zo zoet vind als wierook.

Woord van dank

Dit boek zou niet zijn geschreven wanneer ik geen hulp had gehad van een paar geweldige mensen. Ik ben bijzonder veel dank
verschuldigd aan:
  • Dr. Jeanne Prickett, directrice van de Iowa School for the
Deaf, die me heeft geholpen om een realistisch ziektebeeld te
schetsen voor Wen Ming en me heeft geleerd om de wereld te
zien door de ogen van dat kleine meisje;
  • Dr. Weixing Li voor de hulp met het Chinees in dit verhaal;
  • Jeff Gerke, Brian Stuy, Jason Efken, Randy Ingermanson en Maureen Lang die mijn vragen hebben beantwoord
over bosonen en nanodeeltjes (Jason Randy), over Chicago
(Maureen), en mij actuele informatie hebben verstrekt over
Chinese adoptieprocedures en de situatie in de weeshuizen
daar (Jeff en Brian);
  • Tim Dickmeyer voor zijn hulp bij het bedenken van een
geschikt instrument voor Meg, het Lincoln Symphony Orchestra
in Nebraska (waar hij bastrombone speelt) voor hun toestemming een orkestrepetitie bij te wonen en Clark Potter, die mij
heeft uitgelegd waarom mannen betere violisten zijn dan vrouwen;
  • Jessamyn Efken, die me heeft geholpen het wereldbeeld van
een meisje van elf jaar te doorgronden en samen met mij het
karakter van Eva heeft ingevuld;
  • Todd Compton, docent aan de King Science and Technology
Magnet-school in Omaha; de naam van Eva's juf heb ik aan hem
ontleend;
  • Brant en Katy Robinson, die me hebben ingewijd in de
wondere wereld van de Argentijnse tango en me hebben geholpen bij de passages die daarover gaan;

• Jason Efken, omdat ik vooral tegen hem mocht aanpraten, en bovendien omdat hij een geweldige echtgenoot is die kookt en schoonmaakt en de kinderen naar school brengt zodat ik kan schrijven;

• Amy Bettis, Maureen Lang, Randy Ingermanson, Natalie Gillespie, Sharon Hinck en Tosca Lee die hun frisse blik tijdens verschillende schrijffases over de tekst hebben laten gaan en me bovendien tijdens het schrijven hebben gestimuleerd. Zonder hun hulp en bemoediging was ik er zeker halverwege mee gestopt;

• Judy Duenow tot slot, omdat ze zulke fantastische schrijfcursussen geeft. Ik was ongetwijfeld in mijn writer's block blijven steken als ik haar instructieve en stimulerende sessies niet had bijgewoond.